Pour David Hayman

CÉLINE

en toute sympathie

Philippe Muray

DU MÊME AUTEUR

AUX MÊMES ÉDITIONS

Jubila, roman
collection « Fiction & Cie », 1976

CHEZ D'AUTRES ÉDITEURS

Chant pluriel, roman
Gallimard, 1973

L'opium des lettres
Christian Bourgois, coll. « TXT », 1979

PHILIPPE MURAY

CÉLINE

ÉDITIONS DU SEUIL
27, rue Jacob, Paris 6ᵉ

CE LIVRE
EST PUBLIÉ DANS LA COLLECTION
TEL QUEL
DIRIGÉE PAR PHILIPPE SOLLERS

ISBN 2-02-005921-5

Le lyrisme tue l'écrivain par les nerfs,
par les artères, et par l'hostilité de
tout le monde...

L.-F. CÉLINE

Préface

Quand ces hommes que les Romains appelaient les « ennemis du genre humain » pénétrèrent dans les temples et fracassèrent les têtes de bois des idoles païennes, ils virent s'en échapper des nichées de souris arrachées à l'ombre aussi confortable que sacrée où elles se reproduisaient depuis des siècles.

Réveiller les souris, surprendre la multiplication innocente des meutes, faire que brusquement apparaisse aux yeux de tous la chose la moins visible qui soit, la plus évidente et naturelle, la plus effacée et pourtant indélébile, gravée à même l'oubli de l'espèce, faire sauter à tous les yeux le sommeil de troupeau des souris en gestation, rappeler à l'inattention qu'il n'y a que des souris proliférantes et que c'est le fait qu'il y ait cette multiplication dans l'ombre creuse plutôt que rien qui est étonnant, quelques-uns l'ont tenté depuis qu'existe la possibilité de dire ce qui préférerait de beaucoup ne pas être dit, ils l'ont payé cher, de leur vie, de leur raison ou de leur sécurité. Trahir les bonnes mœurs, dérégler le contrat de confiance de la tribu, les décrets de l'entente cordiale qui va de soi, se solde par des désagréments, solitude, misère, folie ou mort. La plupart du temps la persécution n'est même pas grandiloquente, simplement un long couinement maléfique du peuple des rongeurs autour de celui qui ne semble être apparu que pour ne pas se rallier à la coopérative des rongeurs, un bourdonnement des musaraignes du savoir-vivre qui ne s'éteint qu'avec l'extinction ou l'ingestion du perturbateur.

Le monde n'a jamais rien demandé d'autre que de continuer à être, sans qu'on le dise, cette idole de bois peinturlurée et dorée pleine de souris stagnantes dans leurs tueries fraternelles. Qu'un coup de hache le brise et *l'ouvre, et c'est l'affolement dans les hordes. Vu de chaque alvéole, de chaque vie grignotée pas à pas, l'ensemble est impensable, le fait qu'il y ait un ensemble est invisible. L'impunité de l'ensemble tient à ce qu'à l'intérieur de l'ensemble chacun croit tracer une route individuelle originale qui ne doit rien à l'ensemble parce qu'elle lui est extérieure. L'ensemble doit absolument rester invisible pour continuer. La chance et la malédiction de Céline ont été de savoir sauter hors de l'alvéole afin de détailler l'ensemble et le mettre à nu comme ensemble. Avant Céline, comme avant chaque écrivain, le monde était une tête d'idole géante, respectée, enfumée de sacrifices et de dévotions. Avant Céline, comme d'habitude avant chaque écriture nouvelle, le monde vivait en paix. Sa manière moderne de vivre en paix est de faire la guerre tout le temps. Depuis un siècle, l'ensemble-tête de mort se manifeste en effet sous forme plus ou moins condensée de guerre, l'ensemble est devenu la guerre elle-même. Une guerre si profuse et disséminée, précise et transparente, que devant elle la littérature et l'art se sont bien souvent sentis gagnés par le découragement. Que pouvaient faire des écrivains habitués à raconter leurs souvenirs d'enfance, leurs impressions de voyage, leurs intermittences sentimentales, devant ce qui commençait à se dresser comme un ruissellement technique de crimes sur le bas-relief des foules ? Les camps, les charniers, les continents basculant l'un après l'autre dans l'horreur, dépassaient toutes les possibilités de représentation de l'enfer, a-t-on dit alors. Et devant ce qu'il faut appeler l'interdit de la représentation de l'ensemble qu'aura été le XXᵉ siècle, beaucoup ont baissé les bras. Céline est de ceux qui n'ont pas cédé à la nouvelle loi qui disait, tu ne me prononceras pas, tu ne me calculeras pas et ne m'arpenteras pas, tu ne me dénombreras pas et ne me nommeras pas, afin que je continue à passer pour l'infini invisible. Il ne s'est pas courbé sous le commandement de l'abstraction, il n'a pas obéi à la pleutrerie de la non-représentation de l'irreprésentable, il n'a pas abstractisé, surréalisé, naturalisé, occultisé, psychologisé, et puisque le monde qu'il traversait était un monde sinistré, puisque la guerre était ce qui échappait à la pensée, c'est sur la guerre qu'il a prélevé le déchirement de sa pensée. Que ses romans l'un après l'autre aient été une façon de plus en plus fiévreusement précise de nous dire : vous cachez l'essentiel parce que c'est* *pour vous le naturel, et cet essentiel est la guerre, et même lorsque vous la nommez c'est pour échapper encore à la réalité qu'elle cache, voilà ce que j'ai d'abord essayé d'exposer. Parce que je crois qu'il y a eu au moins une innovation au XXe siècle, quelque chose qui a commencé avec cette époque : la guerre qui n'a pas de fin, la guerre qui succède à la guerre même dans ses rallonges simulées de paix, et que les romans de Céline ne cessent de trouer ce rideau multiplié de Maya, cette nouvelle danse des illusions. Ainsi est-il de ceux, si rares, qui ont* inventé, *dans une langue qui est tout autre chose qu'un dérèglement de la langue française, l'impossible, l'introuvable* XXe siècle. *De sa place biologiquement limitée, il a fait rouler bien plus loin que ses dates de vie et de mort une écriture qui recomposait d'avance ce qui est en train de nous arriver comme décomposition, la planétarisation de nos photons, le monde fini mondialisé, surveillé par les satellites géostationnaires, couvert par les transmissions, radars et missiles, enveloppé dans cette technique dont il a décrit avec quelle force la naissance saisissante dans les spectacles de métaux torturés de l'Exposition universelle de 1900. Il a vu se fermer les sorties, il a senti qu'on était pris* dedans, *relisons cet apologue fulgurant de* Casse-pipe *où des soldats perdus dans la boue et la nuit tournent confusément sans parvenir à retrouver le* mot de passe *qui donne accès à la caserne. Il n'y a plus d'issue, ou elle est devenue invisible, impraticable. Et moins il y a d'issue de secours, plus on s'embouteille devant les fausses portes, les fenêtres en trompe l'œil, les fausses nouvelles de salut. La quantité, la cohue, la démographie sous pression et l'afflux au milieu de tout ça des mirages salvifiques, sont le symptôme de la perte des issues. Le mot de passe oublié existe peut-être, mais il n'est sûrement pas caché dans le prénom d'une femme, d'une mère, souvenirs toujours offerts du même oubli filial. D'ailleurs Céline ne s'est pas fabriqué un pseudonyme avec le prénom maternel, comme on le croit. Et d'autre part il est le seul écrivain à avoir choisi sciemment d'entrer dans la bibliothèque avec un prénom de femme. Cette affaire-là aussi méritait, je pense, d'être débrouillée. De quelle manière a-t-il décidé, lui, comme écrivain, de faire son salut ? Son aventure est complexe, divagante, ténébreuse, détrempée par un siècle qui lui ressemble. L'absence* d'ailleurs *dans le monde est désormais la seule représentation que* *nous puissions sans doute nous faire du véritable ailleurs toujours suspendu, la dernière dialectique tortueuse qui puisse nous y mener, peut-être... D'où les égarements. Les « gaffes », comme il disait — pour laisser entendre qu'il avait tout de même fini par s'apercevoir que ses tragiques erreurs n'étaient pas dans l'ordre des choses, que le crime finalement n'avait pas une place « naturelle » toujours déjà marquée dans le monde ? Qui sait ?*

Ruines, cimetières, cohortes de réfugiés, déportés, cadavres. La guerre pousse devant elle les particules humaines, les agglutine ou les pulvérise, les fait rouler sur sa pente de catastrophes. « Mon cœur est un palais flétri par la cohue », dans la langue d'un tout autre temps Céline a développé à l'infini ce vers de Baudelaire, la littérature est fatalement devenue discours de claustrophobie ou d'agoraphobie revendiquant méta-physiquement un peu d'air dans l'émeute. C'est ce que j'ai tenté de montrer en commentant l'inlassable errance des trains bombardés de ses derniers romans...

Ce livre essaie d'aborder la plupart des problèmes que l'œuvre de Céline et son aventure soulèvent et font déferler aujourd'hui encore, sur nous, sans arrêt. Un an après avoir écrit ces pages, il me reste à préfacer rétroactivement dans un horizon plus large les thèmes que j'ai rencontrés. Quel horizon ? D'abord celui de l'histoire, de la perspective historique des ténèbres où n'arrête pas de rôder un spectre venu de plus loin sans doute que toute mémoire, une bête secrète qui devait un jour, aux alentours du milieu criminel du XXe siècle, habiter en locataire légitime une des musiques les plus stupéfiantes jamais tentées à travers le français. Car elle est bien là, la question fondamentale, troublante. Imaginons que les pamphlets aient été écrits dans la langue de la communication littéraire usuelle : nous n'aurions pas à en parler. D'innombrables appels au meurtre ont emprunté, emprunteront, la voie large de l'idiome collectif, ce ne sont qu'accouplements logiques de stéréotypes, forme et fond, qui n'appellent d'autre analyse que politique. Le scandale célinien, lui, est avant tout d'ordre littéraire. Imaginons d'autre part que Céline n'ait pas écrit les pamphlets : il resterait de lui une langue souveraine revendiquée sans restriction depuis longtemps par les avant-gardes successives. Mais il n'en va pas ainsi, tout chez lui est *confondu. Qui s'approchera pour analyser ou célébrer exclusivement son écriture, verra se dresser la bête antisémite qui y sommeille. Qui voudra à l'inverse imposer à son œuvre un traitement strictement politique, n'en finira pas de se battre contre une technique de langue qui n'arrête pas de désintégrer ou de recomposer les sens qu'elle croise et recroise sans cesse. Ainsi reste-t-il, vingt ans après sa mort, aussi inavalable que ce XXᵉ siècle qui s'achève bruyamment sans pouvoir être défini dans les termes de la rationalité et de l'évolution que nous avons peut-être tort de regarder comme des acquis définitifs de la science... C'est pourquoi j'évoquerai rapidement aussi des événements plus contemporains, tant ils me semblent répéter, sinistrement et comiquement, le pesant refoulement d'ensemble qui a fait de Céline l'un de nos grands écrivains et l'un de nos pires « polémistes », quelqu'un que nous ne parvenons à lire qu'en le découpant selon les pointillés de nos aveuglements, que les uns portent aux nues et que les autres rejettent, bref devant lequel toute analyse se voit instantanément contrainte d'avouer ce qu'elle refoule pour l'analyser. Peut-être que de comprendre un peu mieux Céline permettrait aussi d'entrevoir enfin ce qui a eu lieu, ce qui est en train d'avoir lieu, dans cette période de civilisation qu'on dit moderne...*

Définissons le monde comme une maladie qui croît d'âge en âge à sa guérison. La maladie est à l'« origine » comme à la « fin », elle est l'origine et la fin. Plus il est malade, plus le monde a foi en la santé. Les médecins abondent, ils font l'histoire, ce sont les grands prêtres de l'incurable, politiciens, guerriers, idéologues, leaders vaccinateurs, chiropracteurs philosophiques, anesthésistes de l'utopie, ils parcourent l'inguérissable et plus l'inguérissable croit en eux, plus il se convulse. Il y a une histoire de la clinique qui n'est pas celle qu'on a contée, une histoire universelle de la clinique croyant aux possibilités de recouvrer la santé. Plus on croit à la santé, plus on croit à l'existence d'un bacille isolable contre lequel il est possible de s'inoculer une protection. Cette croyance peut être appelée la religion elle-même, la vraie religion humaine que les religions proprement dites ne font que survoler, frôler, compromettre. Les religions n'ont rien à voir par principe avec la guérison ici-bas du genre humain, mais il est arrivé que le genre humain ait cru qu'elles allaient l'aider à se débarrasser ici et maintenant de son épidémie, cette rencontre de cures s'est appelée alors pogroms, inquisitions, persécutions, procès et bûchers d'hérétiques ou d'infidèles. Il est à noter que depuis deux siècles le genre humain a cessé d'attendre quelque secours que ce soit des religions pour évacuer le bacille et connaître enfin le bonheur en commun, on s'est tourné vers des remèdes plus scientifiques, on a appelé ce tournant mort de Dieu. Depuis deux siècles, donc, le genre humain n'a plus à attendre de secours que de sa seule et unique religion, il est par conséquent plus religieux que jamais. Et chacun est désormais obligé de réagir, de se définir par rapport à cette situation. Comme la religion naturelle n'est plus gênée par les religions, comme elle passe pour être parfaitement dans l'ordre, il est de moins en moins aisé d'en parler. Et Céline, qui sut si bien casser dans ses romans l'idole mondiale enflée de ses nuées de souris, n'a pas échappé non plus à la religion médicale générale lorsqu'il s'est cru obligé de trouver une issue, un espoir pour les souris. En ce sens, il a été un fils parfait de la France du XXe siècle, la France des avant-gardes et de Vichy, le fils de Rimbaud et de Pétain (s'est-on jamais aperçu que l'adolescent errant de la grande rupture poétique et le Maréchal du cauchemar collaborationniste sont nés à deux ans de distance?). Il arrive au point où vont se croiser la rébellion radicale contre le lieu commun et l'expression criminelle de ce même lieu commun, à cette pointe d'aiguille, ce punctum pathétique où elles ne vont plus cesser de s'affronter et de se contaminer, dans le balayage de la méconnaissance religieuse, sous l'ouragan polycéphale de la guerre à rebondissements, l'imbroglio de la quantité. Et les lieux communs bien sûr continueront après lui, à propos de lui, lieux communs commenta-teurs, lieux communs adulateurs ou exécrateurs, lieux communs des avant-gardes progressistes ou des jubilations réactionnaires et racistes.

C'est de partout, tendances, partis, que monte la rumeur répétant que nous sommes malades et qu'il faut nous guérir, que c'est possible. De partout et de toujours que s'élève l'illusion fondamentale consistant à ne pas vouloir se rendre compte, jamais, que l'histoire est la maladie, sans guérison possible, et que le vouloir-guérir est la névrose religieuse par excellence. Plus l'aspiration à la santé est massive, plus les meurtres sont voyants. On voudrait tellement penser qu'ils existent, les bosquets sacrés, qu'il suffirait de se mettre ensemble, les chercher, retrouver la sainteté de *la nature, les villes sanctifiées, l'innocence des désirs, la neutralité sans péché des intérêts ! On se tourne donc régulièrement, de toute une inguérissable pathologie déçue, contre la Parole qui a commencé par envoyer la terre à tous les diables et voué l'espèce aux pires maux : « Maudit soit le sol à cause de toi [1] ! » Comme il est désagréable d'être obligé de se souvenir que dès la Genèse, le Dieu de la Bible a soigné la soif humaine de guérir par une malédiction ! Comme il est logique, par conséquent, que la vengeance de tous se dirige contre ceux parmi lesquels se déposa et s'écrivit pendant des siècles cette parole de nomination de la maladie : les Hébreux, les Juifs. Une loi invisible, la loi de l'Invisible, fait que tout sursaut de guérison est immanquablement un saut dans la pulsion de mort. Après tant d'autres, et plus bruyamment que tant d'autres sans doute parce qu'il était allé plus profondément dans la blessure qu'il avait ouverte dans l'amnésie, la sienne, celle de l'espèce, et que le gouffre ainsi aperçu lui donnait le vertige, Céline a imaginé qu'il allait pouvoir isoler la cause de ce vertige, nommer un bacille, donner des conseils pour l'éliminer. Et parce qu'il ne voyait plus* personne *dans cette nuit où il s'enfonçait, il a voulu croire que* quelqu'un était cause *de cette nuit. On n'a pas assez dit pourquoi le livre dont il interrompt la rédaction en 1937 pour écrire ses pamphlets est justement celui de l'impossible sortie des ténèbres guerrières,* Casse-pipe, *un roman plus encore que tous les précédents centré sur la guerre, c'est-à-dire un roman pacifiste dans l'écriture même. Tout de suite après il commence à faire la guerre en annonçant justement qu'il veut l'empêcher, cette guerre qui vient. Passage de la forme interrogative ou négative (les romans), à la forme affirmative d'une positivité (les pamphlets). Polémique, polémi-kos, relatif à la guerre... La littérature, ses échecs, ses réussites, ses transformations, est toujours la vérité de ce qui, dans la politique des sociétés, paraît si confus. Il serait sans doute possible de montrer que tout ratage littéraire vient d'un passage à la croyance que la maladie est* dans le monde, *alors qu'elle* est le monde, *lequel est donc toujours déjà un autre monde. Les pamphlets sont l'échec de Céline, son échec à poursuivre toujours plus loin dans la négativité. Effacer les Juifs, rêver*

---

1. *Gn* 3, 17.

de les éliminer, c'est vouloir que jamais ne revienne, au milieu des fêtes de célébration du lien social, le nœud manquant de ce lien, présent par son manque et menaçant tout le temps le lien de se rompre. C'est aussi bien ouvrir un horizon où la littérature n'aurait plus de raison d'être. D'une certaine façon Céline a dû penser qu'il ne reviendrait jamais à ses romans, si tout se passait comme il le souhaitait, que c'en serait terminé avec la nausée et ses manifestations écrites. Seulement voilà, cet espoir de « guérison » il a été obligé d'y entrer avec sa propre écriture, faite pour dire la maladie sans espoir. C'est en « ennemi du genre humain » qu'il s'est retourné contre ceux qui depuis des siècles subissaient la haine de ce même genre humain. Bagatelles, l'École des cadavres, les Beaux Draps, *sont des tentatives pour devenir enfin son ami, au genre humain — ami du genre humain voulant toujours dire protecteur contre l'altérité, exterminateur de l'altérité —, mais il n'a pas pu aller jusqu'au bout : il lui aurait fallu renoncer à écrire comme il écrivait...*

Il faut lire, relire et faire lire Léon Poliakov [1]*, l'histoire de l'antisémitisme est le seul véritable discours sur l'histoire universelle que nous ayons à retenir parce qu'il précipite vers un pôle constamment et tragiquement réaimanté toutes les passions, tous les intérêts, toutes les sociétés, toutes les civilisations. A part quelques hommes, quelques écrivains (par exemple Montesquieu, Sade, Rousseau), quelques curés, quelques pasteurs, de rares pays (l'Italie à presque toutes les époques de son histoire), l'épopée des noms et des règnes, la légende des siècles et des nations dégringolent sans interruption dans la religion de la persécution. Comment mieux vérifier que l'espèce est en chute alors même qu'elle est en train de croire qu'elle se sauve avec des coupes sombres, des corps brûlés, lynchés, torturés ? Rien n'a hélas vieilli de ces anecdotes sinistres, voyez les peuples enragés du pouvoir qu'ils n'auront jamais, de plus en plus affolés de sang au fur et à mesure que l'étau se resserre, au bout il y aura Céline, comme le trait provisoire tiré en bas de l'addition du cauchemar, la somme écrite, claironnée, de tant de délires sourdement prophétisés du fond de l'impasse des générations. Les antisémites sont-ils fous ? C'est ce*

---

1. En particulier, les 4 volumes de l'*Histoire de l'antisémitisme* et *la Causalité diabolique, Essai sur l'origine des persécutions*, Calmann-Lévy. Les pages qui suivent leur doivent maints renseignements précieux.

qu'a pensé naïvement un historien arabe relatant l'anecdote de ce calife fatimide qui, en 1012, fit brusquement détruire en Égypte et en Palestine toutes les synagogues ; le fait était si rare à l'époque qu'il n'a pu trouver que cette explication. Nous savons bien que les antisémites ne sont pas fous, qu'ils sont la syntaxe même de la raison en chute libre, quoi de plus rationnel que les membres des Cortès donnant en 1371 comme cause de la ruine de l'Espagne la trop grande liberté accordée aux Juifs dans leur pays ? La raison antisémite veut des critères scientifi-ques, dès le XVIe siècle au fond la place des nazis était préparée par la fameuse loi de la « limpieza de sangre », les statuts de la pureté du sang. Pas n'importe lequel, le seul sang « noble » revendiqué par les rois d'Espagne fut le sang gothique ou wisigothique qu'ils croyaient sentir couler dans leurs veines : le sang germain, le sang du Nord, celui des « mal baptisés » (Freud) dont se dessinait déjà le long réveil contre la religion chrétienne qu'on leur avait imposée et ses origines juives. S'étonnera-t-on que l'un des rares à avoir résisté au nouveau tabou fut Ignace de Loyola, allant jusqu'à désigner comme son successeur un Juif converti, un de ces conversos *que les Espagnols estimaient héréditaire-ment souillés ? Rien de tout cela ne devait plus changer : scientisme (hérédité), germanophilie. Antijudaïsme et antichristianisme, le pre-mier camouflant de moins en moins le second. Ajoutons l'argent : en 1673, Frédéric Guillaume de Prusse prit la « défense » des Juifs en disant qu'après tout si les chrétiens faisaient de mauvaises affaires ils n'avaient à s'en prendre qu'à eux-mêmes et éviter, à l'imitation des Juifs, d'acheter à crédit. Crédit est mort, mort à crédit... Même les titres de Céline dialoguent silencieusement, inconsciemment, avec l'in-conscient de notre civilisation.*

Le grand tournant, chacun le sait, se situe au XVIIIe siècle où la raison s'affole définitivement dans la science. L'annonce révolutionnaire que le bonheur est une idée neuve en Europe signifie qu'on va innover dans le traitement des causes fantasmées du malheur. Le terrain est préparé par les déistes anglais pour qui l'Ancien Testament est « sec-taire », bien trop étroit pour leur « religion naturelle »... Moïse est moins important que ce Zoroastre qui enflammera Nietzsche, et Abra-ham, ma foi, à considérer les signifiants, n'est autre que... Brahma !

Le syncrétisme commence ses ravages, et le syncrétisme, il faut le dire nettement, c'est ce bricolage théosophique consistant à affirmer que toutes les religions sont issues de la même source, qu'elles sont toutes une (et toutes bonnes à prendre sauf la juive, comme dira Blavatsky) et qu'on va travailler la main dans la main avec la science pour fonder solidement tout ça. Le « vrai berceau » des peuples européens est en Inde, le sanskrit est supérieur à l'hébreu, c'est de lui que viennent le gothique et le celtique. Schlegel, le délicat théoricien du romantisme de l'Athenaeum, y croyait dur comme fer. L'Éden originaire se situait au Cachemire, pas au Moyen-Orient : ouf ! Adam et Ève parlaient une langue « aryenne »... En 1835, Wagner soutiendra très sérieusement que le christianisme n'est pas issu du judaïsme mais du bouddhisme. Mais le symptôme le plus déchaîné de l'époque s'appelle sûrement Voltaire, le Voltaire héroïque de nos deux siècles de laïcité, si automatiquement indigné devant l'injustice, mais littéralement possédé dès qu'il parle de la Bible et des Juifs. La « pornographie » d'Ézéchiel l'étrangle, il n'en peut plus, suffoque, les mots prépuce, déprépucé, gland, verge, se bousculent pour lui faire pousser une grossesse turgescente qui est la sexualité même voulant triompher une bonne fois de son au-delà. L'antisémitisme fatalement est un organicisme. Et puisque nous sommes, paraît-il, en terre chrétienne, on en arrive inévitablement à la question de savoir si le Christ faisait caca. Céline se l'est demandé, il aurait bien voulu être fixé. L'hostie subit-elle la fatalité du transit intestinal ? Rappelons-nous les interrogations enfantines de « l'homme aux loups » : Jésus avait-il un derrière, évacuait-il ? Le propre de la névrose obsessionnelle serait-il de revenir sur les questions que la théologie a réglées ? Elle veut absolument s'en effaroucher, en rester choquée, scandalisée, croire à une transgression possible, par les organes, de la résolution théologique du problème des organes. Transsubstantiation, qu'est-ce que c'est que ça ? Passage complet de la substance du pain à la substance du corps du Christ, conversion totale, sans reste, sans déchet, sans mutation locale d'un corps qui de toute façon est toujours déjà au ciel ? Qu'est-ce que ça veut dire ? L'interdit sexuel moderne ne supporte pas de savoir que sa crise a été déjà pensée, détaillée paisiblement, dépassée.

Rousseau avait prévu une inquisition philosophique bien plus caute-

*leuse et sanguinaire que la précédente. Mais le galop ne s'arrêtera plus.
Fourier, le « prophète post-curseur », a des idées précises sur « l'usure
juive ». Proudhon lui emboîte le pas. Voilà l'antisémitisme épanoui à
gauche, le socialiste saint-simonien Toussenel publie en 1848 les Juifs,
rois de l'époque, quarante ans avant la France juive de Drumont.
Gauche, droite ? Comment ne pas voir que ces notions qui nous paraissent encore si déterminantes étaient dès leur naissance dépassées par le
circulateur de l'ombre, l'antisémitisme voyageant de l'une à l'autre ? Et
si on n'avait eu besoin de cette distinction, de ce désaccord apparemment
tranchant entre les hommes, que pour empêcher d'éclater l'évidence de ce
qui les unissait ? Céline aussi, on le verra, a oscillé tout naturellement
entre ces pôles postiches...*

*L'antisémitisme dit également la véritable opinion des chrétiens sur le
Christ. Fichte, alors qu'il se proclamait Jacobin et proposait de couper
la tête aux Juifs pour leur en greffer une nouvelle qui ne contienne plus
une seule idée juive, a été un des premiers à vouloir que Jésus ne soit pas
juif. Le célèbre Houston Stewart Chamberlain entreprendra d'en fournir
les « preuves ». Jésus avait un derrière, Jésus était aryen, que reste-t-il à
démontrer ? Que c'était une femme ? Toutes ces histoires s'accélèrent parce
que la métaphysique s'éloigne de plus en plus, qu'on sent par conséquent
son physique de plus en plus stérile et qu'il faut bien trouver une cause
sexuelle à cette stérilité : en 1919 les pasteurs luthériens déclarèrent que
l'âme allemande avait été « violée par l'Ancien Testament ». La dernière bataille de la Russie tsariste se livre autour d'une affaire de
meurtre d'enfant prétendument rituel commis bien sûr par les Juifs.
Pendant ce temps-là, autour de l'impératrice Alexandra, la mode était
à l'occultisme. Magie, théosophie, Raspoutine, esprit es-tu là ? Les
lumières ont toujours fait bon ménage avec l'illuminisme. Positivisme et
occultisme constituent l'inébranlable couple sacré antibiblique de cette
période dont nous sommes loin d'être sortis. Le sommeil de l'un engendre
sans cesse l'autre et réciproquement. D'ailleurs, les deux pères symboliques des* romans *de formation de Céline sont ironisés sous les noms de
Courtial des Péreires, émule d'Auguste Comte (Mort à crédit), et
Hervé Sosthène de Rodiencourt, « ingénieur initié » (Guignol's Band,
1 et 2). Le refoulement de la théologie suscite ces pôles de plus en plus*

symétriquement vibrants. Il y a un secret dans les ténèbres, la science va l'expliquer. Plus de lumière... *Les pamphlets de Céline ne cessent au fond de réclamer plus de lumière. Résultat : nuit et brouillard. Les Juifs ne sont-ils pas les fantômes de la nuit ? Qu'ils y retournent, nous avons appris à nous occuper des spectres, des revenants, nous savons comment les écouter, les détourner, nous avons de quoi les faire parler. Les tables tournantes du XIXe siècle n'étaient pas si ridicules qu'elles peuvent le paraître, elles ont tourné jusqu'aux tables rases du XXe dans le refus définitif des Tables de la Loi. L'histoire du XIXe et du XXe siècle est à refaire, il faudra la faire un jour, c'est une histoire de fantômes qu'on fait mettre à table. Déjà en 1882, un médecin russe disait que les Juifs étaient devenus un «peuple-fantôme», un peuple de «revenants», et ce n'est pas l'idéalisme, comme le croyait Lénine, qui est une affaire de revenants dissimulée et travestie, mais toute la modernité qui apparaît comme le traitement des spectres qui la hantent. Encore une fois, Céline : le plus hallucinant, pour lui, c'est qu'on ne* voit *pas les Juifs, on ne les reconnaît pas dans la masse européenne. Depuis leur* émancipation *ils sont devenus invisibles comme leur Dieu au nom imprononçable. Et Céline, moins il voit, plus il crie qu'il va faire voir. Comment renvoyer à la nuit et au brouillard ceux qui sont déjà votre brouillard et votre nuit ? Ici évidemment, Céline rencontre après tant d'autres cette grande question de l'Un et du multiple, l'Un étant tout le problème de Dieu à partir du moment où on n'ose plus dire Dieu, le multiple étant cet embouteillage des atomes qui commence, cette mondialisation de la quantité d'autant plus invisible qu'elle est mondialisée, cette maladie de l'état civil devenu planétaire et à qui la littérature a désormais tant de mal à faire concurrence. Donner un nom au quantitatif, l'appeler «Juifs», c'est si commode. Les négociants de Paris, sous l'Ancien Régime, se plaignaient de ces «particules de vif-argent» parmi eux, le prince de Ligne au XVIIIe siècle les décrivait «toujours suants à force de courir les places publiques» : les Juifs courent. Ils sillonnent. D'un dehors à un dehors sans avoir l'air de passer par la maladie religieuse interne, ils «errent» diagonalement dans l'histoire-maladie. Ces fantasmes de vibrions tournent dans les têtes racistes de plus en plus hallucinées par le tourbillon inévitable de la quantité, l'obsession* sexuelle quantifiable universelle. Quel travail, s'il fallait démontrer qu'on est revenu dans le chaos, l'imbroglio, la somme des sommes, l'indifférenciation innommable d'avant l'ordre symbolique! Il faudrait oser invoquer la théologie médiévale, son unitas aggregationis, *infini en quantité*, c'est-à-dire *en puissance*, plus bas degré de l'unité, rassemblement de tout ce qui pourrait aussi bien ne pas être; et encore rappeler les sens du on, de l'état de on comme limite inférieure extrême de la chute dans le monde; et, tout aussi sérieusement mais plus sarcastiquement, évoquer cet en-deçà de l'individu dont Jarry disait qu'étant pour la foule un au-delà nimbé de violet on pouvait l'appeler l'ultra-violet... Écrire, simplement, pour dissoudre l'obsession: « La poésie, c'est de la multiplicité broyée et qui rend des flammes » (Artaud). Que se passe-t-il si l'on renonce à broyer la multiplicité pour en isoler une toute petite partie dont on va annoncer qu'elle est la cause des maux du Tout? Il se passe, par exemple, la chute dans les pamphlets, l'adhésion au chaos mimétique. Face à cette machine antisémite amplifiée, il ne fallait rien moins sans doute, dès le début de notre siècle, que Freud lui-même redécouvrant le hors-temps parlant qui n'est pas dans la parole, l'inconscient qui ignore le temps. Redécouverte qui sonne encore comme une restauration désinvolte de la Bible et lui vaudra les mêmes ennemis qu'elle: ceux qui croient au temps de l'histoire qui ignore l'inconscient.

Il ne faut pas se faire d'illusions, depuis la dernière guerre l'antisémitisme n'a fait que passer à la clandestinité, une clandestinité qui d'ailleurs essaie de plus en plus de revenir au grand jour au fur et à mesure que sa période de dévoilement aigu s'estompe dans les mémoires. Déjà, chez Céline, d'une certaine façon, le délire s'était replié malaisément sous le style dans ses œuvres d'après-guerre, il ne pouvait plus attaquer les Juifs qu'en les surnommant Chinois... Pourtant, je n'aurais sans doute pas écrit ce livre si je n'avais pensé qu'il fut d'une certaine façon le moins coupable des antisémites — à supposer qu'il existe des degrés dans ce genre de culpabilité. Puisqu'il s'agit de littérature, je veux revenir rapidement sur une interrogation qui me paraît essentielle: qu'est-ce qui a fait que Céline, qui était romancier, et somme toute un romancier assez traditionnel, n'a pratiquement jamais mis en scène de personnages de Juifs dans ses romans? On ne semble généralement pas s'étonner de cette absence, on a l'air de la trouver normale. C'est pourtant le contraire qui aurait été dans la logique de son antisémitisme. D'autant plus qu'il existe une solide tradition d'œuvres de fiction centrées sur les Juifs. Au milieu du XIXᵉ siècle, la revue des Archives israélites décrivait dans les termes suivants les écrivains de l'époque Romantique : « Chacun d'eux tient au moins une fois dans sa vie à se tailler un pourpoint en plein Moyen Age, et, quand leur imagination est épuisée, ils bâclent une histoire de Juifs. Il n'y a pas un romancier, pas un apprenti nouvelliste, pas le plus piètre fabricant de feuilleton qui n'ait dans son sac la peinture fantastique du Juif d'autrefois, le récit de nos malheurs passés, la représentation de nos naïves légendes. On dirait que depuis notre grand naufrage historique, le moindre rapin a sur nous droit d'épave. » Sans remonter jusqu'à Shakespeare, Balzac ou Sue, il suffit de jeter un coup d'œil sur ce qu'écrivaient les romanciers contemporains de Céline pour vérifier que ces remarques sont restées vraies au moins jusqu'à la dernière guerre. Voyez ces écrivains qui parlent de tout et de rien, souvenirs d'enfance, avenir de l'homme, impressions de voyage, ils peuvent être de droite, de gauche, chrétiens, athées, n'importe quoi, mais avant tout, même s'ils sont hostiles à l'antisémitisme, ils campent des personnages de Juifs « typiques »... Les Tharaud, Duhamel dans les Pasquier, Jouhandeau dans Chaminadour, Romain Rolland (Dans la maison), Mauriac (Thérèse Desqueyroux), Roger Martin du Gard (Jean Barois), Simenon (le Fou de Bergerac, le Pendu de Saint-Phollien). Ce qui est impressionnant là-dedans, plus impressionnant peut-être qu'une rage antisémite avouée, c'est cette introduction de personnages de Juifs qui semble aller de soi, être dans l'ordre des choses. Dès lors, qu'est-ce qui a fait que les personnages de Juifs ont résisté à entrer dans les romans de Céline alors qu'ils s'intégraient si aisément au discours des pamphlets ? Comment se fait-il que sa religion antisémite qui a ruminé dans trois gros livres le mot « Juifs », n'a pas réussi à faire incarner ce mot dans les romans ? Prendre le nom pour la personne c'est, comme l'a montré Freud, l'essence même du paganisme, à quoi l'opération biblique du Nom imprononçable de Dieu vient dire à quel point il s'agit d'enfantillages. On peut se demander ce qui a pu empêcher Céline, qui se voulait si fébrilement païen, de tomber justement

dans ces puérilités païennes. Sûrement pas la Bible, sûrement pas Freud.
Peut-être la littérature ? Pourquoi ne pas voir là un effet de son pouvoir
d'empêcher un mot de prendre, de consister dans le réel de la fiction ?
Une passion se croirait la vérité, pendant des siècles et des siècles, et puis,
au moment d'entrer en contact avec une langue ou une écriture particu-
lières, la fusion ne se ferait pas, il n'y aurait pas rencontre mais
dissolution de la passion en question par l'écriture en question... Il y
aurait jugement par le feu et l'eau de l'écriture, ordalie, négation d'un
passage à l'acte par un style en acte, avortement du discours de la
croyance religieuse à la guérison. C'est en ce sens, parce qu'il n'a pas pu
ne pas se laisser dépasser par la littérature, qu'il ne paraît pas si
provocant de supposer que Céline ait été finalement un peu moins
antisémite que beaucoup d'autres.

Il n'en reste pas moins, bien entendu, qu'il a été tout ce qu'on veut
sauf conscient de ce qui lui arrivait, ce qui l'a amené à penser
après-guerre que le passage à la clandestinité de l'antisémitisme laissait
un vide dans son œuvre. D'où son insistance, dans les dernières années de
sa vie, sur son travail de styliste. Sans parler comme notre génération de
rythme, de syntaxe, de signifiant et de productivité du texte, c'est tout de
même dans un tête-à-tête avec la langue, et elle seule, qu'il termine son
aventure. Il est tout étonné, tout désemparé et vidé, de n'avoir plus ses
sens autour de lui, d'avoir subi une défaite sémantique radicale,
d'avoir assisté à la déroute de sa combinatoire sémantique — et pas
seulement l'antisémitisme, sens super-positif à ses yeux, mais aussi bien
d'autres positivités à l'intérieur de l'antisémitisme : l'urbanisme utopi-
que, la femme comme avenir de l'homme, la danseuse comme avenir de la
femme, les ballets et les légendes médiévales comme avenir de l'art, l'école
rénovée, bref, tout son mauvais goût sémantique futuriste... Quand il se
remet à ses romans, dès le Danemark, il voit bien que ça ne peut plus
s'écrire, que ça n'a jamais pu s'écrire, que c'est venu pendant quelques
années comme un coup de force de la religion des souris dans son écriture,
et c'est alors qu'il va donner comme malgré lui ses plus grandes œuvres,
et prouver par la pratique que l'antisémitisme avec son défilé de
positivités annexes n'avait jamais été l'ossature réelle de sa littérature.
Pourquoi ? Parce que c'était de l'idole, de l'image, du nom pris pour une

chose. *Passer de l'autre côté de l'idole, traverser cette mer Rouge, c'est ce que font les livres de la fin,* Normance, D'un château l'autre, Nord, Rigodon. *C'est ce que répètent les derniers entretiens où il est question de style, rien que de style, encore de style. Le sens, je ne m'en occupe plus, proteste-t-il. Le sens c'est à l'Église de s'en charger, le sens c'est l'Église. On peut prendre ces remarques, qu'il égrène à la fin, comme une autocritique. A se mêler, en effet, de ce qui regarde l'« Église », à s'en mêler en voulant ignorer que ça regarde l'« Église », il se pourrait bien qu'on commette une « gaffe » monumentale qui consisterait à ne rien savoir de la langue dans laquelle le sens s'est écrit... Quand on se souvient que l'Église c'est la théologie, et que la théologie a disparu en même temps que le latin à travers lequel elle s'exprimait, on s'aperçoit que le sens, pour nous modernes, pour Céline, c'est fatalement toujours du latin, c'est-à-dire du chinois, c'est-à-dire de l'hébreu, c'est-à-dire quelque chose qui comporte dans la traduction des risques de contresens innombrables. La preuve, c'est que quand on le translate, ce sens latin ou hébreu, en langue vulgaire, ça devient automatiquement de la religion, je veux dire de la politique, du programme social, du marxisme, de l'antisémitisme... Que Céline se soit aperçu après-guerre que son crime avait été de ne même pas soupçonner qu'il était en train d'accumuler les erreurs de traduction, les barbarismes, ce n'est pas impossible. D'où la volonté de saut hors du sens : allons de plus en plus loin dans la forme, nous finirons bien par les semer, ces fantômes, ces spectres du sens — latin, Bible, théologie, Juifs, mémoire d'un immémorial ignorant le temps. Fuyons le signifié puisqu'à jouer avec sans savoir on se retrouve toujours dans son tort. Et c'est là enfin qu'il rejoint, qu'il attend dans leur dérapage les avant-gardes. Depuis trente ans elles se demandent comment il a bien pu soutenir les pires archaïsmes politiques et produire en même temps la langue la plus moderne, la plus progressiste qui soit. Depuis trente ans elles y voient un scandale, une anomalie, un mystère. C'est pourtant bien beau, les langues toutes seules : pourquoi faudrait-il qu'elles retombent tout le temps, avec leurs avalanches de différences et d'étrangetés, dans le tronc commun d'une parole communautaire de crime ? Nous en avons pourtant fini avec les engagements politiques, nous ne militons plus que pour*

24

l'engagement dans la langue, le langagement, *est-ce que ça ne suffit pas à nous vacciner contre les délires céliniens ?*

Au fond Céline, qui n'a jamais appartenu à aucune communauté littéraire, les regroupe toutes sous son nom en partie maudit, tant il est exemplaire de ce qui peut éventuellement arriver quand on entend mieux sa glotte que le latin, quand on néglige le sens, quand on s'en remet au bon sens pour vous donner le sens. Le nihilisme attend au tournant l'oubli du latin. Et quand ce n'est plus l'antisémitisme ou le marxisme qui viennent remplir le trou de mémoire, quand ce n'est même plus ça ou que ça ne s'avoue plus, que reste-t-il ? Une sorte de babil biomorphique qui rabâche toujours la même ritournelle supposée subversive, toujours la même rengaine en train de passer du côté du silence... Oublier les signifiés, c'est-à-dire tout le domaine de ce qui fait sens, jouer les signifiants contre les signifiés au lieu d'essayer de tenir les deux, en permanence, dans la même tension, c'est aussi une façon de s'en remettre au vouloir-guérir en supposant que le mal viendrait d'une sorte d'embouteillage de mémoire, de références, empêchant la gorge de brailler librement. On remarquera d'ailleurs que les avant-gardes, après des générations de bruit et de fureur, sont en train de remplir jusqu'au bout leur métaphore militaire en devenant peu à peu la grande luette. Au passage, notons ici encore l'actualité de Céline.

Sur ses crimes politiques, il n'y a pas de secret, il n'y en a jamais eu. Il a d'ailleurs payé publiquement ses centaines de pages d'appel au meurtre. Dans l'histoire bien nourrie de l'antisémitisme littéraire contemporain, c'est lui qu'on retient d'abord, lui seul ou presque. Les autres ont su chuchoter, passer en ombres discrètes, fondre leurs estompes de calomnie, effacer leurs noms dans le complot. Nous ne savons toujours à peu près rien du théâtre en coulisses de la collaboration intellectuelle, il a fallu que ce soit un Allemand [1] qui tout récemment nous conduise dans le labyrinthe funèbre : alors brusquement la perspective change, c'est Jouhandeau, Giono, Drieu, Arland, Montherlant, Paulhan, Pierre Benoit, Chardonne, Cocteau, Fabre-Luce, avec qui on dîne, qu'on sollicite pour des rencontres « culturelles » à Weimar, c'est eux qui

1. G. Heller, *Un Allemand à Paris, 1940-1944*, Paris, Éd. du Seuil, 1981.

25

papotent autour des officiers nazis éclairés, demandent des laissez-passer, des faveurs, des services. Pas Céline, il ne fait qu'apparaître au fond du décor, déjà promis au vomissement de l'histoire, on lui prépare son rôle de bouc émissaire, il a eu le tort de crier ce que les autres chuchotent entre eux, au salon. D'ailleurs, le sonderführer Heller n'aimait que les bons écrivains, Morand, Drieu, pas les «grossièretés hystériques» de Céline. Décidément, il est vrai pour l'éternité que le style c'est l'homme à qui l'on s'adresse! Et qu'une erreur esthétique se renverse automatiquement en erreur politique. Que lisaient les marxistes d'hier? A tour de bras et plus ou moins secrètement la belle écriture moulée des Giono, Drieu, Morand, Nimier.

Céline, le persécuteur de fantômes devenu lui-même fantôme et passeur de fantômes (voir l'analyse que je fais de ses derniers romans), Céline le psychopompe des voyageurs irradiés de l'ère atomique, n'avait pas grand-chose de commun, même dans son ignominie, avec les écrivains collaborateurs des années 40. Aurait-il davantage à voir avec les nouveaux nazis qui, aujourd'hui, un peu partout, reprennent confiance, empestent à nouveau l'air de leurs celtitudes, grécitudes, suscitent des débats, gagnent du terrain, se font réaccepter, discuter, attaquer, réintégrer, défient les morts des camps de venir prouver que les chambres à gaz ont existé. Il se trouve un linguiste pour déclarer, du haut de sa conviction que le langage est un organe comme les autres [1], qu'ils ont droit à la parole. L'antisémitisme est en train de redevenir une opinion parmi d'autres, elle aussi. La causalité diabolique, la «diabolectique»

1. « Une des choses qui m'ont le plus frappé quand j'étais en Amérique, c'est ma rencontre, tout à fait intentionnelle de ma part, avec Chomsky. J'en ai été à proprement parler *soufflé*. Je le lui ai dit.
« Ce qui m'a soufflé est l'idée du langage dont je me suis rendu compte qu'elle était la sienne. Je ne peux pas dire qu'elle soit d'aucune façon réfutable, puisque c'est l'idée la plus commune. Qu'il l'ait à mon oreille affirmée m'a fait aussitôt sentir toute la distance où je suis de lui. Cette idée, idée commune donc, et qui me paraît précaire, part de la considération du corps conçu comme pourvu d'organes. Dans cette conception, l'organe est un outil, outil de prise, d'appréhension, et il n'y a aucune objection de principe à ce que l'outil s'appréhende lui-même comme tel. Ainsi, Chomsky peut bien considérer le langage comme déterminé par un fait génétique. En d'autres termes, a-t-il dit devant moi, le langage est lui-même un organe. » (J. Lacan, *Séminaire du 9 décembre 1975, Ornicar?* n° 6, p. 13.)

PRÉFACE

(Poliakov) se déchaîne à visage découvert, campagnes humanistes de bulldozers, dénonciations, commandos, étrange et prévisible collusion des tendances les plus contradictoires apparemment, au maximum de leur tension dans le sommeil de l'inattention générale. La vocation de la religion du vouloir-guérir était de fusionner. Nous y sommes.

Revenons à Céline, syncopant contre lui-même et ses délires l'éternelle consternation lucide de l'Ecclésiaste : « Je ne vois dans le réel qu'une effroyable, cosmique, fastidieuse méchanceté — une pullulation de dingues rabâcheurs de haine, de menaces, de slogans énormément ennuyeux. C'est ça une décadence ? » Ces mots ont trente ans. Dans le télescope agité de ses romans et de ses pamphlets, s'ouvre, se dissipe, se précise la fresque du monde qu'une guerre sans fin ensemblise. Nous n'avons sûrement pas encore vu le pire. Céline a été, ou a dit, le pire. En ce sens, il nous attend encore.

Mars 1981

Abréviations

L'homme qui parle

Les rêves de la modernité littéraire sont pleins de prisonniers, Sade à la Bastille ou à Charenton, Ezra Pound dans une cage puis à l'hôpital Sainte-Elizabeth de Washington, Artaud à Rodez, Jean Genet à Fresnes, Soljénitsyne au goulag, Desnos à Buchenwald et Auschwitz, Dostoïevski en Sibérie, Kafka séquestré dans Prague, la «petite mère [qui] a des griffes [1]», Proust entre ses murs de liège, la cohorte grossissante des persécutés d'Amérique latine ou d'Europe de l'Est, Céline enfin dans les glaces du Danemark puis reclus à Meudon. Rares ceux qui ont échappé à cette dimension carcérale par laquelle notre temps met la parole au plus près de la délinquance, l'écrit dans la claustration, le verbe sous le triple signe du bagne, de la psychiatrie, de la solitude mortelle. Au fil du XXe siècle s'est ainsi révélé le monde nouveau dans lequel il nous faut vivre et dont la littérature s'est faite seule l'historienne, un monde de verrous et de galères sous l'œil des satellites, des radars et des missiles, un monde de châtiments et d'ossuaires, où la politique désormais n'est plus que le rythme des cortèges de réfugiés, des croisements de bateaux et de trains charriant leurs déportés, des abattoirs de plus en plus spectaculaires — écho par-dessus les hommes de la jouissance mortelle de leurs maîtres. Ces emmurés des bas-fonds, ces surveillés, ces réprouvés, ces bannis, furent les historiens d'une histoire qui n'en est plus une, et sans doute est-ce pour cela que leurs œuvres n'ont pas grand-chose à voir avec les cogitations paisibles de la pensée historienne ou archéologique. Du sujet de l'âge nucléaire candidat à l'irradiation, captif de nations peu à peu transformées en vastes hangars à stocker les armements atomiques, sans doute seront-ils en fin de compte les seuls à avoir fait entendre les derniers cris, dans une langue de masse fissile pour longtemps inaudible à quiconque s'accroche au fantasme d'une littérature que surdétermineraient à jamais la théologie, la morale, la métaphysique, la philosophie, la politique, la psychanalyse, et qui se trouve soudain privé de tous ses moyens devant cet embrasement du langage, dernier sursaut pathétique de libération de la bête humaine.

Dans cette série de détenus et de relégués, Céline toutefois s'intègre mal : au-delà de son « génie » sur lequel la communauté s'accorde à peu près unanimement avec une hâte d'ailleurs inquiétante, il est hors de question de remettre en cause les motifs profonds de son châtiment, les raisons pour lesquelles il fut intensément puni. Sade, Dostoïevski, Artaud, Soljénitsyne, furent bien chacun à leur manière des « suicidés de la société » dont les tragédies nous permettent de nous refaire une virginité sociale rétrospective. Grâce à eux de temps en temps, nous qui ne sommes ni au bagne ni à l'asile, nous pouvons sortir notre belle âme, devant leur martyre nous éprouvons un intense soulagement communautaire : nous n'aurions été ni leurs gardiens ni leurs bourreaux. C'est dire que nous sommes là au plus près du crime qui les frappe et que nous dénions. Seul Céline reste immensément coupable. Sa culpabilité, en apparence, ne va pas frapper au fond de nos inconscients pour y déclencher le réflexe automatique de sympathie que nous accordons charitablement aux morts. Que recouvre donc cette solidarité que nous éprouvons soudain avec la loi qui le condamne ? Que signifie cet emballement égal pour son style « révolutionnaire » et pour l'interdit qui pèse sur la sinistre aventure centrale de sa vie ? D'où vient que nous voudrions ne voir dans son antisémitisme qu'une parenthèse vite refermée, nous laissant libres de lire ses œuvres d'« avant » et ses œuvres d'« après » en toute propreté, en toute innocence ? Quelle passion nous pousse à vouloir qu'il y ait deux Céline, un Céline impeccable, savonné, hygiénique, marionnette lustrée ressortie pour les parades euphoriques de l'avant-garde, et un Céline sordide, contaminé, définitivement enterré dans les cloaques de l'histoire? Quelle cause commune, quel sens commun, quel intérêt férocement collectif avons-nous à ce que Céline soit coupé en deux? Enfin à quel conformisme voulons-nous faire servir cette moitié de Céline, ce demi-Céline, ce Céline au détail, bissectionné? Et à quelle part de nuit et de cauchemar en nous-mêmes avons-nous décidé de jeter en pâture secrète la parcelle non lotie de son œuvre ainsi équitablement partagée entre tous les héritiers?

Dès ses premiers livres il a attiré sur lui une foule de gens prêts à l'aider, à lui montrer le bon chemin. Bambin fêté par la famille, les mains se sont tendues vers lui pour lui faire faire ses premiers pas. Comme tout cela a mal tourné assez rapidement, la sanction a été sévère. L'enfant terrible irresponsable a été jeté au cachot et son œuvre lobotomisée, c'est-à-dire qu'on a sectionné les fibres qui retenait entre eux ses différents ouvrages pour en précipiter une partie dans les ténèbres extérieures. Cette double opération consistant à déplorer ses péchés temporels et à mettre en relief son énorme apport poétique, ne signifierait-elle pas au fond un désir conjoint de ne rien savoir aussi bien sur sa révolution d'écriture que sur son fascisme, de ne pas vouloir en connaître les attaches, de reproduire en somme ses mystifications mêmes, de rester donc très en dessous de lui, très en deçà de la foudre dans laquelle il s'est déchaîné?

Peut-être que de le prendre dans sa totalité, c'est-à-dire comme une multiplicité échappée à la totalité comme à l'unité et à sa division, nous aiderait à en finir avec les banalités de rigueur sur ses contradictions. Mais il reste prisonnier, survivant-mort dans le souterrain du siècle, cadavre en latence hors-histoire dans notre non-histoire contemporaine. De là où il était, c'est-à-dire de sa place en retrait, de son cul-de-basse-fosse décalé, de son château-cachot, du fond de son identité en sursis et de son corps muté en œdème généralisé, il a dit tout ce qu'il fallait savoir sur les prisons de sa vie, « forteresse à supprimer le Temps !... suicide petit à petit [2]... », il a averti ses contemporains qu'il avait payé d'avance son droit à faire parler le siècle dans sa bouche, « il faut un certain sérieux pour décider le juge d'instruction, français ou allemand... pour ça vous comprenez bien que toutes ces personnes droite gauche ou centre tant qu'elles sont pas incarcérées, et encore !... doivent être tenues pour mi-foliches, mi-appointées [3]... ». L'œuvre de Céline n'est ni folle ni appointée, c'est celle d'un mort-médecin des morts, autrement dit ce que l'époque méritait. Mais qui veut le savoir ? Ils en sont encore à se demander comment il a pu être deux. Alors que son expérience n'a peut-être été qu'une manière de multiplier la parole dans son corps désintégré pour arriver au bout du compte à réunir très précisément *la somme* de séquences narratives réclamée par la mort. Cette somme de littérature formant comme il le disait le linceul tramé, ensemencé, avec lequel il passerait de l'autre côté des choses, dans le Tartare ou le Styx, le Royaume de Pluton, le Shéol, enfin tout ce que vous voudrez qui vous rappelle l'envers tête de mort du globe : « C'est pas gratuit de crever ! C'est un beau suaire brodé d'histoires qu'il faut présenter à la Dame [4]. » On verra comment ses livres réalisent l'un après l'autre cet interminable voyage, avec ses arrêts et ses errances, vers les lointains, les confins du siècle. Faire traverser à son temps les limites du temps, faire passer aux réalités de son temps la barre de ses limites dans la barque de ses propres énoncés, tel sera son travail incertain et acharné. Et à faire entendre la voix déjà posthume de son temps, il deviendra lui-même posthume...

Mais ce geste de mort et de résurrection qu'incarnent de rares écrivains du fond de leur cellule et de leur précaire « vivant », implique-t-il qu'ils soient nécessairement lucides sur tout le reste de leurs jours, sur ces fragments quotidiens de cauchemar mis bout à bout qui font une existence ? Non, bien sûr. Il n'a pas tout compris de ses fatales mésaventures, ce qui ne le rend pas moins coupable pour autant. Comme tout le monde il a dû finir par penser qu'il y avait deux « hommes » en lui, l'un qui s'était laissé aller à l'assassinat déguisé, l'autre qui avait déchaîné l'illimité de l'écriture. Si vous voulez : un malfaiteur archaïque et un libérateur progressiste. Je veux dire que lui-même a bien été forcé de se *limiter* pour survivre à sa propre folie criminelle. Ce qui fait qu'il a aidé la communauté à ne rien savoir de son expérience, qu'il s'est rendormi avec elle sur l'oreiller social gonflé du vieux nœud de tripes racistes un instant secoué. Le mensonge collectif reste à ce point complet que Céline demeure pour tout le monde maudit et partiellement interdit, alors qu'il a par deux fois embouché les trompettes de la communauté, avant-guerre pour pousser avec toute la France au génocide, après-guerre pour répéter avec toute la France qu'il s'agissait là d'une « gaffe ». On comprend qu'il en soit lui-même resté un peu hébété.

En fin de compte ses contemporains furent beaucoup trop contemporains pour mesurer son effrayant mystère. D'où la formidable entreprise de dénégation qui l'aura accompagné jusqu'au bout de sa vie et qui continue allègrement. Jeter un coup d'œil sur les commentaires et les critiques qui vont de la parution de *Voyage* (1932) à sa mort (1961), c'est traverser trente ans de malentendus intéressés, de petitesses envieuses, d'éloges catastrophiques, de bourdes pesantes, d'explications limitées, de récupérations filandreuses. C'est mesurer sur quel fond bavard et babillant, ignorant, s'est développée son œuvre. Je ne retiendrai ici que trois types d'interventions exemplaires.

Il y a d'abord la fameuse question de la langue, la langue « célinienne », vous savez, cette vaste éructation musicale par quoi, dit-on, il sut si bien faire *parler* la rumeur collective, ce style branché en direct sur les émotions du bistrot, du lit, de la table, de la révolte, de la jouissance, bref du gargouillis commun. Tout le monde s'est occupé de cela avec enthousiasme, ce qui fait qu'on peut se demander ce qu'ils voulaient recouvrir d'urgence, ou forclore, en fonçant tête baissée dans cet énorme panneau que Céline lui-même leur tendait (« j'ai écrit comme je parle[5] », dit-il dans son tout premier entretien). A sa suite se sont rués pêle-mêle Nizan, Léon Daudet, Deleuze, Trotski, Kerouac, Pound, Drieu La Rochelle, etc. « Une syntaxe parlée, musclée, gaillarde et nue comme une fille du grand Courbet[6]. » « La langue littéraire de Céline est une transposition du langage populaire parlé[7]. » « Céline écrit comme s'il était le premier à se colleter avec le langage. L'artiste secoue de fond en comble le vocabulaire de la littérature française[8]. » « L'exclamatif au plus haut point[9]. » « *Quai des brumes* en version extra-divine[10]. » « Maintenant cela vit sur la page[11]. » « Il a remis la littérature française dans une de ses veines les plus certaines, la veine médiévale, la plus profonde, voyante[12]. » Passons sur le poids de comique des restrictions qui accompagnent certains de ces éloges : l'un dit que *Voyage* a deux cents pages de trop[13], les autres qu'après *Guignol's Band 1* Céline n'avait plus rien à dire, « sauf ses malheurs, c'est-à-dire qu'il n'avait plus envie d'écrire, il avait seulement besoin d'argent[14] ». Abrégeons : pour tous, il a « introduit l'émotion du langage parlé dans la langue écrite[15] », ce qui paraît en somme irréfutable. Conclusion : il a un « style naturel[16] ». Traduction : par son dépassement de l'antique malédiction, séparation des sexes, interdits, inadéquation de la chose au mot, par son corps bafouillant de plénitude pulsionnelle, il nous révèle à l'horizon le rêve toujours vivace de l'espèce humaine apeurée, sa soif de réconciliation verbale des sexes, d'androgynat. Tout le monde semble avoir intérêt à ce que Céline n'ait fait que *parler*. A ce qu'il ait été *vivant sur le divan de sa maman*.

On se prendrait presque à préférer l'antipathie perspicace d'un Léautaud répétant qu'il s'agissait au contraire d'un style « volontairement fabriqué[17] », ou la lucidité de Bernanos repérant aussi mais positivement le considérable travail de fabrication de la prose célinienne, « ce langage inouï, comble du naturel et de l'artifice, inventé, créé de toutes pièces à l'exemple de celui de la tragédie, aussi loin que possible d'une reproduction servile du langage des misérables, mais fait justement pour exprimer ce que le langage des misérables ne saura jamais exprimer, leur âme puérile et sombre, la sombre enfance des misérables [18] ».

Comme de bien entendu, c'est Céline en personne qui dès 1936 résout le problème : « Une langue, c'est comme le reste, ça meurt tout le temps. Ça doit mourir. Il faut s'y résigner. La langue des romans habituels est morte, syntaxe morte, tout mort. Les miens mourront aussi, bientôt sans doute. Mais ils auront eu la petite supériorité sur tant d'autres, ils auront pendant un an, un mois, un jour, *vécu* [19]. »

Pas plus qu'il n'y a de langue éternelle ou naturelle, Céline n'a écrit une langue vivante, mais une langue qui a vécu. Il faut apprécier dans toute son ampleur le recul dont il est dès ce moment capable. Comme s'il avait lui-même déjà toujours été retiré du circuit. Comme si lui-même, déjà toujours, *avait vécu*. Ce qui donne tout de même à la question une autre dimension, que les habituels bavardages sur son lexique argotique. La communauté a voulu croire que Céline parlait, elle a voulu qu'il soit l'incarnation de la langue nourricière mythique, le bébé s'ébrouant dans l'écume phonique maternelle. Plutôt que celui qui, dans l'écrit, n'a cessé de dévoiler le verbe posthume qui fait parler l'inhibition parlante des mortels.

De cette mainmise esthétique se déduit automatiquement la mainmise morale et politique. Outre les récupérations par la droite auxquelles il s'est offert comme chacun sait d'une façon aussi complaisante que complexe, il en est de deux types, qui recouvrent finalement le champ idéologique du XXᵉ siècle. Il y a d'abord la récupération chrétienne dont les deux illustrations sont Robert Poulet et Bernanos. Passons sur le premier que Céline a mis en scène au début de son dernier livre : « A la fin il m'emmerdait à tourner autour du pot !... vous êtes sûr que vos convictions ne vous ramènent pas à Dieu [20] ! » Bernanos non plus n'a pas résisté au vertige de la conversion. Témoin cette soirée chez Daniel Halévy où il essaya de « prouver à Céline que le délire de ses personnages trahit chez l'auteur une soif de surnaturel [21] ». Ainsi que l'une des dernières phrases du superbe article qu'il écrivit en 1932 sur *Voyage* : « Le bout de la nuit, c'est la douce pitié de Dieu [22]... »

De l'« autre côté », à gauche, il y a eu une véritable bousculade pour lui faire prendre sa carte d'adhérent à la Révolution, Aragon en tête : « Vous ne vous décidez pas, au fond, à vous ranger du côté des exploiteurs contre les exploités (...) il est temps, Céline, que vous preniez parti [23]. » Glissons sur le degré de lucidité qu'implique une telle déclaration et passons aux regrets pieux. Trotski : « Une révolte active est liée à l'espoir. Dans le livre de Céline, il n'y a pas d'espoir [24]. » Même son de cloche chez Nizan qui trouvait que *Voyage* avait deux cents pages en trop mais la révolution en moins : « Il lui manque la Révolution, l'explication vraie des misères qu'il dénonce, des cancers qu'il dénude, et l'espoir précis qui nous pousse en avant [25]. » Les deux cents pages en trop auraient-elles gagné à être récrites par Brecht ? Simone de Beauvoir raconte avec quel enthousiasme Sartre et elle découvrirent *Voyage* : « Son anarchisme nous semblait proche du nôtre [26]. » Aujourd'hui encore, combien sont-ils à poursuivre le fantasme d'un Céline idéal libertaire et déserteur, d'un « Bardamu réfractaire [27] » ? Je ne vois guère que Bataille pour avoir dès le début touché au plus vif l'expérience célinienne naissante : « Le roman déjà célèbre de Céline peut être considéré comme la description des rapports qu'un homme entretient avec sa propre mort (...) il ne diffère pas fondamentalement de la méditation monacale devant un crâne [28]. » Et Bataille ajoute ces mots, qui annoncent hélas la justification que Céline donnera plus tard de son propre engagement idéologique : « La grandeur du *Voyage au bout de la nuit* consiste en ceci qu'il n'est fait aucun appel au sentiment de pitié démente que la servilité chrétienne avait lié à la conscience de la misère [29]. » On ne peut mieux définir par avance ce qui manquera précisément à Céline pour éviter le dérapage, au moment du grand tournant d'avant-guerre.

Il n'a donc pas pris la carte de « membre » que la gauche lui tendait ni le prie-Dieu que les chrétiens lui approchaient. A-t-il été pour autant l'athée parfait, l'«athée viable» dont parlait naguère Lacan, «c'est-à-dire quelqu'un qui ne se condredise pas à tout bout de champ[30]»? Non, bien sûr. Il aura été jusqu'au bout un athée de l'espèce la plus courante, un malade «de la croyance en Dieu[31]», un malade qui a une foi incurable en la non-intervention de Dieu dans sa maladie. Et comme de juste il s'est tout le temps contredit, ce qui a donné beaucoup de travail à ses fidèles pour essayer d'excuser ses titubations. Ce troisième type d'intervention s'élabore sous forme d'explications édifiantes de son antisémitisme. Gide y figure en bonne place avec cette indicible proposition: «Il parle des Juifs, dans *Bagatelles,* tout comme il parlait, dans *Mort à crédit,* des asticots que sa force évocatrice venait de créer[32].» Pol Vandromme y décèle une méprise linguistique: «Le Juif est bien un néologisme biscornu qui a surgi par mégarde dans la langue de Céline[33].» Quant à Dominique de Roux, il ne voit même plus où est le problème: «Pour Céline, le mot Juif n'a pas son sens habituel. Il ne désigne pas un groupe ethnique ou religieux particulier: la preuve c'est que sous le vocable, il aurait pu grouper tous les hommes, lui y compris. Le mot, à ses yeux, tient du magique. Il y loge toute sa peur[34].» Tendons plutôt l'oreille à la franchise fasciste d'un Rebatet évoquant la divine surprise que fut pour l'extrême-droite la parution de *Bagatelles,* livre d'autant plus miraculeux qu'à ses yeux Céline était «l'athée que l'on pouvait le moins suspecter de réaction[35]». Retenons la leçon: il faut «normalement» qu'il y ait de la religion pour qu'il y ait de l'antisémitisme. Or Céline fut athée et antisémite. La question se pose alors de savoir *au nom de quoi* nous qui nous voulons athées nous condamnons la logique tortueuse mais irrévocable de l'athéisme célinien venant occuper avec son antisémitisme la place de la religion...

Finalement, les difficultés que nous éprouvons à saisir son énormité ne vont-elles pas de pair avec la quasi-impossibilité dans laquelle nous nous trouvons de cerner ce siècle où il s'est déployé, cette ère de meurtre absolu à laquelle il a osé donner une littérature ? Car enfin il avait tout prévu férocement, il avait adhéré à tout le négatif de l'époque, il l'avait saisi dans la prolifération de ses sens. Derrière l'optimisme qui comptabilise la marche du progrès et de la révolution, il a répété qu'il n'y avait en fait que déroutes et ruines. A ceux qui cherchent leur espoir en une opposition radicale du capitalisme et du socialisme, il a répondu de mille façons que les deux, au contraire, s'emboîtaient harmonieusement, ne pouvaient fonctionner à plein régime qu'ensemble et solidaires. Il a eu l'audace de dire que le prolétariat était un fantasme de bourgeoisie, la lutte des classes un semblant cachant la vérité d'une autre guerre ancestrale. A la dialectique il a donné effrontément le nom de « bafouillage [36] ». Quant à notre réalité dévastée sur laquelle règne la pensée technicienne, il l'a imprudemment appelée « décor de chaises électriques [37] » au lieu d'en apprécier comme tout le monde le formidable confort. Bref, il a déplu, il déplaît, il déplaira sans doute éternellement. Au vichysme renaissant sous une nouvelle rationalité païenne qui lui préférera toujours Drieu, Montherlant, Morand ou Aragon, comme au progressisme sans cesse contraint de se retailler dans ses loques un Céline d'avant-garde anal, pervers polymorphe, creusant la superbe coupure épistémologique à grands coups rythmés pulsionnels.

Reste à savoir comment, en déplaisant unanimement, il plaît aussi d'une autre façon, beaucoup plus secrètement, par son délire criminel que la communauté semble avoir intérêt à garder enfermé et caché pour continuer à en jouir comme d'un jardin intime...

Rares [38] sont donc ceux qui auront su se mettre à la hauteur d'une œuvre qui seule, peut-être, fut à la hauteur de ce siècle. Pour avoir montré *littérairement* jusqu'où menait le déchaînement de la négativité libérée dont nous savons par ailleurs sur quels cauchemars elle déboucha *politiquement,* Céline est exemplaire. De même que ce siècle voulait la table rase en art et qu'il la lui a donnée, de même ce siècle voulait le meurtre en commun et il lui en a fourni la délectation écrite. Ces deux opérations sont isomorphes. Par conséquent la ligne de partage ne passe pas par là, comme j'essaierai de le démontrer. Il n'y a pas deux Céline parce qu'il n'y a qu'un Céline et s'il n'y a qu'un Céline c'est qu'il est multiple. De qui parle-t-on ? De l'auteur de *Voyage* ou de celui des autres livres que les gens n'ont pas lus, qu'ils ne peuvent pas lire parce qu'ils sont paraît-il illisibles ? Du Céline comique picaresque ou du Céline prophète de malheur ? Du Céline petit-bourgeois ou du Céline viking descendant des Des Touches de Lentillière ? Du Céline fécal ou du Céline « délicat » ? Du Céline gréco-celte ou du Céline nabi messianique ? Des dentelles ou des nouilles ? Des féeries ou des massacres ? Dérision de toutes les analyses dès qu'il s'agit d'un écrivain, c'est-à-dire de cette *personne* incertaine et toujours déjà disparue qu'une inquiétante renommée enveloppe, analogue à celle qui transmue saint Jean lorsque le Christ ressuscité prononce sur lui l'une de ses plus mystérieuses paroles [39]. Dérision de la paix du savoir devant ces ouragans jamais complètement apaisés dont la succession fait l'impossible « histoire » de la littérature.

Toute la question est donc bien plutôt de savoir comment, en offrant à l'époque ce qu'elle lui demandait, il a réussi quand même à être seul, absolument, au point d'essayer fanatiquement de ne plus l'être là où nous sommes le plus en famille, du côté de la notion de race. Comment aussi ont pu coexister à travers toute une vie et toute une œuvre deux visions du monde, l'une profonde, intenable, insoutenable, désespérante, qui dévoile la violence et la méchanceté humaines à la base de toute société ; l'autre communautaire, réconfortante pour la collectivité, qui dénonce une certaine catégorie d'êtres humains comme responsables du pourrissement du lien social. De quoi enfin n'a-t-il cessé d'essayer de ne plus avoir peur ? Car l'antisémitisme n'est pas le nom interchangeable de sa terreur mais bien au contraire ce qu'il a trouvé pour la supprimer ou la « guérir ». Autrement dit, pourquoi a-t-il eu besoin d'apprivoiser par le racisme le gouffre noir qu'ouvrait peu à peu son écriture ?

39

En somme, qu'avait-il découvert de si horrifiant, qu'il lui fallut à tout prix une politique, un projet, pour y échapper?

Et enfin, qu'a-t-on mis exactement en prison, qu'a-t-on mis au trou, dans le trou de la mémoire sociale, pendant ces années d'après-guerre où on le fit disparaître dans les glaces, là-bas, là-haut, vers la Baltique? Qu'avait-on besoin furieusement d'*oublier* à travers l'oubli de Céline? Quelle amnésie volontaire recouvre, pour tous, le signifiant *Céline?*

NOTES

1. F. Kafka, *Correspondance 1902-1924*, Gallimard, 1965, p. 25-26.
2. *CA*, p. 29.
3. *R*, p. 854.
4. *MC*, p. 526.
5. *CC1*, p. 22.
6. L. Daudet, cité in P. Vandromme, *Céline*, Éd. Universitaires, 1963, p. 69.
7. P. Nizan in *HER*, p. 433.
8. L. Trotski, in *L.-F. Céline*, Cahiers de l'Herne, éd. en format de poche, Belfond, 1968, p. 312.
9. G. Deleuze - F. Guattari, *Kafka, pour une littérature mineure*, Éd. de Minuit, 1975, p. 49.
10. J. Kerouac, in *HER*, p. 423.
11. E. Pound, in *HER*, p. 473.
12. P. Drieu La Rochelle, *Sur les écrivains*, Gallimard, 1964, p. 242.
13. P. Nizan, *op. cit.*
14. G. Deleuze - F. Guattari, *op. cit.*
15. P. Vandromme, *Céline, op. cit.*, p. 106.
16. *Ibid.*, p. 115.
17. P. Léautaud, in *HER*, p. 320.
18. G. Bernanos, *Le Crépuscule des vieux*, Gallimard, 1956, p. 343.
19. *CC1*, p. 106.
20. *R*, p. 711.
21. *CC1*, p. 50-51.
22. G. Bernanos, *Le crépuscule des vieux, op. cit.*, p. 346.
23. *CC1*, p. 102.
24. *HER*, p. 310.
25. *Ibid.*, p. 433.

26. S. de Beauvoir, *La Force de l'âge*, Gallimard, 1960, p. 142.

27. A. Glucksmann, *Les Maîtres penseurs*, Grasset, 1977, p. 92.

28. G. Bataille, *OC*, t. I, Gallimard, 1970, p. 320.

29. *Ibid.*

30. J. Lacan, *Scilicet* 6/7, 1976, p. 32.

31. *Ibid.*

32. A. Gide, cité in F. Vitoux, *Céline*, Belfond, 1978, p. 233-234.

33. P. Vandromme, *op. cit.*, p. 78.

34. D. de Roux, *La Mort de Céline*, coll. « 10/18 », 1966, p. 81.

35. *HER*, p. 229.

36. *CC2*, p. 87.

37. *Ibid.*, p. 84.

38. Voir en particulier le texte bref mais percutant et profond de Ph. Sollers in *HER*, p. 429, ainsi que des remarques disséminées à travers divers entretiens, notamment in *Peinture 14/15, Minuit 17*, etc. ; voir aussi J. Kristeva, in *Art Press International 2, Tel Quel 71/73 ; Pouvoirs de l'horreur, essai sur l'abjection*, Éd. du Seuil, coll. « Tel Quel », 1980 ; voir enfin D. Sibony, *La Haine du désir*, Bourgois, 1978.

39. « Jésus lui dit : "Si je veux qu'il demeure jusqu'à ce que je vienne, que t'importe ? Toi, suis-moi." Le bruit se répandit alors chez les frères que ce disciple ne mourrait pas. Or Jésus n'avait pas dit à Pierre : "Il ne mourra pas", mais : "Si je veux qu'il demeure jusqu'à ce que je vienne." » *Jn* 21, 22-23.

1. L'effervescence persécutrice

Combien aujourd'hui croient encore pouvoir penser qu'une notion comme la « fin de l'écriture » n'a rien à voir avec cette autre notion bien connue de « solution finale » ? C'est pourtant en même temps, dans le même siècle, que ces fins ont été rêvées comme des buts. La terreur dans les lettres est née aux alentours de la terreur idéologique. Les joyeux mots d'ordre d'anarchisme dans la langue ont poussé dans l'ombre de la criminalité politique. Les attentats textuels se sont multipliés au même rythme que les bombes.

Céline n'avait pas notre innocence. Il a tout de suite vu le rapport, sous un angle positif comme on sait. Artisan de la table rase et du retour à zéro de l'écriture il a fait cet infime bond en avant qui l'a porté en même temps que l'époque à l'élaboration de l'Utopie, je veux dire à une croyance en actes en l'âge d'or sur le dos d'une certaine partie du genre humain.

Il y en a qui cherchent les sources de son œuvre, qui tentent d'en dresser la généalogie à travers mille déceptions, qui fouillent son intertexte pour y trouver la clé de sa filiation. Cette illusion laborieuse se remâche sur la croyance que le XXe siècle serait un siècle comme les autres, ce qui fait que finalement une œuvre comme celle de Céline serait aussi une œuvre comme les autres. Or il est bien évident qu'il doit peu de chose au XIXe siècle ou au XVIIIe ou au XVIe, mais tout à l'accumulation de ces siècles dans l'époque contemporaine qui n'en est qu'une reprise grandiose, le finale sous forme de cris de fous furieux concentrés et migrateurs. L'embouteillage des temps avec ses effets mortels ouvre une autre époque ténébreuse comme si les âges civilisés qui nous séparent de la préhistoire n'avaient jamais existé, comme si ce repliement sur lui-même du feuilletage infini de l'humanité parlante condensait par la même occasion le passé et le futur dans un présent nocturne qui réclame un régime d'énonciation nouveau : Céline ne parle ni à l'imparfait ni au futur mais dans un temps que j'appellerai pour y revenir plus loin : *le présent de résurrection*. Seule notre époque pouvait susciter une telle catégorie du verbe. Mais pour dire l'époque il fallait que cette écriture glisse au pouvoir de la mort et en revienne, première-née d'entre les ombres : « A vingt ans je n'avais déjà plus que du passé [1]. »

Quelle peut être la nature de l'angoisse dont un être du XXe siècle finit littéralement par mourir avant l'heure pour en devenir l'écrivain ? Quelle souffrance peut le contraindre à vider la place, tomber dans ses propres oubliettes ? Que découvre-t-il qui le tue, qui en fait cet homme que tout le monde décrira ayant perpétuellement la mort comme un chien à ses côtés, survivant des phénomènes du monde, expulsé de la cohue des vivants qui courent à leur perte méconnue ?

Ses livres débordent de mots qui inscrivent le tourbillon du carnaval dans lequel il voyait l'espèce irrémédiablement changée. L'ampleur de son lyrisme, le grossissement de sa vision, cette manière qu'il a d'élargir son thème bien au-delà des limites de la vraisemblance ne traduisent au fond qu'une seule et même chose. Qu'il s'agisse des arbres d'Afrique, du cancer en train de faire son chemin dans nos cellules, de la farandole des bombes, de la précipitation des corps dans des espèces de mêlées cataclysmiques, c'est toujours de l'origine et des effets d'une certaine angoisse qu'il est question, de l'origine et des effets d'une certaine peur définitive sur un sujet qui s'en trouve perdu pour le monde.

Tout cela ne pouvait voir le jour qu'au XXe siècle, le siècle des camps de concentration, des guerres mondiales, de la menace

44

atomique, le siècle de la régulation des naissances, des statistiques, des masses qui ont toujours raison, des déportations, des meetings, et de la reprise permanente de l'ensemble par la technique, l'image, le miroir-fétiche, bref le siècle de la *spectacularisation du multiple*. Le siècle où s'est produite la mort de l'homme, non pas du tout par décision philosophique mais par asphyxie bien concrète sous le développement irréversible de cette figure disséminée du mal, preuve du mal en tant que dissémination : la pression métaphysiquement démographique.

Parler de Céline, c'est automatiquement commencer par envisager dans toutes ses dimensions cette ère dans laquelle nous sommes engagés. Tenter de comprendre comment a fonctionné la logique de son œuvre, c'est analyser le fond tourmenté sur lequel a été dispersé le scénario de sa vie, le décor cataclysmique qui a constitué les conditions de possibilité de ses livres.

Céline est quelqu'un pour qui la décision d'écrire s'est prise entre les deux premières guerres que l'humanité a dû appeler mondiales. Si son premier roman nous apparaît encore bien « classique », si dès le deuxième on assiste au passage irrémédiable dans une autre écriture de plus en plus inaccessible au commun des mortels, c'est que déjà il avait vécu la conclusion de sa propre mort et qu'il lui restait à l'enregistrer de plus en plus profondément. *Voyage* est peut-être la dernière langue académique de l'histoire académique. L'histoire des « imparfaits du subjonctif[2] » comme il dira lui-même. Or qu'est-ce que le mode subjonctif ? Le moyen d'interpréter un procès, d'émettre un jugement, avec tout ce que cela implique de certitude sur la place d'où ce jugement est émis, sur la localisation d'une unité subjective centrée. Il faut sentir à quelle profondeur Céline a su que la mort progressant dans l'homme lui interdisait de plus en plus cette écriture. De *Voyage* aux autres livres un décès s'affirme, se continue, se précise, non pas comme ces décès bien connus qui font que les êtres soudain ne sont plus bons qu'à enterrer, mais un décès plus lent monté à la vie, laissant le parlant crier interminablement jusqu'à sa dernière heure. Très logiquement au cours de son existence Céline ne cessera d'opposer de plus en plus de « forme », de plus en plus de préoccupations sur la forme, le style, la syntaxe, l'écriture, le mot, etc., pour montrer que ce qui s'engageait dans la métamorphose des énoncés, c'était un autre corps supplantant le sien perdu, un autre monde-verbe doublant le monde bavard, une architecture de langue laissant en arrière les sens liés à la langue des morts qui croient jouir de la vie. Qu'on pense tout de suite à cette situation singulière : quelqu'un qui commencerait son œuvre dans une position, en quelque sorte, de fin d'analyse, qui connaîtrait l'origine des symptômes, leur genèse, qui serait soulagé de toute illusion dès le début, qui en apporterait la preuve écrite, et qui se remettrait tout de suite en position d'analysant devant de tout autres instances échappant rigoureusement à la jugeote humaine. Une telle aventure ne peut pas avoir été sans conséquences et sans risques. Baudelaire déclarait que la « Poésie est ce qu'il y a de plus réel, c'est ce qui n'est complètement vrai que dans *un autre monde* [3] ». Cet éternel *reste* qu'est le réel se définissant comme vérité seulement *depuis* un point situé hors de l'ordre du monde, c'est l'aventure même de l'évolution chaotique des livres de Céline.

Dès *Voyage* il s'apercevait qu'il concluait quelque chose après quoi tout allait recommencer autrement, les mêmes histoires dans la langue d'au-delà de l'histoire, la même chose mais après l'enregistrement définitif du cataclysme. Déjà il prévoyait qu'il faudrait « repasser tout doucement de l'autre côté du Temps pour regarder comment qu'ils sont les gens et les choses [4] ». Dès l'exergue il savait que c'était « de l'autre côté de la vie ». Plus tard il condensera la formule : « Je me traverse [5]... » Avec les trois points évidemment, qui sont justement les « traverses [6] » auxquelles sont rivés les rails de l'émotion. Points de *suspension* bien sûr, comment être plus suspendu que Céline, plus élégamment absent au monde au moment même où son écriture s'accumule le plus ? De quoi naît chacune de ses œuvres ou presque ? D'un instant de délire, d'une hallucination, d'une séquence répétée de mort. En général il a la fièvre, des bourdonnements d'oreilles *(Mort à crédit)*, le paludisme *(D'un château l'autre, Rigodon)*. Une barque des morts lui apparaît. Des fantômes. La narration ne peut que revenir, elle est l'affaire du revenant, de l'éternel revenant... Et quand ce n'est pas son propre coma c'est celui du monde, la guerre et les bombes, la fièvre des hommes. Le satori qui l'efface modèle son écriture «illisible» à ce monde «incompréhensible»: «celui qui contemple doit se rendre semblable à l'objet de sa contemplation[7]». A quoi ressemble quelqu'un qui se rend semblable à ce monde? Regardez Céline, ses photos, ses trois points. Vous n'arrivez pas à lire ses romans? Feuilletez-les alors, survolez-les, appréciez-les physiquement, vous verrez le XXe siècle.

Dans *Voyage* il y a encore de la *maxime*. Chaque événement, chaque épisode, pratiquement chaque micro-séquence produit sa micro-conclusion éthique. A la fin de la chaîne de la pensée on dirait que Céline dans une appréhension souveraine de la dégradation des choses accomplit dérisoirement l'impératif kantien selon lequel nous devons agir de telle sorte que notre maxime puisse devenir une loi universelle. La maxime qu'il dégage de chaque paragraphe est bien la loi universelle des vivants. Évidemment en 1932 ces choses-là n'étaient plus sérieuses depuis longtemps. Dans ses autres livres vous trouvez de moins en moins de maximes parce qu'ils sont devenus eux-mêmes d'immenses maximes en éclats. D'où l'obligation pour le lecteur de chercher des débris à tâtons dans une fourmilière. Découragement assuré. Du point de vue des émotions comme de l'opinion que nous nous formons sur nous-mêmes, nous en sommes encore au XIXe siècle.

Or voilà écrit le XXe, l'ère des grands nombres en folie, le premier acte du rassemblement des cultures défuntes, la condensation de tous les autres âges de l'humanité comme un accordéon qui se replie, le début du retour, la découverte de la répétition sur toute la gamme, la reproduction de drames sacrificiels mettant en rapport des multiplicités indifférenciées desquelles sont extraites, expulsées peu à peu comme à un sauvage jeu de courte paille les victimes à abattre. Cet âge de meurtre en commun, de bacchanale répétée et répercutée à nos oreilles par tous les moyens d'information, René Girard [8] en a fait la description. Mais de quoi parle-t-il ? Des origines fondatrices de la civilisation et de la culture. Autrement dit : de la nuit des temps, du secret de la préhistoire. De nous. Car que voyons-nous aujourd'hui ? Exactement la reproduction plus ou moins sophistiquée de la même chose. C'est-à-dire la mise en évidence quotidienne de la proximité absolue de l'effervescence et de la victime, la cohabitation du tourbillon de la masse en crise et du sacrifié répétant toujours plus ou moins le père de horde primitif massacré. C'est-à-dire que la menace est là, tout le temps, en nous et près de nous, parce que nous sommes un pluriel saignant et apeuré qui se voudrait unité mais qui n'y arrive pas avec sa parole et alors essaie dans sa catastrophe de faire unité sur un autre plan, avec les autres, dans la pluralité effective, dans la coagulation des pluralités individuelles. On a appelé ça marxisme mais le marxisme n'était que la chiffration provisoire d'une réalité plus résistante et cette réalité on l'a appelée révolution. Mais la révolution n'était qu'un symptôme de la vérité de l'époque et cette vérité on pourrait l'appeler émeute. Mais l'émeute elle-même n'est que la version optimiste de cette disposition du multiple en actes, de cette inclinaison de la pression démographique à l'émotion qui ameute la *meute*.

Persécutions, destructions, domestications grégaires, communions, vous avez sans cesse au XXᵉ siècle cette reproduction dans laquelle tout absolument se trouve pris de sorte que vous ne pouvez malheureusement pas, si vous n'êtes que normalement constitué, en chevaucher la globalité. Vous y êtes sans le savoir. Quant à ceux qui le savent, qui l'écrivent, évidemment leur langue en est toute déviée, toute transposée, bizarre, aussi illisible que fascinante. On y revient mais pour y fouiller des détails, des atomes de beauté, des choses qui nous ressemblent, et de ce point de vue-là bien sûr ça ne peut être que décevant.

« Vous voici sur ce continent maudit — les / cadavres des derniers massacres ne / sont pas encore enfouis que l'on ne / songe qu'aux prochaines hécatombes — / Tout le reste est babillages — / une seule obsession ! Boucheries ! / Boucheries — Boucheries [9] ! » La bête parlante civilisée loge sa jouissance limitée dans la chasse à l'homme comme jadis et toujours, mais sur une échelle beaucoup plus mondiale. Elle vient juste de retrouver les cavernes des origines décorées et moquettées. L'âge de la nécessité sophistiquée a ramené le pithécanthrope, un seul ennemi pour la bête agglomérée et fédérée : l'imprudent qui prouverait qu'il s'en est éloigné pour la regarder du dehors. Le poète, comme disait Céline : « tout ce qui n'est pas poète en ce monde est assuré de mon effroyable mépris je le vois tiers cochon, tiers gorille, tiers chacal, rien de plus [10] ».

Écrire, comme chacun sait, n'est pas philosopher, et si philosopher c'est dans le meilleur des cas regarder le mal en face, c'est surtout s'en extraire pour le décrire et se demander à quelles conditions quelque chose de mieux que ce mal est possible, c'est-à-dire qu'automatiquement ce mal qui est poussière insaisissable, nuée incarnée dans les vivants multipliés, qui tient son pouvoir de sa dissémination, le discours qui le *rassemble* le manque en même temps et le laisse intact. Comment le mal volatil pourrait-il se laisser capturer dans la paume serrée d'une pensée ? Quand Claudel affirmait que le mal est ce qui n'est pas, il n'avait pas tort. La littérature n'est que le choc reçu de cette absence. Aujourd'hui que le mal s'énonce de plus en plus comme nombre, l'écriture en reçoit la secousse de plus en plus allongée et répétée. Essayer de condenser tout cela c'est méconnaître le problème. Si la littérature au XXe siècle est devenue, dans sa rareté même, quelque chose de plus urgent que jamais c'est bien parce qu'elle ne peut constitutivement pas s'isoler de l'horreur qu'elle inscrit, elle y colle au contraire et s'y modèle au risque de s'y abîmer comme en témoignent les lamentables aventures politiques des avant-gardes, comme en témoigne Céline aussi. Les œuvres sont là, montrant le mal tel qu'il est, tel

49

que personne ne parvient à le voir ni l'entendre, insaisissable et infini dans sa grossesse de délire explosif.

L'écriture de Céline ne parle que de cela, éparpillée dans la guerre grégaire. Son premier livre démarre sur le premier conflit du siècle, sur la première croisade en meute ; son second roman revient en arrière pour mieux fouiller les origines et finir avant le début du premier, aux alentours de la mobilisation ; ses pamphlets suent l'angoisse de la crise suivante, le retour des hostilités ; puis au-delà de la nouvelle tuerie, dans la meute redevenue stagnante, Céline prophétise la prochaine guerre à travers le récit de celle qui vient d'avoir lieu. Ce qui fait qu'il est évidemment l'historien du siècle, un siècle qui n'est pas simplement fait de dates, de ministères, de coups d'État, de changements de régimes ni de luttes de classes mais simplement et sinistrement de guerres et de production de charniers, c'est-à-dire d'un traitement préhistorique du multiple. Quant à l'impuissance des hommes à accéder à la plus élémentaire vision, à la plus minimale perception de cette réalité, eh bien elle vient tout simplement de l'hystérie, c'est-à-dire de l'incapacité fondamentale de prendre la mesure symbolique des choses, de les entendre dans la dimension du langage — ce qui fait qu'ils se gonflent collectivement comme un grandiose œdème de Quincke élevé aux dimensions des sociétés tout entières. De ce point de vue Céline fut le moins hystérique des hommes, et très justement il en a eu conscience : « C'est *MOI* fiston qui fait passer les Hystériques comme à la Salpêtrière par divers états successifs — et c'est pas fini ! La tête absolument froide et pleine de raisons c'est la MIENNE — retiens [11] ! » Quant à l'art du XXe siècle, il se mesure d'ores et déjà à ses capacités plus ou moins grandes selon les cas d'éprouver symboliquement cette hystérie généralisée, toutes les expériences marquantes de l'époque en portent la trace, voyez en peinture ces buissons d'épines « all over » de Pollock ou ces danses de Saint-Guy enflées, ces couleurs ganglionnées de De Kooning. Voyez en littérature la résurrection joycienne de la pression démographique dans les mots. Ou

Céline, c'est-à-dire la ruche glissant aveuglément de guerre en guerre sur les traverses des trois points d'un sujet suspendu...

Chaque jour donc de cet interminable massacre du XXᵉ siècle, chaque jour de sa vie Céline est mort un peu plus d'angoisse et de lucidité. Les circonstances l'avaient mis dès le début au courant de l'essentiel. Sa biographie est sans équivoque. De qui est-il le fils ? De prolétaires ? De bourgeois ? Non. D'un couple décomposé socialement, bourgeois chus au commerce de dentelles et aux assurances. Petits-bourgeois comme on dit pour faire croire qu'il s'agit encore d'une classe alors que c'était le « milieu » de plus en plus grouillant, la middle-class déjà en train de devenir planétaire. Le réservoir des totalitarismes. Ceux qui vont porter Hitler au pouvoir en Allemagne, qui seront en France pétainistes, gaullistes, staliniens, antistaliniens, n'importe quoi pourvu qu'on ne leur dise pas que les temps sont révolus et qu'ils représentent l'indifférencié social, la confusion d'une nouvelle caverne. Le populisme de Céline, son argot, ne sont que la nostalgie envahissante de l'aristocratie disparue ; sa préciosité, sa « délicatesse », disent aussi que tout cela est fini. L'argot et les dentelles. L'entre-deux envahissant règne en maître.

Céline est né en 1894 cinq mois avant qu'un certain capitaine soit écroué pour crime de haute trahison. L'année suivante Dreyfus condamné est dégradé en public et envoyé en déportation. Le petit Louis-Ferdinand Destouches avait huit mois lorsque la foule déchaînée sur la place d'armes de l'École militaire hurla à la mort et cracha des insultes antisémites au visage de l'officier-« Judas ». Cette crise inaugurale d'efferversence persécutrice qui, à l'aube du nouveau siècle, renouait avec les délires criminels de la peste noire du Moyen Age, a dû faire son chemin lentement, lui apportant une vision du monde spontanée, « naturelle », qu'il ne remettra jamais en question[12]. Le plus étrange est qu'il ait attendu bien au-delà de la Seconde Guerre mondiale pour évoquer cet épisode aussi décisif pour l'histoire de France que pour sa propre histoire. Il lui faudra de nombreu-

ses mésaventures pour « associer » enfin : « Ce sont des problèmes qui me dépassaient beaucoup. Je suis né à l'époque où on
parlait encore de l'affaire Dreyfus. Tout ça c'est une vraie bêtise
dont je fais les frais [13]. »

S'il n'a pas vu tout de suite de quel crime précis bien refoulé
lui était revenue la sordide passion qui agite les pamphlets, il a
vu en revanche très clairement dans quel crime général l'espèce
était en train de s'engager, jusqu'à rendre dérisoires les luttes
parcellaires, toutes les histoires locales, jusqu'à faire de chaque
famille, de chaque être, une enclave régionale grotesque, jusqu'à
périmer la phrase bien filée des âges précédents et pitoyables,
réellement et cruellement pitoyables, les obsessions des individus, leurs symboles dérapés sur la pente savonneuse de la collectivité. C'est dans son *Hommage à Zola* qu'il en donne l'indication
précise, montrant que l'Exposition universelle de 1900 était une
date, non pas bien sûr parce qu'elle était aussi la première année
du siècle, mais parce qu'elle inaugurait l'ère de l'effervescence
persécutrice, et qu'elle était par la même occasion la dernière
date de l' « histoire ». Il faut voir dans ce passage, réduite à la
vision d'un gosse, toute l'armature de l'œuvre : un piétinement
infini d'humains, la meute multipode dans sa poussière soule-
vée, avec au-dessus les convulsions machiniques, le déluge technique en suspension, le dragon de la guerre encore immobile
dans les poutrelles. Il faut y voir un premier schéma, une
première saisie symbolique de la structure hystérique en train de
se dégager, de s'ébrouer collectivement, de souffler dans la
chrysalide crevée des sujets. Céline n'a pas attendu que le
multiple nous soit jour et nuit renvoyé par satellites pour voir
qu'il s'agissait là de l'essentiel :

« A l'Exposition de 1900, nous étions encore bien jeune, mais
nous avons gardé le souvenir quand même bien vivace, que
c'était une énorme brutalité. Des pieds surtout, des pieds partout et des poussières en nuages si épais qu'on pouvait les
toucher. Des gens interminables défilant, pilonnant, écrasant
l'Exposition, et puis ce trottoir roulant qui grinçait jusqu'à la

galerie des machines, pleine, pour la première fois, de métaux en torture, de menaces colossales, de catastrophes en suspens. La vie moderne commençait [14]. »

On retrouve dans *Mort à crédit* cette même apparition de l'angoisse qui va le « tuer » :

« A la place de la Concorde, on a vraiment été pompés à l'intérieur par la bousculade. On s'est retrouvés ahuris dans la galerie des machines, une vraie catastrophe en suspens dans une cathédrale transparente, en petites verrières jusqu'au ciel. Tellement le boucan était immense que mon père on l'entendait plus, et pourtant il s'égosillait. La vapeur giclait, bondissait par tous les bords. Y avait des marmites prodigieuses, hautes comme trois maisons, des bielles éclatantes qui fonçaient sur nous à la charge du fond de l'enfer... A la fin on n'y tenait plus, on a pris peur, on est sorti [15]... »

Quarante ans avant, Dostoïevski avait pressenti avec des formules très proches quelque chose de semblable lors de l'Exposition universelle de Londres en 1862. Il y avait diagnostiqué la « lutte acharnée, sourde et déjà invétérée, la lutte à mort du principe individuel, commun à l'Occident, avec la nécessité de s'adapter n'importe comment, de former tant bien que mal une communauté et de s'organiser en une fourmilière ; de se convertir même en fourmilière [16]... »

Voici le palais de cristal de l'Exposition (c'est-à-dire la prévision des temps modernes comme volonté de *technique,* ainsi que dira Heidegger) :

« Vous sentez qu'une force formidable a réuni ici cette foule innombrable venue de toutes les parties du monde en un troupeau ; vous reconnaissez une idée gigantesque ; vous avez l'impression d'un résultat atteint, de la victoire, du triomphe. Vous commencez même à craindre on ne sait quoi. Quelle que soit votre indépendance, la peur vous envahit. N'est-ce pas là vraiment l'idéal atteint, songez-vous, n'est-ce pas la fin ? N'est-ce pas en réalité "le troupeau unique" [17] ?

Encore Dostoïevski peut-il mettre en avant des références,

« tableau biblique », « évocation de Babylone », « prophétie de l'Apocalypse » réalisée ; encore peut-il répondre à la menace par *les Possédés* ou les *Karamazov,* c'est-à-dire des protestations de l'individu contre l'hystérie maternelle poussant au nihilisme politique ou au meurtre du père. Quarante ans plus tard, plus question de rien de semblable. Les noyaux d'identité ont coulé dans une formidable régression. S'il y a bien encore un salut par l'écriture, si Céline y croit, c'est au sens où l'écriture reste seule à pouvoir vous conduire le plus vite possible à la mort, par la répétition des récits. Au sens où elle doit vous aider à passer dans la mort, c'est-à-dire à échapper à la bête mortelle polycéphale. C'est la signification de *Mort à crédit,* le titre comme l'œuvre elle-même qui n'est que l'offrande au néant d'une histoire personnelle confuse et menacée, une petite histoire distinguée dans le naufrage de la grande, la manière de mesurer l'ampleur de la catastrophe avec un récit d'origines, le salaire de l'au-delà payé par traites de séquences. Il existe, loin de notre culture mais la fascinant depuis des centaines d'années, un livre immense où chaque nouveau récit permet de retarder un peu plus la mort : *les Mille et Une Nuits.* Céline, lui, demande à ses récits de le rapprocher de la fin, de lui en ouvrir le passage. Ainsi peut se mesurer l'apport, comme on dit, de la modernité...

1914, 1945. De 20 à 50 ans, Céline a connu un monde *sinistré,* et il a eu assez de lucidité pour comprendre que l'hystérie matérialisée ne s'arrêterait plus, que le XXᵉ siècle ne serait que la succession secouée de ses accouchements fictifs et ravageants sous forme de guerres emboîtées les unes dans les autres. De cet enchaînement implacable des conflits, il ne cesse de détailler le sens. En pure perte. D'être acteurs de ce délire contraint les hommes à croire que leur vérité y est cachée. Et qu'ils sont pris dans des affaires cycliques, avec des débuts et des fins. Alors qu'il s'agit de la mise en place du continu, comme il le voit très précisément : « Les guerres autrefois ont toujours fini par des maladies ; elles ne finissent plus par des maladies, elles finissent par la guerre [18]. » Autrement dit, la barrière interdisant l'accès au symbolique sera de plus en plus épaisse, renouvelée sous forme de répétition du feu et du meurtre en commun. Et cette barrière, de quoi est-elle faite ? De nous, de vous, de ces gens interminables qui pilonnaient l'Exposition et qui sont maintenant confondus, crevés, malaxés avec les métaux en torture, dans la même immense couveuse paranoïaque invisible. La guerre de 14 ne s'est mijotée ni dans les états-majors ni dans les partis politiques ni dans l'accumulation du capital engendrant les rivalités militaires, mais dans tout cela à la fois possédé et manipulé par la matrice calculatrice du multiple bafouillant empêtré dans les mots qui n'arrivent jamais à la vraie surface, étranglé dans son inertie phonique baveuse, dans son impuissance nerveuse à saisir sa propre globalité, à s'en faire simplement une image mentale. Le XXe siècle est cet insaisissable temps où la distinction entre la guerre et la paix s'est effacée, ce que montre aussi dans un langage tout différent Heidegger : « Si l'on ne peut répondre à la question : quand la paix reviendra-t-elle ? ce n'est pas parce qu'on ne peut apercevoir la fin de la guerre, mais parce que la notion posée vise quelque chose qui n'existe plus, la guerre elle-même n'étant plus rien qui puisse aboutir à une paix. La guerre est devenue une variété de l'usure de l'étant, et celle-ci se continue en temps de paix. Compter avec une longue guerre n'est qu'une façon déjà dépassée de reconnaître ce qu'apporte de nouveau l'âge de l'usure. Cette longue guerre dans sa longueur progresse lentement, non pas vers une paix à l'ancienne manière, mais bien vers un état de choses où l'élément " guerre " ne sera plus aucunement senti comme tel et où l'élément " paix " n'aura plus ni sens ni substance [19]. » Je crois que cette longue citation déchiffre parfaitement ce que Céline va dérouler de livre en livre avec une profondeur symbolique de plus en plus riche.

Lui qui était parti joyeusement à la guerre, écrit dès 1916 : « Je n'ai plus d'enthousiasme que pour la paix [20]. » Entre-temps il y a eu la conduite héroïque au front, les blessures qui conduiront à l'élaboration d'une trépanation imaginaire sur laquelle je reviendrai. Pour l'instant, disons que ce mythe de trépanation *date* aussi le passage de son corps de l'autre côté de l'idée que la guerre serait un événement pensable dans le temps, avec un début et une fin. Crâne ouvert à la musique, expérience chamanique, remplacement des organes par les trois points qui sont la répétition d'une absence au monde sans cesse représentée sous forme de transe : « La raison est morte en 14, novembre 14... après c'est fini, tout déconne [21]... »

Désormais il ne parlera plus que de cela, à commencer par *Voyage* qui est l'histoire d'une *expulsion* guerrière indéfiniment recommencée, l'histoire de la persécution d'un seul par le *Tous* ridicule, clinquant et roublard. Avec l'inquiétante étrangeté sous la forme de cette ombre, de ce noyé remontant à la surface, Robinson, génie tutélaire, sosie, double, déserteur des guerres, déserteur de l'Afrique, des rues grouillantes d'Amérique et du sordide amour de sa fiancée Madelon, aveugle comme Œdipe après sa tentative de meurtre de la vieille *mère* Henrouille, s'enfonçant ensuite avec elle dans le caveau aux momies, dans l'empire des morts *sous église,* traînant enfin vers l'agonie à travers une lamentable fête foraine. Avec aussi les femmes qui *durent* plus longtemps que les hommes pour les enterrer. Et ce bruit inoubliable, new-yorkais, du froissement de dollars sur la muraille de la ville toute en raideur. Comment mieux dire que la guerre est la vraie « chora » dont parle Platon, la mère généralisée et figurée, « nourrice du devenir », à quoi l'être ne parvient jamais totalement à échapper parce qu'il lui prête la jouissance dont il est en train de mourir ? La guerre inaugurale a l'air de l'énigme fascinante d'origine. Céline écrit pour cesser de croire qu'elle serait cette énigme. « Dans la chambre ça faisait comme un étranger à présent Robinson, qui viendrait d'un pays atroce et qu'on n'oserait plus lui parler [22]. » *Voyage* est la première tentative de faire émerger dans le langage le culte total et féroce des hommes, leur culte maternel pour la mobilisation. La première tentative de mettre, *devant* la dimension de mort qu'il y a dans l'effervescence, le *logos* qui en a été décroché. La première tentative d'opposer au despotisme du feu nourricier la Loi symbolique. De parler pour les muets bruyants. « Moi, j'avais jamais rien dit. Rien. C'est Arthur Ganate qui m'a fait parler [23]. » Dans cette ouverture du compas de la parole s'inaugure la résistance en mots, en millions et millions de mots, à la matrice qui nous veut millions et millions de surdités parlantes docilement empêchées de se rythmer elles-mêmes.

C'est très logiquement à partir de cette conquête du verbe à travers le détachement, le bond hors de l'ordre du monde comme guerre, que Céline écrira ses « autres » livres, c'est-à-dire inventera cette écriture qui n'hérite plus de personne et particulièrement plus de la langue dite maternelle, qui embarquera au contraire dans son « métro émotif » tous les babillages de la « chora », glouglous de sang camouflés en syntaxe. Il est frappant de voir que Céline, dans les *Entretiens avec le professeur Y*, notant que « la pente humaine est carnassière [24] », oppose précisément l'hystérie accoucheuse de guerres à « l'émotion » d'où naît sa propre écriture : « elle est hystérique la masse !... Mais que faiblement émotive ! bien faiblement !... Y a belle lurette qui y aurait plus de guerre, monsieur le professeur Y, si la masse était émotive !... plus de boucheries !... c'est pas pour demain [25] !... »

Toutes ces notations sur l'angoisse spécifique dont il s'est réveillé mort et ressuscité seraient des banalités si Céline n'y liait très précisément son expérience d'écrivain. Il ne s'agit donc pas de réflexions générales sur la vie, mais de la description du processus d'engendrement de son art, c'est-à-dire de cette affirmation répétée qu'il faut, pour commencer à écrire, avoir ressenti le cauchemar de l'expulsion. Sans cesse, par la suite, la mémoire lui resservira le défilé des vivants sous des formes pourries habitant des charniers : « loques de 14 !... de 18 !... 35 !... 44 [26] !... » C'est ce cortège de vampires qui somme une écriture de se constituer.

Donc voilà le mal désigné, la matrice avaleuse expulseuse, et voilà le sujet qui en a été rejeté en miettes, mort si on veut au monde, mort parce qu'il est en miettes, disséminé dans l'expulsion, multiplié à l'infini, accédant par là même au Logos, faisant entendre son chant qui se dresse contre l'hystérie carnassière, son émotion qui tente d'interrompre les boucheries. Il vivra ses livres comme une tentative d'arrêter l'effervescence criminelle, il sera comme les Prophètes fulminant contre les sacrifices et leurs fumées insupportables : « Vos mains sont pleines de sang : lavez-vous, purifiez-vous [27] ! » « Je hais, je méprise vos fêtes et je ne puis sentir vos réunions solennelles [28]. » Cette voix de Yahweh répercutée par les hommes de la Bible, c'est la voix de l'absent qu'asphyxient les nuages tourbillonnants des dévotions de la terre, qu'enfument les sauvages démonstrations humaines de piété. Que dit Dieu ? Qu'il ne peut plus parler, qu'il ne peut plus rien dire, il se plaint, s'étrangle, n'arrive pas à passer, répète que plus il y a d'holocaustes et plus il est muselé. Plus il y a de sacrifices et plus ces sacrifices sont là pour interdire que des mots les ramassent et les portent au niveau symbolique. Céline vieillissant fait le bilan de sa vie comme une traversée de cataclysmes : « Rien m'enivre comme les forts désastres, je me saoule facilement des malheurs, je les recherche pas positivement, mais ils m'arrivent comme des convives, qu'ont des sortes de droits [29]... »

L'enjeu consiste à se relever de l'ivresse, c'est-à-dire à feinter l'hystérie massive en faisant le mort, en s'offrant comme dépouille perdue à la violence des catastrophes. Encore faut-il ne pas être dans la grossesse nerveuse. Encore faut-il avoir cette légèreté, cette « délicatesse » qui permet de sauter à côté, ce flair des « chiennes de tête » dont il parlera, qui sentent les crevasses camouflées sous la neige. Encore faut-il avoir ce courage, peut-être le seul qui soit dévolu à l'écrivain, qui consiste à lever sous les mensonges le travail de la mort vivante. Mais cela ne suffit pas, ce n'est encore rien de désigner l'horreur sans dire son visage : il faut affirmer que ce visage ne ressemble à aucun autre jusqu'ici, qu'il est nouveau, qu'il faut pour le détailler changer de langage, l'entendre comme orchestre funèbre, comme musique générale de la pression démographique en bacchanale. Méditant une transposition cinématographique de *Voyage,* Céline insiste sur ce bruit de chœur lugubre martelé à l'infini qui n'est autre que l'apparition lente du multiple et de la volonté de technique sur le monde : « C'était un roulement Blom belolom belom, qui était une espèce de meule où passait au fond l'époque [30]. »

Comment mieux définir la grande première mondiale de 14-18 ?

Les conséquences de cette lucidité d'audition ? D'abord la découverte que l'anthropomorphisme est une sinistre blague ; que sous toutes les bombes du monde c'est la nature primitive préhistorique de l'homme qui se révèle, et que les prétendues affaires de la communauté humaine ne sont que des péripéties de cavernes : « Ils nous entendent et comprennent rien... *la terre veut pas d'hommes, veut que des hominiens... l'homme est un dégénéré un monstre parmi,* qui heureusement se reproduit de plus en plus rarement [31]... »

Ensuite, que si l'homme est un solécisme inventé par les cancres de l'optimisme social, le reste aussi des phénomènes n'est qu'une illusion cuisante, à commencer par la terre moins vieille que la guerre, à commencer par l'amour moins ancien que la haine. C'est particulièrement remarquable dans *Guignol's Band, 2,* au beau milieu d'une déclaration d'amour de Ferdinand à Virginia où surgit brusquement comme une éruption le souvenir fatal de la crise sanglante : « Elle a vu mon bras un petit peu ?... (...) Et puis ma tête !... mon oreille !... (...) Ah ! elle en veut des horreurs ?... Je peux lui en raconter un petit peu moi des horreurs de batailles !... que le sang dégouline partout ! Ah ! pardon, mignonne !... Moi en personne et pas au poids !... Et alors, pardon la mitraille... l'enfer des combats ! les ventres qui s'ouvrent ! qui se referment ! les têtes qu'éclatent ! les boyaux partout !... glouglous [32] !... »

Découverte qui compromet les familles, brise les alliances

domestiques et dynastiques, vous envoie très loin des complots moraux de la tribu : «On est parti dans la vie avec les conseils des parents. Ils n'ont pas tenu devant l'existence. On est tombé dans des salades qu'étaient plus affreuses l'une que l'autre. On est sorti comme on a pu de ces conflagrations funestes, plutôt de traviole, tout crabe baveux, à reculons, pattes en moins [33]. » La survie du mort sursitaire ressuscité par l'écriture n'est qu'un chemin sinueux, clandestin, au milieu des buissons ardents des guerres ; quant à l'homme, quant à l'hominien soldat, le belligérant des cavernes, le guerrier qui vénère sa déesse-mère guerrière, il est une menace permanente pour l'infidèle qui a déserté le champ de bataille. Vaincu, vainqueur, l'homme veut du sang, peu importe l'issue des conflits, ce n'est plus d'histoire qu'il s'agit, on vous l'a déjà dit, mais de la perpétuation à l'infini de l'orchestre, de la meule. Il ne s'agit que d'assurer le *roulement* des meurtres : «Tantôt c'est la Guerre! C'est la Paix! C'est la Reguerre! Le Triomphe! C'est le Grand Désastre! Ça change rien au fond des choses! il est marron dans tous les retours. Il est paillasse de l'Univers... Il donnerait sa place à personne, il frétille que pour les bourreaux [34]. » Ce mimétisme guerrier aveugle n'est perceptible qu'à celui qui s'en est retranché définitivement, qui peut en parler de là où lui-même est mort. L'écrivain occupe une place qui est proche de celle du maître, mais les hystériques ne sauraient constituer sa clientèle, ils n'entrent pas en résonance avec la littérature dont ils ne sont que le déchet. Ils ne se reconnaissent pas dans le silence de la littérature, ils ne savent même pas de quoi elle parle quand elle dit «ils» : «La guerre! La guerre!... Ça les possède!... Ils veulent tout le pognon!... Puis ils veulent plus rien! Ils veulent tous partir! La berlue! Ils ont le feu au derge! Ils ont le feu au pèze [35]!» La guerre est un opérateur de métamorphose qui transmue les hommes en micros bruissants, fonds de haut-parleurs, télécommunications vivantes se repassant des ombres de terreurs sur des fréquences spontanées, des ondes de peur commune, la guerre est leur transe codée, la seule visitation mystique à laquelle ils ont droit, une syncope télépathique. Céline le montre dans Berlin dévasté où plus rien ne fonctionne mais où les hommes sont devenus eux-mêmes des incarnations de messages : « Les fils électriques servent à rien, ni les pneumatiques, ni les caves chantantes, une fois que les êtres sont tout tremblants, vibratiles, parfaitement secoués par la frousse... plus besoin d'aucun appareil, ils émettent transmettent d'eux-mêmes, corps et âmes, bafouillis, hoquets, les nouvelles[36]... » Dans ce chaos agité par la grande mère gonflant l'hystérie des peuples, ne manquent même pas les prêtres diaboliques du culte, les mages mystérieusement placés sur le trajet qui va du néant au néant en passant par le multiple qui asphyxie l'être, les célébrants du mystère, comme l'officier du *Voyage* qui « collaborait avec la mort. On aurait pu jurer qu'elle avait un contrat avec le capitaine Ortolan[37] » ; ou comme Jules, le peintre cul-de-jatte depuis 14, juché dans *Féerie* avec sa petite voiture à roulettes sur le toit de l'immeuble et communiquant avec les avions, orchestrant les bombardements, menant le déluge à la baguette, fil conducteur du frisson hystérique : « maintenant il appelait les cyclones ! les flammèches... les balles traçantes ! des gerbes ! et que sa caisse prenait pas feu[38] !.... ».

Des loques d'hommes vibrées par la commotion de la matrice leur décochant ses médiateurs comme des fusées dans la nuit de la meute. C'est ce que Céline après 1914 et à travers ses pérégrinations, l'Angleterre, l'Afrique, les études de médecine, le mariage raté à Rennes, la SDN, n'a plus cessé d'écouter : « J'ai entendu bien des cris... je suis un homme d'oreille[39]... » C'est cela qui peu à peu, inexorablement, l'a *détaché,* le poussant dans une fuite qui n'avait de sens que pour lui puisqu'il était le seul à savoir que sa vie désormais serait une tentative sans cesse répétée d'échapper à l'hystérie. Les mots qu'il adresse à sa première femme en 1926 et qui consomment leur rupture, il aurait pu les adresser à toutes les choses qu'il n'arrêterait plus de quitter : « Je ne veux pas te traîner pleurarde et miséreuse derrière moi (...) J'ai envie d'être seul, seul, seul, ni dominé, ni en tutelle, ni aimé, libre[40]. » *Voyage au bout de la nuit,* le titre, condense en une formule cette urgence de la fuite vers sa propre mort à soi contre la 'mort par l'hystérie massive des hommes que vous propose la guerre. Car il y a deux morts, celle des hommes qui est celle de l'ordre du monde, et alors « mourir c'est trop[41] », et puis l'autre, celle qu'un certain acharnement dans une certaine expérience vous donne parfois au bout du compte, la mort des ressuscités de l'hystérie mortelle, la plus rare : « Je ne veux pas que la mort me vienne des hommes, ils mentent trop! ils me donneraient pas l'Infini[42]!» Avec son deuxième roman, Céline racontera comment il a fini par la conquérir, cette mort qui l'a libéré du tombeau maternel de la terre, au prix évidemment d'une *incroyance* fondamentale en l'omniscience de la matrice. Comment pourrait-on prétendre élever son langage un peu au-dessus de la rumeur de la guerre, si on croit dur comme fer que les clés du langage viennent de cette matrice ? Il y a là une fuite obligée, avec toutes les conséquences qu'elle comporte. Ça ne sert à rien d'être expulsé de la matrice, si on reste comme tout le monde assis et béat dans l'expulsion, fasciné encore et toujours par le réceptacle à babil. Quand je dis que Céline a dû surmonter cette hystérie de la meute enflée de sa grossesse de crimes pour en arriver au stade de la symbolisation qui lui a permis simplement de commencer à écrire, il ne s'agit bien sûr pas du symbolique qui assure le contrat social, celui-là est évidemment maîtrisé et contrôlé par la déesse nourricière ; il s'agit d'une langue d'au-delà des maladies collectives. Ce qui fait d'ailleurs que le fantasme d'un Céline-qui-parle, comme je l'ai déjà dit, est parfaitement dérisoire, nous ramenant dans les limites de la non-lecture des hommes, dans leurs attachements, dans leurs attaches, alors que Céline donne comme condition à l'écriture d'être « *plus qu'un petit peu mort*[43] », « *détaché*[44] ».

A partir de là, à partir de ce détachement de la matrice symbolisante qui veut son poids de chair à canons, vous vous retrouvez en quelque sorte situé perpendiculairement au trajet des boucheries, vous en sentez le vent sans y être, vous êtes en tant que sujet sur les traverses des trois points tandis que le flot passe sur les rails, vous venez et retournez sans cesse dans ce lieu que Céline désigne toujours par le terme d'*émotion,* par lequel il cerne du dehors la clôture de l'origine maternelle qui se fait passer pour l'origine de toutes choses. Vous êtes détaché par rapport à l'obstacle pullulant des loques en guerre qui vous passe par le travers du corps au lieu de vous entraîner en avant. Vous êtes aussi perpendiculaire à la ligne de votre vie et de votre mort.

Guignol's Band, 1 et *2,* écrits pendant la Seconde Guerre mondiale, sont peut-être les livres où éclate le plus fortement la lucidité de Céline sur cette toute-puissance de la guerre dont il a payé de sa propre « mort » le droit de ne pas ressentir la fascination. L'action se déroule en 1915-1916 mais à Londres ; elle prend donc place loin des champs de bataille, loin du front, et c'est justement l'occasion de vérifier à quel point la matrice agite de loin, à distance, de l'autre côté du *pont,* de l'autre côté de l'eau, la bande de guignols, souteneurs, prostituées, escrocs, flics, la « ribambelle » des Français envoyés là-bas en convalescence et que la guerre à chaque instant peut reprendre, souverainement. D'où vient l'agitation qui saisit tous les personnages et les fait tourbillonner dans des espèces d'émeutes, d'où vient cette agitation qui s'affirme dans ces deux livres et que Céline désormais ne cessera plus d'accentuer d'œuvre en œuvre ? De la guerre évidemment, de la guerre qui les veut épileptiques, grimaces, jurons, gesticulations, insultes, de la guerre qui les veut guignols c'est-à-dire avant tout *gaine* dans laquelle on passe la main, que l'on remplit de sa main, que l'on gonfle. La terre a été faite pour la guerre et non la guerre pour la terre, c'est un peu ce que disait Héraclite (« Le combat est père et roi suprême de toutes choses »), sauf qu'il s'agit de toute évidence d'une mère prenant la place du père mort. Les routes individuelles serpentent sur cette terre créée par la guerre qui détermine tout, la parole, le temps, les images, les couleurs même, comme j'essaierai de le dire plus loin à propos des derniers romans —

prévision des guerres futures à travers la phosphorescence du second conflit mondial, prévision qui joue très précisément comme un calcul de l'apocalypse en tant qu'écrabouillage des valeurs chromatiques, le *noir,* le *jaune* et le *blanc* venant se fondre dans un marron final de fond d'espèce, de cul-des-temps. On verra comment cette mort des couleurs fut le dernier stade rusé de son racisme...

Pour l'instant, regardons Céline traiter la question de l'effervescence, parvenir à la détailler à travers d'intenses difficultés — les « 80 000 » pages de chacun de ses manuscrits, ses problèmes de rédaction qu'il attribue pudiquement à des soucis de technique d'écriture — et connaître ainsi le lieu d'émergence de la folie sociale, sa naissance dans la totalité maternelle. Au commencement, répète-t-il, était l'émotion, le verbe n'en est que le déchet, et il faut entendre que par verbe il désigne cette mort en marche dans les glapissements des hommes, leur stéréotype social langagier, leur code commun nécrosé, leur rhétorique qui se présente comme stade achevé de l'évolution mais qui n'est que ratage, échec, détritus à la mesure des locuteurs qui ne sont eux-mêmes que rebuts debout, morceaux d'avortement, et qui finissent quand même par s'en apercevoir, ce qui les rend fous, ce qui les pousse à essayer de résoudre le problème en étant de plus en plus atroces ensemble, par agglutinations de plus en plus considérables : « Vous observerez, professeur Y, que les "moments émus" de la masse tournent rapidement à l'hystérie ! à la sauvagerie, au pillage, à l'assassinat instantanément, pour mieux dire [45] !» C'est dans les *Entretiens,* son « art poétique ». Preuve qu'il voyait bien à quel point la masse était dans un rapport tragique immédiat avec son rythme à lui non maternel, dont il était bien légitime qu'il ne cesse d'accuser tout le monde d'être jaloux. Reste à savoir à travers quel traitement l'émotion tourne chez lui au style, et chez les autres à la sauvagerie. Céline répond dans tous ses livres : ils sont lourds, lourds. Lourds parce qu'en blocs. Revenant sur l'angoisse qui l'a tué, il sait exactement ce que l'écriture peut en dire. C'est pour cela que les titres de ses livres, dont on a noté qu'ils associent généralement des mots qui ne vont pas ensemble, le voyage et la nuit, l'école et les cadavres, la mort et le crédit, les bagatelles et les massacres, dissocient surtout superbement ce qui, en revanche, va trop bien ensemble dans le monde et dans son ordre, les choses et les mots ; et, introduisant un vide entre eux, *dégonflent la meute*. Les *raccourcis* céliniens sont surtout une manière de montrer à quel point dans la réalité tout est insupportablement *allongé*.

Je disais que la décision d'écrire s'est prise pour lui entre deux guerres. Il faut ici faire un sort à une légende qu'il n'a lui-même cessé d'entretenir avec une parfaite lucidité. Louis Destouches n'a pas pris comme pseudonyme le prénom de sa mère mais celui de sa grand-mère, Céline Guillou. Qu'on ait bâti des quantités de thèses sur l'inverse en dit long sur les petits secrets de nos contemporains... C'est au mois de mars 1932, au moment même où meurt son père Fernand Destouches, que Céline fait parvenir à Denoël le manuscrit de *Voyage* tout juste terminé. Quelques jours plus tard il est accepté et Céline choisit son nom d'écrivain. Il ne peut s'agir d'une légitimation par la mère : celle-ci s'appelait Marguerite et Céline n'était que son troisième prénom, celui qu'on n'utilise jamais. Il s'agit au contraire d'une remontée à la mère de sa mère, d'une remontée de la fille à la mère, d'une effectuation de ce parcours spécialement *interdit* qui consiste à traverser l'intimité de ce qui peut, aux yeux d'un fils, se nouer comme reproches étouffés entre une matrice et une plus-que-matrice. Par la suite Céline n'a cessé d'entretenir l'équivoque, de raconter qu'il avait pris le prénom de sa mère, qu'il lui devait les dentelles et les nouilles, etc. Mais les faits sont là, au moment où la place du père se vide, Céline, loin de l'occuper, loin d'être banalement l'homme de la femme dans la famille reconstituée, écrit en tant que père à la place de la mère de la mère. Ce détail prend toute son importance quand on sait les sentiments de tendresse qu'il avait pour sa grand-mère, des sentiments qui résistent même à la transposition dans la fiction de *Mort à crédit*, alors que l'amour pour la mère y est considérablement affaibli. Il faut se souvenir aussi qu'il ne disait apprécier chez Proust que les passages sur la grand-mère du narrateur : « toute cette tendresse, cet apitoyement sur la grand-mère — fort bien venu d'ailleurs, j'en conviens, réussi [46] ». Que Céline se soit assuré par ce pseudonyme d'être lui-même « bien venu », « réussi », c'est-à-dire moins raté que dans son engendrement légal maternel, cela ne fait aucun doute. D'ailleurs, qu'a donc pensé Marguerite Destouches du premier livre de son fils ? « Elle a trouvé ça dangereux et méchant et que ça faisait des histoi-res [47]... » Notons encore que Mme Destouches pouvait, pa-raît-il, bavarder pendant des heures. « Elle parlait comme Céline écrivait [48] », affirme la première femme de Céline. Ce qui n'est évidemment pas vrai. Les écrivains sont des « bafouilleurs [49] ». Chacun de ses romans lui a demandé des années de travail. En revanche, ses pamphlets ont été écrits très vite, comme des visitations de tourmentes verbales. Et à ce moment-là effective-ment Céline écrivait peut-être comme sa mère parlait. Avec les conséquences que l'on sait...

Une ultime précision : comment Mme Destouches appelait son fils, le petit Louis-Ferdinand ? Simplement Louis, comme ses proches et ses amis le nommeront toute sa vie. Or, le personnage central de ses romans ne se prénomme jamais Louis. Toujours Ferdinand. C'est-à-dire que Céline, prenant comme nom le prénom de sa grand-mère tout en faisant croire qu'il s'agit de celui de sa mère, prend comme prénom de fiction le prénom que sa mère a laissé vacant. Ce qui fait que de toute façon, nom et prénom, nom d'une vieille femme morte, prénom jamais utilisé, excèdent radicalement le contrôle maternel, ce qui ne peut être sans rapport avec la décision d'écrire, c'est-à-dire plus généralement de consommer la rupture avec la grande bouche dentée de la matrice historique, avec l'oralité consom-matrice qui fait enfler et danser l'hystérie. Céline n'a littérale-ment pas de *nom :* ce sont volontairement *trois prénoms* qui s'étalent sur les couvertures de ses livres.

Remonter de la mère à la grand-mère : découvrir ce qu'il en

est vraiment des origines de la mère, c'est-à-dire des origines de ce qui veut se faire prendre pour une origine; remonter de l'histoire à la préhistoire, du massacre à l'émotion, de l'illusion au réel; reculer vers l'outre-tombe, là où les vivants cessent d'avoir l'air plus vivants que les morts : « C'est effrayant ce qu'on en a des choses et des gens qui bougent plus dans son passé. Les vivants qu'on égare dans les cryptes du temps dorment si bien avec les morts qu'une même ombre les confond déjà [50]. »

Les épisodes lamentables qui s'étendent de 1944 à 1951, la traversée de l'Allemagne vaincue, le Danemark, la prison à Copenhague, les onze mois d'incarcération, l'exil enfin dans une cabane au bord de la Baltique, vont le pousser à reprendre les choses d'encore plus haut, d'encore plus loin dans sa propre mort. Pendant la Première Guerre mondiale, Freud avait noté ce fait finalement énorme quand on songe à la dose d'aveuglement du genre humain sur la question : « il n'est plus possible de nier la mort; on est obligé d'y croire [51] ». Qu'est-ce qui interdit la croyance en la mort ? Évidemment la croyance aux idoles maternelles, foi mortifère qui cache aux hommes leur insignifiance. Croire à la mort contre ce nihilisme général dévotieux, c'est faire l'effort de se décharger de l'obsession du manque phallique qui les torture tous pour se donner à un au-delà du manque, à un manque-en-plus. C'est évidemment devenir de plus en plus illisible. Les derniers livres, *D'un château l'autre, Nord, Rigodon*, conduisent vers ce gouffre à un train d'enfer. Devant la mêlée des corps vivants, tombants, troués, crevés, désossés, pulvérisés, rués à nouveau, regonflés, devant le sexe-masse indéfiniment remasturbé par la matrice, la perversité moyenne des hommes repère un coït naturel plutôt optimiste. Freud puis Céline croient au contraire qu'il s'agit de quelque chose de beaucoup moins radieux qui possède tout le monde bien avant l'arrivée dans les cimetières.

Mettre en avant l'émotion, comme Céline le fait de plus en plus dans ses derniers entretiens, c'est nommer très nettement — quoi qu'on ait dit sur le vague du terme — la méthode d'extraction, d'expression dans son sens premier, de la *chose intraitable,* de la vaste agitation menaçante et persécutrice. Émotion signifie se mouvoir hors de quelque chose. Départ vibrant hors du noyau, arrachement, connaissance de la genèse du problème, et pourquoi pas élévation. Il s'agit de repérer l'obstacle et d'en émerger. Au bout, si on veut, à la périphérie, est la musique, c'est-à-dire la guérison. La technique d'écriture célinienne est un traitement médical de l'histoire préhistorique contemporaine. Une méthode thérapeutique nouvelle appliquée au nouveau monde du multiple en meute dans ses réseaux planétaires d'auto-spectacularisation.

Pendant que la communauté hésite encore, tordue et tourmentée, attribuant ses propres effrois à des pestes locales et des famines partielles, pendant que le genre humain continue à se fasciner de ses régionalismes, à subir l'hypnose des identités, quelqu'un décline l'essentiel, à savoir les nouvelles positions des quatre cavaliers de l'apocalypse, quelqu'un donne la loi gravée de notre nouvelle nuit des temps, et c'est Céline tout à la fin : « Grande révolution ! vous savez ? la Peste est devenue toute petite... la Famine aussi... toute petite !... la Mort, la Guerre, tout à fait énormes !... plus les proportions de Dürer !... tout a changé !... (...) cette guerre sous Dürer serait terminée depuis deux ans !... celle-ci ne peut jamais finir [52]... »

Redonner ses vraies dimensions à la puissance globale de mort qui se fait toute petite symboliquement de sorte que les humains ne la voient jamais déployée planétairement et se croient par conséquent toujours très bien centrés et habités de passions qui en font des géants, c'est évidemment ramener les choses à des proportions diffamatoires pour l'espèce. Il faut choisir, mourir ou vivre comme des insectes, mourir ou s'affronter entre ruche et termitières, entre fourmilières et guêpiers. Comme presque personne ne choisit la première solution pour des raisons évidentes, toute l'agressivité se concentre contre celui qui a choisi de passer fantôme sur place en disant la vérité sur la préférence générale pour le grouillement : « Combat d'espèces implacables.

Fourmis contre chenilles. Entreprise à mort [53]...» Céline écrit
«télégraphique», mais moins comme on croit pour écrire
«vite», ce qui ne voudrait pas dire grand-chose, que pour écrire
à distance conformément à l'étymologie du mot, c'est-à-dire pour
tenir tant bien que mal au bout de sa phrase rompue la colossale
folie du cercle des vivants.

De ce côté-ci du monde nous avons pour le moment tendance
à penser ces histoires de guerres en termes de pure rhétorique
comme si elles ne nous concernaient plus. Ce qui saigne et
meurt encore en nombre pendant que nous avons l'impression de
vivre, saigne et meurt très loin, à l'autre bout du continent, ou
ailleurs, en Amérique du Sud, en Afrique. Ici nous ne connaissons plus le chaos effervescent que sous forme d'embouteillages
ou de longs défilés vers le bout des autoroutes. Dans ce versant
rose du camp de concentration il nous est bien difficile de voir
l'épure toujours présente de l'exode, de la migration conqué-
rante ou persécutée. Finissant sa vie à Meudon dans le ressasse-
ment de sa catastrophe allemande et danoise, Céline eut sous les
yeux ce monde qui émergeait de la guerre métamorphosé en
vitrine clinquante. Sous les nouvelles masses transfigurées il
savait que la logique conflictuelle était toujours présente.
Jusqu'au bout il aura affirmé qu'un carnaval peut en cacher un
autre, que le champ de foire est bâti sur pilotis au-dessus du
champ de bataille, que les camps de vacances sont des camps de
concentration dont on a enlevé provisoirement les miradors et
les barbelés : «Dans les très vieilles chroniques on appelle les
guerres autrement : voyages des peuples... terme encore parfaitement exact, ainsi prenons juin 40 le peuple et les armées
françaises ne firent qu'un voyage de Berg-op-Zoom aux Pyrénées... les derrières bien en cacas, peuple et armées... aux
Pyrénées se rejoignirent, tous [54]!...» Ou encore : «En vrai, un
continent sans guerre s'ennuie... sitôt les clairons, c'est la
fête!... grandes vacances totales! et au sang!... de ces voyages à
plus finir!... les armées décessent pas de bouger!... entremêler,
rouler encore! jusqu'elles éclatent... convois, locos, trains *pan-*

zers!... blindés fourgons "mâles munitions" plus et encore [55]!» Girard a montré comment la crise sacrificielle collective naissait du sentiment généralisé de l'indifférenciation conduisant à l'affrontement des doubles rivaux. Le monde moderne a donné mille versions inédites de cette effervescence des origines, et Céline n'a cessé de parler de cela, de cette rumination criminelle des êtres, de leur fièvre tassée dans l'entassement : « la passion qu'ils y mettent!... et encore d'énormes baluchons... et la Mairie!... et les Écoles!... de leur violence sur un seul wagon!... que tout ratatine, s'agglutine... ooooh!... à la force pneumatique des portes!... pire que chez nous la République... les Lilas... là-dedans plus à se demander!... faire corps c'est tout! avec toutes les personnes, pieds, têtes [56]!...»

Une des dernières images que, sur le point de mourir, il nous lègue, est celle du narrateur de *Rigodon* titubant dans les décombres de Hambourg, enfonçant dans le bitume brûlant et gluant de la ville morte et entraînant après lui, le long du port où les bateaux gisent quille en l'air, à travers les tas de briques et les cadavres calcinés par le phosphore, un troupeau de petits mongoliens, «Quasimodos bambins» qu'il guide vers un improbable ravitaillement. Un corps brisé par les épreuves, plaie vivante remorquant après elle de malheureux gamins baveux et bredouillant de l'infralangue au milieu d'un enfer ressemblant au chaos de leurs cerveaux embryonnaires. Une version moderne de Dante et Virgile...

La fin d'un monde est toujours la fin d'une illusion. Les apocalypses n'ont pour but que de prévoir la confrontation ultime du multiple humain avec Dieu, c'est-à-dire de rappeler ce que nous avions depuis toujours oublié, que nous sommes une masse de crimes agglutinés. Ce que l'on répète banalement, à savoir que Céline a écrit l'apocalypse du XXᵉ siècle, prend là toute sa signification. Quant à lui il demandait l'impossible, la fin de l'hystérie : «Amnistie, oubli, vacances!... La haine en vacances [57]!» Mais il savait bien que ça ne se terminerait pas comme ça.

L'EFFERVESCENCE PERSÉCUTRICE

Si j'ai insisté pour commencer sur cet aspect de son angoisse, c'est qu'il me semble qu'il s'agit, au fond, de ce qui est à la fois le plus évident et le plus caché de son œuvre. Comme l'est pour nous l'effervescence persécutrice, spectacle quotidien répercuté aux quatre coins de la planète sans que nous nous sentions pour autant sommés d'y adapter nos moyens de pensée et d'analyse. Ce que nous murmure Céline, c'est ce que nous murmure ce temps, et c'est au fond l'essentiel. S'il s'est montré si sévère avec ses contemporains, si méprisant avec les autres écrivains, c'est qu'il les voyait sans cesse dans leurs bavardages essayer de *détourner la conversation*. Il n'y a d'ailleurs aucune raison que ce processus ne se poursuive pas éternellement. Plus il y aura de préhistoire, plus il y aura d'histoires de plus en plus insignifiantes et dérisoires pour brouiller le bruit de meule de l'horreur. A la porte de ses apocalypses l'espèce essaie de changer de sujet, cause de la pluie et du beau temps, se fait du souci pour l'avenir. Très figurative et réaliste en ce qui concerne ses affaires de clans, ses enterrements, ses familles, ses souvenirs de vacances, ses chasses aux papillons, ses intérêts, elle nage complètement dans l'abstrait dès qu'on lui parle de la meute, dès qu'on lui dit la ruche en guerre. Ce n'est pourtant que son écho qui lui est renvoyé là, mais du fond d'un tel silence qu'elle ne le reconnaît pas. Plus il y aura du multiple réel, plus il y aura de l'Un imaginaire. Il n'est pas impossible que l'unique tâche des écrivains soit de tourner autour de cette question. C'est en tout cas ce que Céline avait compris.

NOTES

1. *V*, p. 95.
2. *HER*, p. 45.

71

3. Baudelaire, projet d'article de 1855, cité in P. Pia, *Baudelaire*, Éd. du Seuil, coll. «Écrivains de Toujours», 1952, p. 93.

4. *V*, p. 284.

5. *GB 1*, p. 43.

6. *EY*, p. 116.

7. Platon, *Timée*, 90 d.

8. *La Violence et le Sacré*, Grasset, 1972, et *Des choses cachées depuis la fondation du monde*, Grasset, 1978.

9. Cité in M. Hindus, *L.-F. Céline tel que je l'ai vu*, L'Herne, 1969, p. 236.

10. *Ibid.*, p. 160.

11. *CC 6*, p. 337.

12. Voir par exemple les lettres à H. Mahé, in *la Bringuebale avec Céline*, Table Ronde, 1969, où bien avant les pamphlets, abondaient déjà les notations antisémites, comme de menus stéréotypes faisant du liant dans le discours à la manière de conversations inoffensives sur le temps qu'il fait.

13. *CC 2*, p. 72.

14. *CC 1*, p. 78.

15. *MC*, p. 568.

16. Dostoïevski, *Notes d'hiver sur des impressions d'été*, in *Œuvres littéraires*, t. IV, éd. Rencontre, 1960, p. 488.

17. *Ibid.*, p. 489.

18. *CC 2*, p. 33.

19. M. Heidegger, *Essais et Conférences*, Gallimard, coll. «Les Essais», 1958, p. 107-108.

20. *CC 4*, p. 156.

21. *N*, p. 457.

22. *V*, p. 487.

23. *Ibid.*, p. 11.

24. *EY*, p. 29.

25. *Ibid.*, p. 28-29.

26. *F 2*, p. 11.

27. *Is* 1, 15-16.

28. *Am* 5, 21.

29. *F 1*, p. 27.

30. *HER*, p. 53.

31. *R*, p. 859-860 (je souligne).

32. *GB 2*, p. 33.

33. *GB 1*, p. 27.

34. *Ibid.*, p. 28.

35. *Ibid.*, p. 72.

36. *N*, p. 528.

37. *V*, p. 35.

38. *F 2*, p. 50.

39. *F 1*, p. 183.

40. Cité in F. Gibault, *Céline 1894-1932, le Temps des espérances*, Mercure de France, 1977, p. 270.

41. *V*, p. 23.

L'EFFERVESCENCE PERSÉCUTRICE

42. *F 1*, p. 310.
43. *EY*, p. 67.
44. *Ibid.*
45. *Ibid.*, p. 29.
46. *HER*, P. 106.
47. *Ibid.*, p. 49.
48. F. Gibault, *Céline, op. cit.*, p. 32.
49. *CC 2*, p. 168.
50. *V*, p. 168.
51. S. Freud, *Essais de psychanalyse*, Payot, 1975, p. 256.
52. *N*, p. 424.
53. *EC*, p. 25.
54. *N*, p. 311.
55. *CA*, p. 163.
56. *N*, p. 361.
57. *HER*, p. 41.

2. La limaille et la fourmi

On peut se demander si le réveil spectaculaire que Céline a infligé à la syntaxe, la volée de coups de fouet argotiques par quoi il a arraché la langue française au lit où elle est d'ailleurs retournée dormir aussitôt, cette « révolution » d'écriture sur laquelle tout le monde est prêt aujourd'hui à se réconcilier, ne constituent pas finalement l'obstacle majeur à une véritable analyse du *sens* de son œuvre, tant il est difficile d'imaginer que c'est toujours le sens qui vient convulser à la surface une forme, et que la torture a toujours déjà eu lieu ailleurs que dans l'écriture lorsque apparaît une écriture torturée.

Il est frappant de voir que le meilleur gardien, le meilleur empêcheur d'entrer dans ce sens, c'est Céline lui-même, puisqu'il n'a cessé d'insister à n'en plus finir sur ses dons de styliste en disant qu'il n'était que cela, un petit inventeur de rien du tout, un technicien de l'écriture, un expert du lexique. C'est un mouvement qu'on retrouve de plus en plus vers la fin de sa vie, dans ses entretiens, dans ses livres, qui consiste à faire semblant d'adhérer avec enthousiasme à la fantasmatique collective, à en remettre même, à pousser à la roue, à détourner l'attention. Quand il épouse la rengaine générale sur les différences de la forme et du fond, il est évident qu'il essaie d'éviter que l'éclairage passe des phénomènes esthétiques qu'il met en branle aux couches beaucoup plus profondes, beaucoup plus dangereuses de son univers qui met en cause notre univers.

Le résultat, c'est qu'en le croyant sur parole, tout le monde

CÉLINE

s'est senti autorisé à faire du Céline, à transposer n'importe quoi, n'importe quels personnages, dialogues ou sentiments, dans des plagiats de son «style métro» et de ses «rails émotifs». Ce qu'il avait prévu, bien sûr, en sachant pertinemment que ses réussites formelles étaient un panneau tendu aux copieurs : «Il faut choisir son sujet — Tout n'est pas transposable — Il faut des sujets "à vif" — d'où les terribles risques — pour lire tous les secrets [1]. »

Tenter de comprendre comment cette écriture, cette syntaxe, ont pu être possibles, c'est donc avant tout essayer de spécifier ce qu'il a jugé «transposable», ce qui est resté chez lui «à vif», très en deçà de toute possibilité de l'exprimer, pendant que ça s'exprimait quand même dans des rythmes. L'enjeu étant de contribuer à le rendre «lisible», contre la reconnaissance plate, scolaire, dont il est l'objet, et qui vise surtout, à mon avis, à le garder «illisible» le plus longtemps possible sous l'éloge de ses effets stylistiques. Tant qu'une telle œuvre restera en retrait du seuil de la compréhension générale, notre univers, ce XXe siècle qu'il a vu comme personne ne l'a vu, qu'il a vu passer en somme, finir dans la cicatrice musiquée de sa langue, nous restera à nous aussi illisible, et nous pourrons continuer à croire que nous ne jouissons pas avec des semblants, à commencer par ce semblant des semblants qui est notre nous-même [2].

Alors, quels sont ces secrets «terribles» ? On peut en avoir, peut-être, un aperçu avec une des premières séquences de *Rigodon,* une sorte d'apologue qui mérite à mon avis d'être pris au sérieux parce qu'on y trouve toute l'explication du paradoxe de son œuvre, à la fois bouleversante dans sa manière de souligner, d'accompagner le cataclysme, et accablante dès qu'y passe une proposition de remède, un message manifeste. Il s'agit en tout cas d'une interprétation du problème bien plus profonde que toutes les justifications qu'il a pu donner de son comportement, plus profonde aussi que toutes les analyses qu'on a échafaudées depuis sur la question.

Hésitant encore, au seuil de son œuvre ultime, dans le

76

bafouillage brownien habituel de ses débuts de livres entre passé et présent, il développe toute une réflexion sur le mode d'énonciation qu'il va choisir :

« Bergson nous le dit ! vous remplissez une boîte en bois, une grande boîte, de toute petite limaille de fer, et vous donnez un coup de poing dedans, un fort coup de poing... qu'observez-vous ? vous avez fait un entonnoir... Juste la forme de votre poing !... pour comprendre ce qui s'est passé, ce phénomène, deux intelligences, deux explications... l'intelligence de la fourmi tout éberluée, qui se demande par quel miracle un autre insecte, fourmi comme elle, a pu faire tenir tant de limaille, brin par brin, en tel équilibre, en forme d'entonnoir... et l'autre intelligence, géniale, la vôtre, la mienne, une explication, qu'un simple coup de poing a suffi... moi chroniqueur j'ai à choisir, le genre fourmi, je peux vous amuser... aller et venir dans la limaille... avec l'explication coup de poing je peux encore vous divertir, mais beaucoup moins... les Chinois à Brest... toutes les Églises dans le même sac... Anéantissantes C°... Hébraïque, Rome, Réforme, *tutti frutti !* "Ligue des Métissages" ! pour le peu qui me reste à vivre, mieux que je vous vexe pas trop... vous traite de titubants ivrognes... Byzance a très bien tenu dix siècles à bluffer le monde... le monde a rien vu que conjurations, doubles et triples courses de char et troufignoleries, et puis les Turcs... et puis rideau... que ça se passera pareil ici ? possible ! vous demandez pas mieux... moi chroniqueur des Grands Guignols, je peux très honnêtement vous faire voir le très beau spectacle que ce fut, la mise à feu des forts bastions... les contorsions et mimiques... que beaucoup ont réchappé [3] ! »

Il est évident que dans ce passage Céline avoue sa nostalgie, son regret de ne plus écrire de pamphlets. Protégé par une métaphore de Bergson tirée de *l'Évolution créatrice*, il se livre encore à une apologie de son racisme d'avant-guerre : c'est l'interprétation coup de poing, l'intervention de l'intelligence finaliste qui prétend *voir* dans la limaille, comme on voit dans le

77

marc de café, la destinée de l'espèce, les Turcs à Byzance, les Chinois à Brest. Tout cela est porté par une conception très « Siècle des lumières » de la malfaisance religieuse, du complot de curés de toutes les religions, de la conjuration jésuite. J'y reviendrai, bien entendu. Notons quand même que *Rigodon,* sa dernière œuvre, est pris en tenaille dans une sorte de retour fantomatique des pamphlets puisqu'il commence sur cet apologue et se boucle sur le péril jaune et les Chinois envahissant la France « milliards par milliards[4] ». Seulement, si on regarde le texte de près, on se rend compte que Céline est tout de même lucide sur l'explication coup de poing : bien sûr c'est l'intelligence, la vôtre, la mienne, mais comme par un fait exprès elle n'est pas « divertissante » : entendez qu'elle ne fait point art. Comme s'il mesurait enfin tout ce qu'il lui avait fallu cesser d'écrire — de comprendre — pour écrire les pamphlets. Comme s'il se doutait qu'avec la série des livres racistes, ceux qui exsudent du sens manifeste à n'en plus finir, et du pire, c'est le sens même de son œuvre qu'il avait mis entre parenthèses. Ce qui produit d'ailleurs, quand il compose *Rigodon,* juste avant de mourir, une répétition à l'envers de ce mouvement de parenthèses : son roman proprement dit, son art, pris entre une ouverture et un finale racistes.

Que reste-t-il donc, entre ces parenthèses en forme de coup de poing ? Que reste-t-il comme art, comme sens « divertissant » ? Mais tout simplement cette fourmi, ces fourmis perdues dans les combinaisons en limaille de la multiplicité, insectes aveugles et sourds plongés dans la question sans réponse du « combien » qui forclôt toutes les questions. Avec cette fourmi qui témoigne de la catastrophe inacceptable et irrémédiable qui précipite l'être dans ce viol cellulaire qu'on appelle la venue au monde, on n'est pas très loin du cafard de *la Métamorphose.* La fourmi dans la limaille c'est l'Un dans le multiple, le Un qui sait bien qu'il ne sera jamais un Un dans le multiple de tous ceux dont le délire est de croire qu'ils vont parvenir à l'Un. C'est l'homme Céline dans la nuée des hommes ou n'importe quel vivant en train d'essayer d'échapper aux bombes, n'importe quel atome parlant plongé dans le champ de bataille et incapable d'autre chose que d'une interprétation mécaniste de ce qui est en train de lui arriver. Par rapport à cette incapacité, bien sûr, Céline continue à croire que l'intelligence finaliste, l'interprétation du coup de poing, sont éminemment supérieures, représentent un sommet de performance pour l'espèce. Seulement, un simple survol de son œuvre permet de se rendre compte que l'interprétation coup de poing est pratiquement absente des romans, qu'elle doit même être interrompue pour que les romans commencent. Que les romans en constituent donc la volonté d'interruption.

Que l'incapacité et l'inintelligence de la fourmi soient plus fortes, du point de vue esthétique, que la raison et le coup de poing, voilà peut-être un premier aperçu du sens chez Céline. Qui entraîne immédiatement un éclairage sur les pamphlets, sur la tenaille des parenthèses, lesquelles sont alors les effets d'une certaine prétention de la fourmi à faire l'homme, à faire le coup de poing, d'un certain penchant de l'instinct à mimer l'intelligence. Et qui veut faire l'homme, bien entendu, fait l'assassin puisque nous ne sommes que des fourmis. Ici on peut vérifier que tout art est infailliblement amené à renverser des valeurs philosophiques et plus généralement l'échelle des valeurs humaines : il semble d'abord qu'il y ait des vérités simples, c'est-à-dire communautaires, qu'il y ait des interprétations possibles, des remèdes, des moyens de trancher tout de suite dans le vif — et puis non, décidément, l'écriture passe infailliblement à côté du bon sens, c'est-à-dire du crime, elle retourne à la limaille, à la position de la fourmi perdue dans le pullulement des phénomènes à ras du multiple, là où poussent les maléfices, la mauvaise herbe mêlée à la bonne. Aux hommes qui ne veulent absolument pas l'entendre parce qu'ils passent leur temps à se trier mutuellement et croire qu'ils peuvent se séparer, se démêler les uns des autres, la littérature commence par dire qu'il n'y a que de l'inextricable et qu'elle va le parcourir en attendant. En attendant quoi ? Que le tri se fasse de lui-même, qu'on s'aperçoive qu'il est déjà fait dans l'écriture. Pour cela évidemment, il faut une fourmi mais pas n'importe laquelle, une fourmi en état de mort et de résurrection si l'on peut dire, revenant du dehors dans la limaille, dans l'accroissement de l'ivraie, pour ne plus voir que l'ivraie et savoir comment la traiter : « Je prends la " fréquence " d'agonie [5] ! »

Ce qui trompe les hommes généralement, c'est que cette agonie a pour eux toutes les formes de l'accroissement de vie, de la fécondité germinatrice. Il faut être tout à fait insensé pour voir comme Céline dans ce joyeux pullulement le visage engrossé du Mal, l'entrée dans l'âge noir, dans le « Kali-Yuga » de la quantité, dans la réduction de la qualité à la quantité et le repliement de ce qu'il faut bien nommer l'âme sous la catégorie du quantitatif, cet état où les individus sont à la fois plus séparés que jamais et plus agglomérés et indifférenciés, avec les effets que l'on connaît, le passage au stockage des morts qu'on appelle charniers ou au stockage des morts-vivants qu'on appelle camps. La politique au XXe siècle, acculée devant un problème qu'elle n'avait aucun moyen de comprendre, s'est avouée comme programme d'entrepôts, organisation des messageries humaines. On peut désormais appeler politique tout aveuglement sur la question du multiple incarné. C'est d'ailleurs par des intermittences d'aveuglement de ce genre, par des adhésions ponctuelles à ce qu'il faut maintenant définir comme l'*avision* politique du monde, que Céline s'est retrouvé raciste. Contre ses propres découvertes.

Comment ne pas voir cependant que toute son écriture est une tentative de dessiner la limaille, de la rendre projetable et perceptible presque d'une façon pédagogique ? Il en a fait la confidence dans tous ses entretiens : « Si vous remuez les masses, vous entrez dans le cauchemar !... et n'en sortez plus [6] !... » Comme a dit un de ses amis : « Sa crainte, presque obsessionnelle, du " grouillement " russe et chinois, dépassait toute autre considération politique [7]. » Il avait compris qu'une modification énorme en sourdine était en train de s'accomplir : « C'est une

question de nombre. Vous n'avez pas le nombre, taisez-vous [8]. »
Et ici, pourquoi ne pas entendre le mot nombre justement dans
ses deux sens, à la fois du point de vue de l'humanité comme
caractérisation de la quantité d'êtres, et de son point de vue
d'écrivain comme répartition dynamique et harmonique des
phrases par laquelle il tentait de répondre à l'afflux menaçant du
quantitatif ? L'affaiblissement démographique occidental face à
l'accroissement galopant des autres peuples lui a fourni à la fin
de sa vie l'occasion d'exprimer encore son racisme : les Chinois
« ont pour eux l'hydra viva, la natalité [9] ». Et encore : « C'est un
problème démographique !... Les guerres, tout ça, c'était résolu
par les épidémies, autrefois... Tout le monde crevait... Mais
maintenant, les épidémies, y en a pus... (...) Pendant que nous
parlons, y naît un Chinois toutes les secondes [10]... » On a le
droit de ne voir là que hantises banales, diffuses dans l'opinion.
Mais en poussant jusqu'au bout ce qui est lieux communs pour
la sagesse courante, il s'est retrouvé là où pratiquement personne
n'a la possibilité d'aller, là où le pullulement totalitaire, ubi-
quiste, est pris en analyse, se retrouve écrit, criblé. Finalement
la « limaille » est un « terrible secret », c'est un sujet « à vif »,
peut-être le seul sujet « transposable ». D'où l'impuissance de
ceux qui imitent son écriture, à retrouver ce qui l'avait engen-
drée. C'est que la lucidité sur l'accroissement permanent de
l'ivraie humaine ne va pas de soi. Il y faut certaines conditions
que je vais essayer de dire, et d'abord cesser de s'imaginer qu'il
s'agit là de la manifestation quotidienne, héréditaire et mondiale, des fêtes de la fécondité universelle.

A mon avis, la démonstration en est très claire dans *Casse-
pipe,* si on veut bien dépasser le pittoresque d'un récit de caserne.
De quoi s'agit-il dans ce seul fragment qui nous reste d'un
roman aujourd'hui perdu ? D'un groupe de soldats en train de
déambuler en pleine nuit autour d'une poudrière et incapables
de se souvenir du mot de passe qui leur permettrait de sortir de
leur marche en rond. Ferdinand, nouvelle recrue, est là plongé
dans le piétinement, c'est en somme la fourmi en train de

découvrir dans toutes ses dimensions l'horreur de ce monde et cherchant le mot de passe qui l'en guérira.

L'expérience est décrite comme un catalogue complet, clinique, de ce que l'on peut trouver quand on débarque au milieu des hommes et de leurs sociétés, on dirait la relation par un nouveau-né particulièrement perspicace de ce qu'il rencontre au terme de cette descente aux enfers qu'on appelle la naissance.

Vous avez d'abord l'odeur de l'humanité entassée : « La viande, la pisse et la chique et la vesse que ça cognait, à toute violence, et puis le café triste refroidi, et puis un goût de crottin et puis encore quelque chose de fade comme du rat crevé plein les coins [11]... » Vous avez ces obstacles vivants que sont les autres : « tous les pieds des autres en travers du chemin... toutes les bottes éperonnées... fumantes... de tous les vautrés dans la paille [12] ». Vous avez ces promesses de délices que vous chuchotent à l'oreille vos bienfaiteurs : « je vais vous faire tordre de plaisir... je vais vous apprendre à jouir à mort. Dressage ! dressage [13] ! ». Vous avez l'effervescence noire qui vous emporte dans sa tempête : « On était noyés, emportés, rebondis furieusement dans les pierres, rambinés debout par les bourrasques [14]... » « Je butais dans le fond de l'entonnoir, sous l'amas des viandes entravées, boudinées, malades, souquées dans les épaisseurs [15]... » Et le furieux entre-choc des mots qui s'écroulent sur la meute : « des paroles en bouillie qui retombaient dans le noir, mornes, flasques [16]... ». Et dans les ténèbres ces apparitions d'effrayants troupeaux de chevaux lancés au galop : « une trombe qui débouline... Vlop !... Po ! Dop !... Vlop ! Po ! Dop !... en plein dans notre tas... Une charge [17]... ». Et dans cet enfer, le mot de passe oublié justement, comme on oublierait son nom : « Je l'ai senti sauter de ma tête [18] ! »

Qu'est-ce que c'était que ce mot qui est là, absent, comme un indice de l'amnésie originaire ? Personne ne s'en souvient mais tout le monde a une idée. Un nom de fleur ? Un nom de bataille ? Un nom de femme ? On a ici la panoplie des bouées de sauvetage de l'humanité : la femme, la guerre. A ce moment-là,

un planton arrive en courant, s'effondre dans la boue, tétanisé
par l'épilepsie : «— Maman!... Ma... ma... qu'il hurle alors...
Ma... man... Mar... gue... rite [19]... »

Comme par hasard, il s'agit du prénom de la mère de Céline :
celui qu'il *n'a pas* pris comme pseudonyme.

«— Le mot! qu'il s'excite! Le mot!
— Le mot de quoi?
— Le mot!
— C'est ça?
— Le mot, le mot! C'est celui-là.[20]! »

Tout le monde voudrait que ce soit le mot, tout le monde est
prêt à s'agenouiller devant la Grande Mère magique. Mais le
maréchal des logis Rancotte n'est pas d'accord. Il sait, lui, que
ce n'est pas ça :

« Les hommes, quand même ils insistaient, ils voulaient pas
en démordre que c'était bien leur mot : Marguerite.

— C'est encore un nom de putain! Ils pensent qu'au cul ces
voyous-là! C'est-y du service?

Il en voulait pas, Rancotte, du mot Marguerite, pas plus que
de Jonquille [21]... »

A ceux qui croient que le nom de la femme — nom de fleur,
de guerre, de putain? — est là pour vous aider à sortir de la nuit
boueusement peuplée du monde, Céline offre cette ultime séquence de *Casse-pipe :* un épileptique vautré dans la fange, bal-
butiant le prénom maternel comme faux mot de passe. C'est ce
qu'on pourrait appeler la condition minimale pour ne pas se faire
trop d'illusions sur les agitations de la « limaille », c'est-à-dire
sur les effets de l'amnésie des générations concernant le mot de
passe. L'oubli du nom qui permettrait la sortie hors du cercle
entraîne l'hallucination sur le nom de la mère comme maîtresse
du cercle supposé sans sortie. Alors que prolifèrent les thèses sur
un Céline héritier des dentelles maternelles, qui s'est interrogé
sur la dose de pessimisme qu'il fallait sans doute avoir sur cette
question pour prendre comme pseudonyme un prénom de
femme — fait unique, me semble-t-il, dans la littérature —, et

laisser croire qu'il s'agissait de sa mère tout en livrant par ailleurs dans un roman le vrai prénom de cette dernière ? Est-ce que la communauté aurait pu supporter qu'un homme choisisse comme pseudonyme un prénom féminin si l'homme en question n'avait pas pris la précaution de lui faire croire qu'il s'agissait du prénom de sa mère ? Ce n'est pas certain. Il y a là une ruse, une rouerie typiquement célinienne consistant à donner l'impression qu'il est parfaitement en adhérence avec la fantasmatique sociale alors que c'est exactement le contraire. Par sa signature, c'est du féminin et non du maternel qu'il exhibe, c'est-à-dire quelque chose qui n'a rien à voir avec le cercle de la génitalité. C'est peut-être depuis ce « Céline »-là, depuis ce prénom-là, que le reste peut commencer à lui apparaître comme « transposable ». Le mot de passe, le vrai, celui qui ne sera jamais trouvé, celui que la fin de *Casse-pipe* (un manuscrit interrompu comme par hasard, dont la suite est perdue, dont nous ne connaissons qu'un fragment et dont la valeur pour nous vient aussi de ce que c'est lui que Céline interrompt pour commencer à écrire ses pamphlets) laisse en suspens, c'est évidemment « Céline »...

Mais alors, si la mère ne sert à rien pour nous faire sortir de l'enfer, ce n'est peut-être pas elle non plus qui nous a produit ? Pour répondre, il faut revenir à *Mort à crédit* et parler de la position en quelque sorte gnostique de Céline. Il y a deux mille ans, les gnoses avaient supposé un Dieu absolument absent induisant le scandale de leur propre présence au monde. Leurs cosmogonies foisonnantes récitaient un drame de famille dans le ciel dont la connaissance pouvait apporter le salut, c'est-à-dire l'exil hors de ce monde d'exil, la mort hors de ce monde de mort. A l'autre bout des deux mille ans de notre ère, Céline récite son propre drame de famille pour en être enfin allégé, pour être débarrassé de sa pseudo-naissance. *Mort à crédit* c'est cela, au fond, sa manière de préciser la fonction salvifique qu'il assigne à la littérature. A ceux qui se croient nés de la femme, il oppose dans ce livre, à travers des séquences de délire savamment organisées, le spectacle de la véritable matrice qui l'a accouché, à savoir l'effervescence lyncheuse qui le rejette, malade, sur la rive de ses souvenirs : « 2 500 agents ont déblayé la Concorde. On y tenait plus les uns dans les autres. C'était trop brûlant. Ça fumait. C'était l'enfer [22] ».

Voilà pour la première « naissance », la vraie en somme, car si on suit bien le livre on s'aperçoit qu'elle accompagne la fureur du narrateur qui a perdu un manuscrit. De fil en aiguille sa colère enfle, prend la forme d'une émeute, d'une vague en meute qui le dépose dans sa seconde « naissance », celle dont tout le monde croit qu'elle est le seul vrai commencement pour le petit homme : auprès de sa mère. Cette dernière est présentée immédiatement comme incapable de produire autre chose qu'un monologue mensonger, falsificateur, radotant à son chevet un faux roman familial : « Ma mère je l'entends qui insiste... Elle raconte son existence à Mme Vitruve... Elle recommence pour qu'elle comprenne combien j'ai été difficile !... Dépensier !... Insoucieux !... Paresseux [23] !... »

Mais cette voix maternelle réorganisatrice est couverte, filtrée, critiquée par le vacarme qui se passe dans la tête du héros, un vacarme dû à la trépanation mythique. La rumeur du monde se rassemble stéréophoniquement dans le fond de haut-parleur du sujet *détaché* : « quinze cents bruits », « de la flûte au Niagara », « le tambour et une avalanche de trombones », « une volière complète de trois mille cent vingt-sept petits oiseaux », « les orgues de l'Univers », « l'Opéra du déluge », « trois cents musiciens », « douze pures symphonies de cymbales, deux cataractes de rossignols... un troupeau complet de phoques qu'on brûle à feu doux [24]... ». La vérité sur la naissance est dite par cette musique de maladie qui couvre ou découvre la voix de la mère en train de raconter une tout autre histoire, une histoire où il n'y a ni meute ni effervescence ni musique malade dans la tête ni manuscrit perdu, donc une histoire que nous connaissons, qui nous flatte, que nous aimons, la légende familiale, l'enfance, les souvenirs, le temps perdu de la vie. « Tout ça c'est un peu raisonnable, mais c'est rempli bien plus encore d'un tas d'immondes crasseux mensonges [25]... » Pour rétablir la vérité, pour faire passer un peu de sa tempête, le narrateur en est réduit à attaquer son père mort transfiguré par la mère : « Je traite mon père comme du pourri !... Je m'époumone [26] !... » Réaction immédiate de la mère : « T'es fou Ferdinand ! qu'elle recule... Elle sursaute !... Elle se barre ! T'es fou qu'elle regueule dans l'escalier [27]. »

La mère disparaît et le roman peut commencer.

Les gnostiques avaient deux dieux. Céline n'a pas de dieu, tout au moins dans ses romans, mais il a deux naissances. A la première par laquelle il écrit, il offre son livre qui raconte la seconde, la fausse, la terrestre, celle qui ne pourrait pas être transposée si la première n'était pas là. Le traitement du mal qui ne s'avoue jamais comme mal se fait par la représentation, la nomination de ce mal en tant qu'il est croissance ininterrompue, gonflement, prolifération.

Chaque point fort du roman se déroule ainsi dans une manière de tempête, dans un instant de démonstration des insurrections de la folle ivraie démographique. C'est frappant pour la parodie de meurtre du père qui a lieu après une séquence d'effervescence collective dans le jardin des Tuileries, « l'enfer et le brasier des chaleurs [28]... », « le monstre aux cent mille braguettes [29] ». Père mort, mère adorée ou rejetée, tout cela n'est pas très important, ce sont les illusions d'engendrement et de famille, les affres du roman d'apprentissage. Ce qui compte c'est de montrer comment cela vïent, comment la tension monte, jusqu'à ce qu'il apparaisse qu'il y a un père ou une mère et que ce n'est rien que des écrans : « Jamais je l'aurais cru si facile, si mou... C'était la surprise... je suis étonné... C'était facile à serrer [30]... » Les épisodes suivants le jettent dans des métafamilles, l'oncle Édouard, Courtial des Péreires, et c'est encore la meute qui intervient pour interrompre : « Dans la matinée plus tard il a déferlé sur notre bled une véritable armée de curieux [31] !... » Jusqu'à la décision, en fin de livre, d'aller se précipiter dans une autre meute, ouvertement guerrière celle-là.

Donc les catastrophes du multiple sont les portes successives par lesquelles l'être passe d'une prison dans une autre avec la mémoire meurtrie de son exil. Nos parents ne sont pas nos parents, ce monde est le Mal sous son visage de fourmilière, quant au salut il ne peut passer éventuellement que par la reprise de tout cela dans une musique qui en mesure la vanité. Il y a une formule de salut : c'est *Mort à crédit* lui-même.

Les gnostiques avaient vu que ce monde était une geôle. Il est devenu impossible aujourd'hui de ne pas voir que cette geôle est encore plus irrespirable, que son horreur surpeuplée lève le cœur sans cesse, qu'elle *affiche complet* de toutes les façons possibles, ce qui fait que c'est cette épaisseur même, cette croissance, qui communique aux êtres par éclairs une vague idée du Mal. Céline ne dit pas : hommes. Il dit : fourmis et limaille. On comprend que les commentateurs politiques l'aient accusé de désespérer Cro-Magnon. Quelles qu'aient pu être ses aberrations idéologiques, il faut bien voir que la droite et la gauche ont achoppé sur la même chose : sa noirceur foncière. Avec des mots très proches, qu'il s'agisse des penseurs officiels du nazisme ou du stalinisme : « Il a mis en question et traîné dans l'ordure tout ce que l'existence humaine pouvait présenter de valeurs positives [32]. » « Il se réfugie dans ses visions de cauchemar pour éviter de répondre à la question : que faire ? Il est plongé dans le désespoir et les ténèbres [33]. » La première citation émane de Bernard Payr, général de SS et Gauleiter de l'édition sous le troisième Reich. La seconde, du critique soviétique Anissimov qui rédigea une étrange préface à la traduction russe de *Voyage*. Leurs remarques sont interchangeables.

Il y a deux mille ans, les bien-pensants de l'époque reprochaient aux gnostiques de *tragoïden :* de tout voir en noir...

Prendre réellement les choses au tragique, irrémédiablement, est l'effort le plus difficile qui puisse être demandé aux hommes. Il y a un désastre mais nos histoires propres, nos histoires de désir, d'angoisse, de maladie, nos histoires d'hommes et de femmes, d'enfants, de phallus, de perversion, nos histoires de pouvoir, nous font croire que le désastre dans lequel elles sont prises nous est moins propre, qu'il est beaucoup moins *nous* que tous ces égarements privés. D'où ce qu'on croit être chez Céline un délire, alors qu'il s'agit d'une vérité très maîtrisée.

Nous pensons qu'il exagère quand il raconte que le jardin des Tuileries est devenu « un cratère tout dépecé sur quatre kilomètres de tour, tout grondant d'abîmes et d'ivrognes [34]... ». Nous pensons que ce n'est pas vrai quand il prétend que la forêt africaine est « une immense réserve pullulante de bêtes et de maladie [35] », que les hommes, les jours, les choses, « tout y passait, c'était dégoûtant, par bouts, par phrases, par membres, par regrets, par globules, ils se perdaient au soleil, fondaient dans le torrent de la lumière et des couleurs, et le goût et le temps avec, tout y passait. Il n'y avait que de l'angoisse dans l'air [36] ». Ça n'a évidemment pas l'air sérieux quand il parle des « arbres entiers bouffis de gueuletons vivants, d'érections mutilées, d'horreur [37] », de New York « monstre à surprises », « visqueux de bitumes et de pluies [38] », etc. Nous parlons de sa nausée, de ses hallucinations, de ses cauchemars, de son talent visionnaire, nous réduisons sa lucidité à une réussite dans le registre esthétique, ce qui est une manière polie de supposer un effondrement de la rationalité. Quand il décrit cette société comme organisation permanente d'un guet-apens où « des millions d'hommes, braves, bien armés, bien instruits, m'attendaient pour me faire mon affaire [39] », le verdict tombe silencieusement : paranoïa, littérature. Quelque chose sur le cercle vicieux de l'humanité agglutinée se révélerait-il à travers les « bagarres » convulsives dont ses livres sont agités, quelque chose qui nous montrerait ce que nous ne voyons jamais à travers ces bagarres que nous prenons pour des affrontements de noms d'hommes ? Mais non, voyons : « Je lui apporterais le *Roi Lear* qu'il y verrait que des massacres. / Qu'est-ce qu'il voit lui dans l'existence [40] ? » Céline nous pousse à avouer notre optimisme en nous forçant à désavouer son pessimisme. « Perdu parmi deux millions de fous héroïques et déchaînés et armés jusqu'aux cheveux ? Avec casques, sans casques, sans chevaux, sur motos, en autos, sifflants, tirailleurs, comploteurs, volants, à genoux, creusant, se défilant, caracolant dans les sentiers, pétaradant, enfermés sur la terre comme dans un cabanon pour y tout détruire, Allemagne, France et Continents [41]... » Mais les guerres, vous dit l'optimisme, ce n'est pas cela du tout, les guerres sont des manœuvres des États capitalistes pour résoudre leurs crises internes. La débâcle de 1940 a été beaucoup plus *normale* que ce qu'il décrit : « Les deux cent dix-huit mille camions, chars d'assaut et voitures à bras, dans l'épouvante massés fondus se chevauchant à qui passera le premier cul par-dessus tête le pont croulant, s'empêtrent, s'éventrent, s'écrabouillent à tant que ça peut [42]... » Les collaborateurs qui avaient partagé sa fuite en Allemagne trouvaient aussi qu'il écrivait sur eux des horreurs : « vous auriez vu ces grouillements ! la foule sous le Danube, dans ces trous de fouines, pluri-centenaires ! familles, bébés, papas, leurs clebs... militaires fritz et gardes d'honneur, ministres, amiraux, landsturms, et les crevards du *Fidelis* et de la boutique PPF, et fous de n'importe où, pêle-mêle... et hommes à Darnand, tâtonnant, d'une catacombe l'autre... la recherche d'un tunnel qui ne croule pas [43]... » Le témoignage de Céline est *irrecevable,* c'est donc un écrivain. Jamais personne n'a vu un « pub » de Londres dans cet état : « Tout le bazar secoue, vogue, sursaute, tellement la foule en houle barde, brame, agite, conspue le Matthew [44] !... » Ni un lupanar : « la pullulation des lubriques !... La curée du vice [45] !... ». On soupçonne là une calomnie sur les hommes contre laquelle nous nous fermons très vite pour garder le moral. A moins que nous ne nous limitions à une stricte admiration de ses ébranlements formels. La surestimation de l'événement que constitue son écriture peut être une manière d'*oublier* le sens qui y est porté. Au fond il nous rend encore plus optimistes que nous ne sommes au naturel parce qu'il nous rend encore plus sacré ce qu'il veut nous arracher. Les gnoses aussi ont échoué à force de dire des vérités crues, ce sont les Églises qui ont gagné

89

en disant la même chose d'une façon plus civilisée, et puis à leur tour elles ont paru insupportables. Aujourd'hui, c'est la vision politique du monde qui est chargée de nous rassurer contre Céline. C'est-à-dire une sorte d'ordre des médecins tenant son autorité de la science acquise — contre un « medecine-man » recevant des dons de naissance, par un arbitraire comparable à la « grâce », et disant qu'il n'y a qu'un malheur pour la limaille, c'est d'être limaille. Du point de vue de la limaille, il y a un moi, un corps, dont la désagrégation, à la fin, constitue un accident fâcheux. Du point de vue du « medecine-man » les choses sont beaucoup plus logiques parce qu'il y a un défaut au départ, un illogisme d'origine. Chaque être est le champ de bataille d'une protestation permanente contre la prison qu'il est en tant qu'être : « La tête est une espèce d'usine qui marche pas très bien comme on veut... pensez! deux mille milliards de neurones absolument en plein mystère !... vous voilà frais ! neurones livrés à eux-mêmes [46] !» Nous promenons des fourmilières de cellules qui ne rêvent que d'une chose, choisir la liberté. Des cellules qui choisissent la liberté, on appelle cela maladie. A la rigueur ça relève de la science médicale, on peut espérer en guérir. Céline, prenant à contre-courant sa profession de médecin, y voit seulement une agacerie du néant programmé : « Ce que la nature est taquine ! Elle vous en veut pour quelque chose, elle vous chatouille deux trois atomes, vous voilà tout puzzelizé, vous vous retrouvez plus !... une double rate vous pousse, une triple ! un œil dans le fond de l'estomac !... toute votre sempiternellerie flanche, rompt !... la nature vous mascarade... internement... deux porcs-épics vous naissent en plèvre, s'installent, vous grignotent le diaphragme... la fantasmagorie triomphe [47] !...» Il ne croit pas comme nous au corps, il croit à la mort — ce qui peut aussi être une faiblesse qui vous reconduit au corps et à bien des ignominies, on verra cela plus loin. Mais croire à la mort en tout cas, c'est faire un pas en dehors de la mêlée qui croit aux maladies, aux accidents, aux malheurs, aux fatalités et à l'histoire. C'est cesser de prêter à la réalité ce qui revient au réel. Chaque vie est une erreur titubante entre deux mondes. L'instant où nous avons l'impression d'exister n'est que l'émergence passagère d'un flocon de stéréotype, d'une conséquence en train de se prendre pour une cause. Comme ce père de *Voyage* auprès de sa fille agonisante d'un avortement raté : « Il demeurait dans des sortes de limbes. Les êtres vont d'une comédie vers une autre. Entre-temps la pièce n'est pas montée, ils n'en discernent pas encore les contours, leur rôle propice, alors ils restent là, les bras ballants, devant l'événement, les instincts repliés comme un parapluie [48]... » Qui faut-il être pour voir à la place des hommes leur absence entre deux séquences de non-vie ? « "Ecce homo"... j't'en fous !... nihil homo... voilà [49] !... » Ou encore : « Vous n'avez qu'à aller sur les Champs-Élysées. Ils ont tous envie d'aller à quatre pattes [50]. » Les êtres sont des successions de pseudonymes d'une limaille toujours vibrante entre deux crises de sauvagerie. Ils cessent de ne pas exister pour se précipiter dans le crime. Le crime est l'être de l'étant parlant, et il est *toujours* commis en commun, c'est la condition première : que la boîte remplie de limaille soit pleine à ras bord. « Jaloux d'être lourds, n'est-ce-pas. La lourdeur les rend infirmes, par conséquent on peut se méfier d'eux. Ils sont prêts à tout. Ah oui prêts à tout. Ils sont prêts à tuer. Et pour activer encore la lourdeur, ils boivent. Alors quand ils boivent, c'est des marteaux-pilons [51]. » Les gnostiques voyaient l'univers comme un hôpital, Céline aussi : « L'aigreur au réveil des 14 000 alcooliques de l'arrondissement, les pituites, les rétentions exténuantes des 6 422 blennorrhées qu'il n'arrivait pas à tarir, les sursauts d'ovaire des 4 376 ménopauses, l'angoisse questionneuse de 2 266 hypertendus, le mépris inconciliable de 722 biliaires à migraine, l'obsession soupçonneuse de 47 porteurs de taenias, plus les 352 mères des enfants aux ascarides, la horde trouble, la grande tourbe des masochistes de toutes lubies [52] », etc.

Chaque tentative d'améliorer le décor devient une expérience de savant fou, voyez les recherches de Courtial des Péreires provoquant l'insurrection des larves dans les champs de pommes de terre : « Un vaste cloaque d'asticots !... Un séisme en larves grouilleuses [53] !... » D'ailleurs il suffit d'énumérer quelques-uns des noms de lieux inventés par Céline pour voir toutes les gentillesses qu'il pensait sur ce monde, « cette terre, ce cadavre au fond des nuages [54]... » : Blême-le-Petit, Rancy, Fort-Gono, la Fondation Linuty, Noirceur-sur-la-Lys, le Passage des Bérésinas, etc. On est loin du génie du lieu proustien. C'est le mauvais génie du lieu célinien.

Sourdement, aveuglément, criminellement, la politique aussi a enregistré à sa manière que la vie en ce monde était une grossesse nerveuse entre deux néants. D'où sa double solution : côté ombre les massacres, côté lumière les promesses de communautés phalanstériennes et conviviales. Sur quoi Céline attire notre attention dans un épisode sinistre et comique de *Mort à crédit* :

« Ce fut une idée splendide qu'il eut alors, des Péreires, après bien des méditations à la "Grosse Boule" et dans les bois... Il voyait encore bien plus grand et bien plus lointain que d'habitude... Il devinait les besoins du monde...

— Les individus c'est fini !... Ils donneront plus jamais rien !... C'est aux familles, Ferdinand ! qu'il convient de nous adresser [55] ! »

Le résultat c'est le « Familistère Rénové de la Race Nouvelle », haras humain dont le fiasco provoque le suicide de Courtial. Céline était donc fort profondément prévenu contre les programmes totalitaires qu'il allait pourtant soutenir un peu plus tard, avec quelle ardeur. Il s'était même répondu à lui-même : « Seraient-ils neuf cent quatre-vingt-quinze millions et moi tout seul, c'est eux qui ont tort, Lola, et c'est moi qui ai raison [56]... »

Ou encore : « Élie... l'Homme est maudit. Il inventera des supplices mille fois plus effarants encore pour les remplacer [57]. »

Au moment de la parution de *Voyage,* il indiquait comme ses sources Balzac, Freud et Breughel [58]. Un romancier, un peintre, et cette parole en plus qu'est Freud. Quelles que soient les basses insultes qu'il a pu proférer contre ce dernier par la suite, il n'est pas niable qu'il a au moins commencé par le prendre très au sérieux. Pourquoi ne pas admettre que son œuvre soit née d'une sorte de rencontre entre le peintre des meutes médiévales, l'écrivain de la tragédie inhumaine et l'analyste qui écoutait dans la parole les effets de la séparation des sexes ? Tout cela remué dans un au-delà du monde incurable, dans un exil d'où ce monde lui revenait par télégrammes, d'où la fourmilière, où nos pauvres obsessions tournent sans bout de la nuit, lui était rapportée télégraphiquement. Il faut toujours se souvenir que Céline fait partie des réchappés de la première grande guerre, la génération pour qui très concrètement la vie, après, n'a plus été qu'un « rab » : « depuis 14, il faut avouer il faut convenir les hommes de ma classe, c'est du rab !... c'est de l'arrogance de pas être morts [59]... ».

Quand quelqu'un arrive à produire un blasphème de cette envergure, tout le monde s'intéresse à lui, la justice, le pouvoir, l'université, les institutions. Communistes, anarchistes, chrétiens, collaborateurs, nazis, l'ont approché, flatté, attiré, évalué, condamné. Jusqu'aux deux super-tyrans du siècle : Hitler qui a fait interdire ses œuvres en Allemagne et Staline dont, paraît-il, *Voyage* fut le livre de chevet [60] !

Il a poussé très loin la posture gnostique qui consiste à mettre tout le monde dans le même sac. Il a même été le premier écrivain à jamais oser affirmer qu'il n'avait pas de *confrères*. Aujourd'hui, certains de ses jugements sur Joyce, Faulkner, etc., sont ridicules. Il a eu tort de condamner pêle-mêle Gide, Aragon, Proust, Sartre, Claudel. D'autant plus que ceux à qui il disait trouver du talent ne sont plus que des noms presque oubliés : Dabit, Morand, Mac Orlan, Barbusse. On peut raconter qu'il disait n'importe quoi, qu'il jouait la comédie, qu'il exagérait, qu'il était fou. On peut dire aussi que, du fond de son exil, du fond de son émotion, il mettait l'accent sur la sédentarisation mécanique des autres écrivains, leur sclérose communautaire. Jusqu'à les halluciner, ainsi que nous le verrons plus loin, comme une sorte de ronde mimétique, comme un montage de *fils* pervers issus de lui… Finalement, c'est aux surréalistes qu'il a réservé ses coups les plus rudes. En discernant avant tout le monde, dans un mouvement d'avant-garde qui promettait des mutations de langue considérables, l'héritage des traditions littéraires les plus régressives du siècle passé : « Le sur-réalisme, prolongement du naturalisme imbécile [61]… », « cadastre de notre déchéance émotive [62]… ». Alors que ce n'était encore qu'un petit noyau d'agitateurs peu connus du grand public, il prophétisait l'envahissement de la société par la ritournelle surréaliste parfaitement adaptée à la fourmilière : « L'invasion surréaliste, je la trouve absolument prête, elle peut déferler sans hésitation, par l'effet de la loi du nombre [63]… » « Il n'est qu'un maquis de salut pour tous ces robots sursaturés d'objectivisme. Le sur-réalisme. Là, plus rien à craindre ! Aucune émotion nécessaire. S'y réfugie, s'y proclame génie qui veut [64] !… » Breton a mis du temps à réagir mais sa réponse mérite d'être citée : « je n'admire pas plus M. Céline que M. Claudel, par exemple. Avec Céline l'écœurement pour moi est venu vite : il ne m'a pas été nécessaire de dépasser le premier tiers du *Voyage au bout de la nuit* où j'achoppai contre je ne sais plus quelle flatteuse présentation d'un sous-officier d'infanterie coloniale. Il me parut y avoir là l'ébauche d'une ligne sordide (…) *Horreur* de cette littérature *à effet* qui très vite doit en passer par la calomnie et la souillure, faire appel à ce qu'il y a de plus bas au monde [65]. » Mais étaient-ce là ses vrais griefs ? Quelle que soit la prudence avec laquelle on doit l'accueillir, écoutons quand même le témoignage d'Albert Paraz : « Je me rappelle André Breton absolument désolé, sa forte tête exprimant le désarroi parce que Céline avait eu l'air de dire que le surréalisme était juif. — Mais il n'y a pas de Juifs chez les surréalistes, criait Breton désemparé [66]. » On savait déjà qu'il ne faisait pas bon être homosexuel dans l'entourage de Breton.

Il est indéniable toutefois que Céline a été bêtement injuste avec l'aventure surréaliste, comme il est indéniable qu'il a su en diagnostiquer le destin académique. Rien qu'en isolant le préfixe *sur-*, il a mis en relief, comme Bataille, sa fonction d'*échappatoire*. Il a suggéré que le surréalisme, loin de s'élever au-dessus du réalisme, n'était peut-être qu'un super-réalisme confirmant la réalité de l'enclos du monde, un occultisme automatique.

Pour en finir avec cette question des confrères, disons que son souci principal a été de marquer sa différence d'avec les autres écrivains, tous différents dans la sphère du même : « Entre moi et mes accusateurs, il y a un fossé infranchissable, une question d'espèce, presque de sexe. Mes accusateurs sont tous des employés — moi, non [67]. » Ne rien déléguer à l'imposture d'une prétendue similitude entre lui et les autres, c'est cela la position gnostique de Céline et ça consiste à affirmer qu'il n'y a aucun signe égal possible entre *un* individu et ce monde : « Ce que j'écris je le pense, tout seul, et nul ne me paye pour le penser [68]... » Il s'est offert le luxe terrible d'être, au moment où il écrivait, l'homme le plus seul du monde. *Seul comme Céline,* à la manière dont Kafka disait qu'il était seul comme Kafka : d'une solitude d'au-delà des dernières similitudes possibles.

D'où les difficultés de lecture. Son œuvre est un miroir, mais tourné vers le dehors où l'avait précipité sa mort au monde. Elle ne reflète rien de ce que notre expérience nous dicte, il l'a affirmé avec violence : « Ce qu'il veut le con c'est un miroir pour son âme de con où il puisse s'admirer [69]... » Il a retourné le miroir, ce qui fait que pour aller y voir, il faut faire un effort presque aussi considérable que le sien.

Proclamation d'une santé étrangère à nos santés maladives : « Je suis de ces auteurs qu'ont du souffle, du répondant, du biscoto. J'emmerde le genre entier humain à cause de mon répondant terrible, de ma paire de burnes fantastiques [70]... » Hypersexuel, pour avoir écrit cela ? Ou plutôt *sexué* comme personne n'ose l'être, c'est-à-dire marquant la différence inconciliable non seulement des sexes entre eux, mais de tout le sexuel avec son sexe à lui ? Quand il disait : « C'est moi les orgues de

l'Univers[71]... » il désignait sa maladie, c'est-à-dire sa trépanation imaginaire, le trou noir par lequel tous les phénomènes du
monde lourd étaient aspirés pour revenir allégés en musique : il
désignait sa santé... Le « Parfait » gnostique n'était pas
quelqu'un qui aurait été supérieur aux autres, c'était un homme
qui avait su faire, du Mal qui nous brise, le rythme d'un art
salvifique.

Faire de l'art avec du Mal, c'est le grand art, le seul. Ça
consiste à savoir que le Mal ne se liquide pas, comme le croient
les hommes de l'*avision* politique, mais que l'œuvre est le seul
lieu où le Mal puisse s'inverser en Bien. Il y a une parabole[72] où
cela est exposé et qui pourrait servir à illustrer ce que je dis. Il
s'agit de la « parabole de l'ivraie dans les emblavures » : au
moment où le froment commence à pousser, on s'aperçoit que de
l'ivraie y est inextricablement mêlée. Les serviteurs voudraient
tout de suite aller l'arracher. Mais le maître dit d'attendre, de
tout laisser croître ensemble jusqu'à la moisson. C'est cela, le
sens de l'œuvre de Céline : cet *inextricable* constaté et cette *attente*
décidée. A d'autres moments (les pamphlets), il a été aussi le
serviteur qui veut se précipiter pour arracher la « mauvaise »
herbe — ce qui a fait bien sûr les ravages que l'on sait. Il faut
lire chacun de ses pamphlets comme un renoncement à l'attente,
c'est-à-dire à la littérature.

NOTES

1. *HER,* p. 111.
2. Cf. Ph. Sollers : « Si on commençait à réfléchir vraiment, non pas sur les délits
politiques de Céline, mais sur la raison qui veut que tout en étant ce qu'il a été, il ait
été aussi un prodigieux novateur dans la littérature, cas brûlant pour la France... »,
Tel Quel 80, p. 31 et *sq.*
3. *R,* p. 731-732.

4. *Ibid.*, p. 927.
5. *F 1*, p. 171.
6. *HER*, p. 250.
7. *Ibid.*
8. *CC 2*, p. 77.
9. *Ibid.*, p. 32.
10. *Ibid.*, p. 154.
11. *CP*, p. 9.
12. *Ibid.*
13. *Ibid.*, p. 34.
14. *Ibid.*, p. 36.
15. *Ibid.*, p. 90.
16. *Ibid.*, p. 46.
17. *Ibid.*, p. 41.
18. *Ibid.*, p. 48.
19. *Ibid.*, p. 143.
20. *Ibid.*, p. 144.
21. *Ibid.*, p. 145-146.
22. *MC*, p. 525.
23. *Ibid.*, p. 529.
24. *Ibid.*, p. 525-526.
25. *Ibid.*, p. 529.
26. *Ibid.*, p. 532.
27. *Ibid.*
28. *Ibid.*, p. 798.
29. *Ibid.*, p. 799.
30. *Ibid.*, p. 808.
31. *Ibid.*, p. 1059 sq.
32. Cité in M. Vanino, *l'École d'un cadavre*, *l'Affaire Céline*, Documents présentés par le Comité d'action de la Résistance, Ed. Creator, 1952, p. 52. Le texte du Gauleiter Payr se poursuit ainsi : « Est-il la personnalité voulue pour prendre la parole de façon décisive dans le grand combat mondial contre les puissances supra-étatiques de la juiverie et de la franc-maçonnerie ? »
33. *HER*, p. 453. Anissimov note encore, p. 456, que Céline « n'a pas trouvé en lui-même le courage nécessaire pour aller de l'autre côté des barricades (...) [*Voyage*] aurait pu être le livre de la révolte d'une classe, il n'est devenu que celui du désespoir. »
34. *MC*, p. 798.
35. *V*, p. 145.
36. *Ibid.*, p. 147.
37. *Ibid.*, p. 168.
38. *Ibid.*, p. 220.
39. *Ibid.*, p. 81.
40. *GB 1*, p. 8.
41. *V*, p. 17.
42. *GB 1*, p. 13.

43. *CA*, p. 107.
44. *GB 1*, p. 36.
45. *GB 2*, p. 162.
46. *CA*, p. 114.
47. *F 1*, p. 220.
48. *V*, p. 259.
49. *CC 2*, p. 139.
50. *Ibid.*, p. 180.
51. *Ibid.*, p. 67.
52. *MC*, p. 518.
53. *Ibid.*, p. 1009.
54. *BM*, p. 16.
55. *MC*, p. 989.
56. *V*, p. 66.
57. *HER*, p. 75.
58. *CC 1*, p. 76.
59. *F 1*, p. 37.
60. C'est du moins, d'après *la Presse* du 29 juin 1954, ce que Staline aurait confié à un membre de l'entourage de De Gaulle lors de la signature du pacte franco-soviétique.
61. *BM*, p. 170.
62. *Ibid.*
63. *Ibid.*, p. 171.
64. *Ibid.*, p. 170.
65. Réponse à une enquête du *Libertaire*, 20 janvier 1950.
66. A. Paraz, in *l'Appel*, 20 avril 1944.
67. *HER.*, p. 264.
68. *EC*, p. 299.
69. *HER*, p. 121.
70. *EC*, p. 213.
71. *MC*, p. 525.
72. *Mt* 13, 24 *sq.*

3. La religion révélée

Après avoir tenté de décrire la nature de l'angoisse subie par Céline, puis m'être interrogé sur la manière dont cette angoisse a pu percer comme sens dans son écriture, il reste à essayer de dire quels remèdes il a envisagés pour guérir de cette angoisse. Car ce que nous avons raison de nommer ses crimes constituait pour lui autant d'essais de guérison, ce qui fait d'ailleurs qu'on doit être très méfiant à chaque fois que quelqu'un annonce qu'il détient une thérapeutique nouvelle, même si l'antisémitisme n'a pas l'air d'y être en bout de piste.

Que se passe-t-il lorsque après avoir exposé l'homme comme une maladie de l'être, le monde comme un cancer à flanc de néant, la vie comme photocopie convulsive de la mort, on s'avise de guérir de tout cela, c'est-à-dire de revenir en deçà de l'horreur pour prétendre soulager platement l'homme de l'être, le monde du néant et la vie de la mort ? Il arrive cette monstruosité du programme communautaire raciste : le médecin Destouches revenant sur l'écrivain-medicine-man Céline avec des antidotes, des calmants, des purges, des antispasmodiques, des fébrifuges, des diurétiques. Or, passé le cap de l'irrévocable, guérir est un délire. Le problème est qu'il ne s'agit pas de n'importe quel délire ni de n'importe quel délirant. Il faut donc reprendre les choses d'un peu plus haut.

En 1932, à une femme qui fut quelques jours sa maîtresse, il offre cette phrase : « Quand on dure assez longtemps on a vu tout et le contraire de tout. Montaigne [1]. »

Au fond, le malaise des commentateurs de Céline vient du vertige qu'il y a à soupçonner que quelqu'un ait pu durer assez longtemps pour écrire tout et le contraire de tout, et, à l'intérieur de ce tout-et-son-contraire, penser politiquement quelque chose qui ne serait que le contraire d'autre chose, qui constituerait donc une rechute du malade parvenu à se sauver, une rechute effective racontée comme une manœuvre de guérison. Ce qui fait de Céline une figure particulièrement monstrueuse dans la galerie littéraire. Parce que là, il ne s'agit plus des petits vices cachés de la vie quotidienne, les épingles à chapeau de Proust pour crever les yeux des rats, la passion du jeu de Dostoïevski, la méticulosité anale de X, l'onanisme de Y, le mysticisme honteux de Z. Il s'agit d'un scandale qui se déploie sur le fond d'un assassinat collectif. Mais qui, de l'intérieur du collectif, peut y comprendre quelque chose?

Céline, pour commencer, offre son œuvre à la mort. On l'a vu, *Mort à crédit* est un cadeau dont le sens pourrait s'énoncer ainsi: la littérature est une manière de compter sur la mort, de lui faire crédit, de lui faire confiance en même temps que, d'une autre façon, on la rembourse à tempérament. Le livre est une façon de dévoiler la vie comme *avance* que la mort récupère par mensualités. Quand Céline écrit ses romans, il est donc le moins délirant des hommes puisqu'il se pense comme mort pour décrire en détail cette affaire de remboursement par les vivants. En 1933, très peu de temps après la publication de *Voyage,* il écrit à une femme: «Je ne vois personne. Je ne lis rien. Je ne sais pas. Je ne dis rien non plus. Ma vie est finie Lucie, je ne débute pas, je termine dans la littérature, c'est bien différent[2].» A ce moment-là, on peut dire qu'il est en position de force, c'est-à-dire d'absence, par rapport à la commune mesure, qui serait au contraire autorisée à le penser dans la pleine expansion de sa présence vitale. Toute sa vie sera une suite d'expériences de disparitions: les deux guerres, les blessures, l'incarcération de quatorze mois au Verterfangsel, son éclipse comme écrivain pendant plus de dix ans, de 1944 à 1956, etc. Une sorte de réaffirmation permanente de l'effacement corporel : quand il écrit, la présence maternelle qui garantit notre présence n'est plus qu'une prétention babillarde entre les deux rives silencieuses du verbe, de son verbe à lui hachuré par la tronçonneuse du néant. C'est dire qu'il est en même temps au-delà de tous les fantasmes de père, de père mort, qui ne sont qu'une autre façon pour la mère de parler. Je l'ai déjà dit : il est détaché, suspendu par les trois points comme lui-même suspendait ses manuscrits en cours sur des fils, par des pinces à linge, sa langue reçoit l'inspiration d'ailleurs : « ça inspire, la mort ! c'est même la seule chose qui inspire, je le sais, quand elle est là, juste derrière. Quand la mort est en colère [3] ». Le tout-et-son-contraire sont les apparences d'alternative de l'hystérie grand format, format mondial. Les phrases dé-coordonnées de Céline évoquent un rythme qui a su se libérer de ce faux choix. Dans *Qu'on s'explique,* le premier texte écrit sur son travail littéraire, il en énonce la loi : « Il faut que les âmes aussi passent à tabac [4]. » Ce sacrifice de la communauté et de sa *koînè* langagière fonde le « présent de résurrection » dont j'ai déjà parlé.

La dédicataire générale de son œuvre est donc la mort. Mais il a dédié aussi chacun de ses livres séparément à des gens bien précis, et il n'est pas interdit de se pencher sur cette petite série de noms qui dessine peut-être comme une sorte de micro-formule de sa politique, c'est-à-dire de son projet de guérison pour le genre humain. On peut même y toucher l'esquisse du glissement, le passage du livre comme don à la mort et dépense improductive suprême, au livre comme don aux vivants et dépense productive. La démonstration de ce glissement est très claire, à mon avis, dans les noms qui ouvrent ses romans ou ses pamphlets. C'est important, les dédicaces, si on veut bien y penser. C'est par là qu'un écrivain vient dire qu'il n'est pas si méchant que cela, que son hommage global à la mort ne demande qu'à se parcellariser en hommages à des vivants. Étymologiquement, c'est une consécration, la mise de quelque chose sous l'invocation de quelqu'un. Autrefois, on plaçait ainsi les églises sous l'invocation d'un saint, ce qui était parfaitement logique puisque ça restait hors du circuit des parlants. Mais Céline est-il encore dans cette logique quand il dédie, non des églises mais des livres — et des livres déjà dédiés à la mort, donc en principe excluant les vivants — à des vivants précisément, à vous ou moi ? N'y aurait-il pas là comme une torsion en sourdine ? Voyons donc à quels saints il se voue.

Semmelweis est dédié à toute une série de professeurs de médecine ; *Voyage* à Elisabeth Craig ; *Mort à crédit* à Lucien Descaves ; *Bagatelles* à Eugène Dabit et à « mes potes du Théâtre en toile » ; *l'École des cadavres* à Julien l'Apostat ; *les Beaux Draps* « à la corde sans pendu » ; *Féerie 1* « aux animaux, aux malades, aux prisonniers » ; *Féerie 2 (Normance)* à Pline l'Ancien et à Gaston Gallimard ; *Rigodon* enfin de nouveau « aux animaux ».

Laissons de côté les médecins, la corde sans pendu, les animaux, les malades et les prisonniers. Signalons seulement qu'ils dessinent tout de même une petite scène au fond du paysage qu'on pourrait traduire ainsi : quand un pendu se balancera au bout de la corde, tous ceux qui ont besoin d'aide, de médecine, seront enfin guéris. Et chacun imagine qui, dans le contexte des *Beaux Draps* et de l'Occupation, pouvait être chaudement invité à venir mettre son cou dans le nœud coulant pour sauver la société en crise...

Maintenant, voyons les autres dédicataires. Elisabeth Craig, c'est la danseuse américaine que Céline a aimée, « fort jolie rousse (...) les traits de Molière en femme, et tout son esprit ! tout son génie, en même temps (...) ». Si elle a sombré ensuite dans « le bas gangstérisme et l'alcool » par « cabotinage nihiliste [5] », c'est à cause évidemment de ses fréquentations (le milieu juif américain). Notons au passage la surprenante comparaison avec Molière, et le fait que lui ait été « volée » celle pour qui il avait écrit une pièce, *l'Église,* c'est-à-dire pour qui il avait essayé de devenir Molière.

Lucien Descaves n'est pas moins intéressant. A sa manière, il est une métaphore partielle de Céline. Antimilitariste, il a été poursuivi en justice pour un roman libertaire, *Sous-offs,* et il a écrit d'autres livres inspirés par la Commune. Dans sa jeunesse, en 1887, il a signé le *Manifeste des Cinq* par lequel certains écrivains débutants ont essayé de régler son compte à Zola encore tout-puissant. On sait à quel point Céline a souffert au début de sa carrière d'être comparé à Zola. Bien entendu, Descaves a quand même fait toute sa vie de la littérature naturaliste. Ajoutons enfin que son père, graveur, s'appelait Alphonse *Destouches...*

Eugène Dabit représente un autre versant : d'abord le populisme d'*Hôtel du Nord* qui, paraît-il, a aidé Céline à démarrer *Voyage.* Mais surtout, en 1936, Dabit a accompagné Gide en URSS et il est mort sur le chemin du retour, en Crimée, à Sébastopol. Or, quelques mois plus tard, toujours en 1936, Céline part aussi pour le pays des Soviets. Mais il en revient bien vivant avec son premier pamphlet, *Mea Culpa* (début 1937), ainsi qu'une grande partie du second, *Bagatelles* (fin 1937), précisément dédié à Dabit. Deux livres qui veulent dire en somme : moi, Céline, parce que j'ai su dépasser le populisme, je ne suis pas mort là-bas, je n'ai pas été « tué » par la Russie stalinienne.

Terminons rapidement sur les derniers dédicataires, Julien l'Apostat et Pline l'Ancien (pour ce qui est de Gaston Gallimard, j'évoquerai plus loin ses rapports avec Céline).

Julien l'Apostat est cet empereur de la décadence romaine qui, pendant ses dix-huit mois de règne, a trouvé le moyen d'apostasier le christianisme (351) sous l'influence du néo-platonisme, de chasser les chrétiens de tous les postes de responsabilité où Constantin les avait placés, de commencer la reconstruction des temples et la restauration du paganisme. Enfin, il a composé des opuscules en l'honneur de Cybèle, la « Mère des dieux », la « Grande Mère ».

Quant à Pline l'Ancien, on se souvient surtout de lui pour un acte désespéré : avoir voulu sauver les populations que menaçait l'éruption du Vésuve. Et il est certain que dans *Féerie 2 (Nor-*

CÉLINE

mance) c'est à cet épisode que Céline fait référence. Mais comment oublier que Pline est aussi l'auteur d'une *Histoire naturelle* où la nature est présentée comme la *souveraine mère* de toute création et où tout ce qui peut la corrompre et la dérégler est sévèrement dénoncé ?

A travers ces noms, on voit se dessiner la « positivité » célinienne, son programme utopique camouflant le meurtre : le naturalisme et le populisme surmontés mais présents comme forme littéraire d'affirmation de la croyance au monde ; la nature souveraine, la Grande Mère écrasant les basiliques ; et la métaphore poétique de tout cela dans l'arabesque de la dansit-ieuse. Soit un discours très cohérent, très ancien et durable, sur la Femme en tant que mère du ciel et de la terre réclamant pour sa nouvelle assomption et le rétablissement de l'ordre dans la communauté en crise le sacrifice d'une victime. En somme : la naissance d'une religion.

Il peut paraître étrange de dire que l'antisémitisme de l'« athée » Céline est une religion venant occuper le néant religieux ouvert par son écriture. Les choses s'éclairent si l'on précise que l'antisémitisme n'est pas une religion entre autres, mais *la religion,* l'unique, la seule « révélée » aux hommes parce qu'autorévélée, chuchotée et prophétisée au cœur même de leur histoire, et qui brasse en elle bien des choses appelées religions, les paganismes évidemment mais aussi certains éléments des monothéismes. L'antisémitisme est peut-être la seule religion dont il eût fallu inscrire l'histoire sous la rubrique histoire des religions : les pamphlets de Céline pourraient alors y occuper tout un chapitre.

Mais qui est assez fou pour prendre l'antisémitisme pour une religion ? Si ses livres racistes ont fait scandale, ce n'est pas tant parce qu'ils étaient racistes — d'autres ont eu les mêmes opinions et on s'en est très bien arrangé — que parce qu'ils mettaient une écriture considérée comme « révolutionnaire » au service de la haine raciste sans qu'il y ait dans cette écriture la moindre modification notable. En somme, la question qui se pose est la suivante : comment un même style a-t-il pu servir d'une part à s'élever au-dessus de la question du tout-et-son-contraire, et d'autre part redescendre penser quelque chose qui ne soit que le contraire d'autre chose? Ce qui rappelle un autre problème, qu'on se pose toujours à propos du christianisme quand on se demande comment il a pu — dans le même « style » — répéter que le Royaume du Christ n'était pas de ce monde, et remplir simultanément les geôles de l'Inquisition. Avec les mêmes ors, les mêmes chants, les mêmes rythmes, dans une continuité remarquable qui ne sert peut-être qu'à camoufler le lieu où, à l'intérieur d'une même dimension, commence *la* religion telle que je l'ai définie, c'est-à-dire la protection de la communauté unanime contre un seul, le projet de guérison de tous par l'élimination de quelques-uns. Le seuil est évidemment très difficile à apercevoir parce que tout semble se poursuivre de la même façon sous le même camouflage stylistique. C'est aussi le cas dans le problème que posent les pamphlets où se trouve parfaitement exploitée la plus-value d'écriture des romans sans qu'aucune rupture soit discernable au niveau de cette écriture. Ce seuil et cette rupture sont donc à chercher ailleurs.

J'ai décrit Céline « gnostique », écrivant comme étranger à ce monde, « hors-venu » comme disaient les gnoses et non « fils de la maison », se pensant dispersé ici-bas, « mélangé », abandonné à la multiplicité et au fractionnement, plongé dans « l'impur » et le « divers », à la fois « guéri » de la terre par sa mort anticipée et toujours malade d'elle, répétant autrement ce que disait saint Augustin : « nous nous égarions dans la multitude, écartelés par la multitude, collés à la multitude (...), spirituellement morts sous la multitude des péchés[6] ». Son écriture impliquait un renoncement au monde entraînant celui de son corps devenu le filtre par lequel passait et se communiquait son rythme. Corps perdu, corps glorieux si on veut user de la terminologie théologique. Corps ouvert par la trépanation mythique qui marque le passage de l'autre côté des choses tourmentées de cette terre. Corps aux organes littéralement remplacés par les « trois points » transversaux à la meute. Corps imaginaire d'écriture *perpendicu-*

laire à sa propre ligne de vie et de mort réelles. Corps n'ayant plus rien à voir avec le corps filial et familial et qui, peut-être pour cette raison, peut signer d'un prénom de femme qui n'a rien à voir non plus avec la mère.

Pourtant il y a encore du corps, ne serait-ce que parce qu'il y a l'invention de cette trépanation, et c'est peut-être cette invention qui dessine un seuil, une différence de sens sous l'écriture inchangée.

Céline en effet n'est sans doute pas allé jusqu'au bout de sa découverte vertigineuse d'une musique d'autre monde (« comme aux Enfers, comme chez les Anges [7] ! »), il a peut-être méconnu la profondeur du vide multiplié, et cette méconnaissance expliquerait qu'il n'ait pu garder son sang-froid devant la révélation de la vie comme maladie dont la mort seule peut guérir. L'horrible finalement lui a fait horreur. Alors, par sursauts, il s'est mis à penser contradictoirement la mort comme une maladie de la vie, comme une maladie dont on pourrait guérir. Il s'est remis en somme à penser comme tout le monde et c'est cette idée de guérison qu'il a tenté de fonder dans son élaboration de l'antisémitisme. Or l'espoir de guérir est une maladie, c'est même la maladie humaine par excellence ainsi que le disait Kafka : « L'idée de vouloir m'aider est une maladie, c'est au lit qu'il faut la soigner [8]. » Dans ses pamphlets, c'est l'idée de ne plus vouloir être soigné que Céline tente de soigner par l'antisémitisme. Ce sont, pourrait-on dire, ses romans, ce qu'il démontre dans ses livres « non racistes », dont il tente de guérir. C'est l'autre monde ouvert par sa littérature qu'il tente de suturer par la guérison. Car la maladie, bien des écrivains l'ont noté, est l'ouverture même du hors-monde. Il suffit de se souvenir de ce que Proust dit des « nerveux » : « Tout ce que nous connaissons de grand nous vient des nerveux. Ce sont eux et non pas d'autres qui ont fondé les religions et composé les chefs-d'œuvre [9]. » Il suffit de se souvenir également des mots que Dostoïevski met dans la bouche de Svidrigailov : « L'homme sain est l'homme le plus terre-à-terre, et par conséquent il doit vivre de la vie d'ici-bas, pour sa satisfaction et le bon ordre. Mais à peine est-il malade, à peine l'ordre normal et terrestre de son organisme a-t-il été troublé, qu'aussitôt apparaît la possibilité d'un autre monde, et plus il est malade, plus les contacts avec cet autre monde augmentent [10]. » Et puisqu'il s'agit de « médecine », il est frappant que le docteur Destouches se soit *trompé* dans le diagnostic porté sur ses propres maux physiques : « On m'a trépané, ça m'a bien avancé ! Je souffre toujours... De la tête, oui, et de l'œil gauche [11]. » On sait aujourd'hui que cette prétendue trépanation n'a jamais existé. La guerre de 14 lui avait laissé des séquelles, céphalées, spasmes cardio-vasculaires, vertiges de Ménière, insomnies et surdité de l'oreille gauche, mais aucune opération à la tête. Du coup, l'« erreur » prend une dimension formidable. Personne ne semble avoir été frappé qu'*en tant que médecin* il ait précisément cherché à accréditer une fausse infirmité, qu'il ait commis cet acte manqué remarquable. Quel est le but inconscient visé ici, par cette image de l'instrument de chirurgie en forme de vilebrequin qu'on appelle trépan en train de lui percer les os de la boîte crânienne ? Bien sûr, on sait qu'il en a fait l'origine de sa musicalisation d'écriture, énumérant ses visitations auditives à la Schreber : mille cinq cents bruits, le trombone, la flûte, le Niagara, les tambours, le triangle, le clairon, trois mille cent vingt-sept petits oiseaux, les orgues, les trains, les cymbales, les rossignols en cataractes, les phoques en troupeau, etc. Tout cela offert à la mort qui vient rafler l'orchestre au moment du dernier souffle : « Voilà Madame, je lui dirai, vous êtes la première connaisseuse [12] ! » Mais la prétendue blessure à la tête, siège de sa pensée, de ses visions, avait aussi une autre fonction : elle permettait à sa tête de rester sur ses épaules, je veux dire dans le monde d'où son écriture l'arrachait en même temps sans cesse, dans l'impur du divers, du multiple, d'y souffrir et de tenter d'y guérir. Pourquoi le médecin en lui ne se serait-il pas trompé dans ce but, pour que son corps demeure tout de même dans le monde des phénomènes, corps troué demandant réparation ?

Dès lors, on peut voir aussi dans cette affabulation d'opération chirurgicale un déplacement de la castration. Le trépan lui aurait enlevé un pénis dans la tête ? Pourquoi pas ? Et à la place serait venue toute une prolifération de musique de langue. Je pense à l'évocation par Freud [13] de la tête de Méduse exhibant sa chevelure de serpents multipliés comme le sexe maternel poilu renfermant quelque chose d'absent. Peur fondamentale, le complexe de castration est aussi, disait encore Freud, « la plus profonde racine inconsciente de l'antisémitisme [14] ». Il permet de renouer avec la passion communautaire dont la littérature constitue la permanente interruption. Céline *avait besoin* de sa trépanation-castration, autant pour métaphoriser l'origine du prodigieux dialogue syntaxique lexical et rythmique qui se jouait en lui, que pour se débarrasser de la littérature et rejoindre la communauté là seulement où il est possible de la rejoindre, dans ses plus basses passions. En somme, la trépanation lui a permis à la fois d'affirmer sa paternité sur le monde qu'il traite à distance par l'écriture, et de faire reconnaître son statut d'enfant légitime de la famille humaine instituée à laquelle il offre un projet de guérison. Quand on se souvient de quelle terreur est affectée pour les non-juifs la circoncision, quand on sait qu'elle leur fait « une désagréable et inquiétante impression, sans doute parce qu'elle rappelle la menace d'une castration redoutée [15] », on ne peut s'empêcher de mettre en rapport l'ambivalence de l'expérience célinienne de la trépanation avec l'épisode de la Genèse où c'est justement quand il accepte de se circoncire qu'Abraham change de nom, devenant « père de multitude ». Chez Céline aussi, la trépanation-castration est la condition de sa paternité, elle est la génératrice de son art, le réceptacle des échos de la fourmilière — « le bacchanal bourdon !... la fêlure [16] !... » — elle le rend « rigolo », c'est-à-dire écrivain :

« — Et ta tête ? C'est une balle alors que t'as reçue ?...
— Oh ! une toute petite !...
— Oh ! ficelle !... du coup elle me trouve rigolo [17] !... »

Mais elle n'est pas que cela. Ailleurs, il en dit l'autre nom :
« Tu me fais rentrer ma jouissance... Tu m'arraches les couil-
les... Tu vas voir ce que c'est qu'un poème rentré !... Tu vas
m'en dire des garces nouvelles ! Ah ! fine pelure de faux étron !
Ah ! tu vas voir l'antisémitisme [18] ! »

Il n'est pas sûr en effet que son corps ouvert à la rumeur
grouillante ait été capable de jouir continûment de cette mise
hors-monde. Au contraire. Sans cesse dans les pamphlets Céline
essaie de se faire réaccepter par la société, de reprendre corps. Le
début de *Bagatelles* par exemple, c'est cela : toutes les démarches
qu'il effectue auprès des directeurs de théâtre pour faire jouer ses
ballets. Il échoue, il attribue les résistances aux Juifs et le délire
commence. Il n'est donc pas dit que son écriture, guérison de la
maladie de la vie, ne lui soit pas apparue par intermittence
comme une maladie. On pourrait risquer là une hypothèse : est
antisémite celui qui considère fondamentalement le verbe
comme une infection du corps et non l'inverse. Est déjà antisémite quiconque se sent médecin devant la littérature. Tout le
monde croit qu'il y a eu d'abord le docteur Destouches et ensuite
seulement l'écrivain Céline. C'est évidemment l'inverse : c'est à
l'intérieur de l'écrivain Céline qu'un certain docteur Destouches
a écrit les pamphlets. C'est à l'intérieur d'une sphère d'écriture
qu'un corps a revendiqué ses droits à prendre forme, à se truffer
de maladies et à essayer d'en guérir par la médecine légale. A
partir de là d'ailleurs, il aurait pu choisir n'importe quelle autre
des thérapies en inflation galopante à l'époque : il aurait pu
comme les surréalistes aller babiller dans les marxismes, l'occasion lui en était donnée. Il est allé plus loin, jusqu'au vrai
tranchant de la question communautaire, jusqu'au vrai tombeau
caché des sociétés. Pourquoi ? Mais tout simplement parce qu'il
est allé aussi jusqu'au bout du radicalisme d'avant-garde,
jusqu'à la perte de mémoire. Et quand on perd si bien la
mémoire de l'immémorial, quand on la perd si totalement,
quand on en arrive à être cette langue qui n'hérite plus de
personne ou presque, on risque de se retrouver face à face avec

l'adversaire logique, je veux dire avec ce qui constitue fondamentalement une grande partie de la mémoire humaine : les Juifs. De ce point de vue, les pamphlets de Céline sont les plus intransigeantes des œuvres d'avant-garde qui aient jamais été écrites, ce sont les halètements par excellence du trouble de mémoire. Est antisémite celui qui ne se rappelle plus.

A partir de là, est-ce que Céline est de droite ou de gauche ? Est-ce qu'il a une politique ? Ce n'est pas sûr. Rien ne me paraît plus léger que de parler, comme Jean-Pierre Faye par exemple, de son « faux *sansculottisme* », de son « hébertisme de droite [19] », en opposition à un hébertisme de gauche, à un bon sansculottisme sans doute. Le racisme est une croyance *en plus* par rapport aux croyances politiques, il peut les compromettre successivement et passagèrement mais il les domine toutes. D'où la désinvolture du survol politique de Céline, sa manière de frôler toutes les hypothèses idéologiques sans en habiter réellement aucune. « Je vois très bien, j'avoue, je proclame haut, émotivement et fort, toute notre dégueulasserie commune, de droite et gauche d'homme [20]. » D'où son orgueil à être tout en même temps de gauche et de droite : « C'est moi l'auteur du premier roman communiste qu'a jamais été écrit... qu'ils en écriront jamais d'autres ! jamais... qu'ils ont pas la tripe [21] !... » Il peut donner l'air de déplorer la montée du fascisme : « Nous devenons fascistes. Tant pis — le peuple l'aura voulu — IL LE VEUT. Il aime la trique [22]. » Ou de regretter la faiblesse de la gauche : « La *pensée socialiste,* LE PLAISIR socialiste n'est pas né (...) S'il y avait un *plaisir* de gauche il y aurait un corps [23]. » Le peuple est une « tourbe haineuse, mesquine, pluridivisée, inconsciente, vaine, patriotards alcooliques et fainéants mentalement jusqu'au délire [24] ». Mais en même temps la haine de l'exploitation capitaliste est dite de manière inoubliable : « La vraie haine elle vient du fond, elle vient de la jeunesse, perdue au boulot sans défense. Alors celle-là qu'on en crève. Y en aura encore si profond qu'il en restera tout de même partout. Il en jutera sur la terre assez pour qu'elle empoisonne, qu'il pousse plus dessus que des vacheries, entre des morts, entre les hommes [25]. » Pourtant les révolutions sont des perpétuations du mensonge : « Depuis que les curés sont morts le monde n'est plus que démagogies. On flagorne la merde sans arrêt [26]. » Les célinolâtres croient s'en tirer avec la bonne excuse de l'anarchisme — de droite, précisent les plus honnêtes. Alors lisons les textes : « Dans le milieu slavo-germanique où vous êtes, il faut réagir contre la tendance anarchiste et vainement expérimentale. Il ne faut rien faire sans but. En un mot il faut vieillir très vite ou mourir de jeunesse [27]. » Et aussi : « pour l'être complètement anarchiste, il faudrait ne plus avoir besoin de bouffer... Les vrais anarchistes, ce sont les gens riches, voyez-vous. Pour bouffer, faut tous faire des petits trucs, et anarchistes ou non, ce sont presque les mêmes [28] ». L'antisémitisme est très au-dessus des antagonismes de partis dans la couveuse transparente des illusions politiques : « J'adhère à moi-même, tant que je peux... C'est déjà bien mal commode par les temps qui courent [29] ! » Relisons aussi *Mea Culpa,* son premier pamphlet, mince ombilic conduisant des romans à *Bagatelles.* Bien sûr, Céline y dénonce la Russie soviétique (en des termes qui d'ailleurs n'ont pas tellement vieilli : il reproche au communisme de ne même pas dire autant de vérité sur l'homme que jadis l'Église ; l'abolition des classes est une expérience qui fait encore mieux ressortir la méchanceté universelle, ce qui implique qu'elle exige immédiatement un surcroît de surveillance policière ; ce n'est pas la suppression du capitalisme qu'il regrette, c'est la faible capacité de pessimisme des maîtres du Kremlin : « la vraie Révolution ça serait bien celle des Aveux [30] ». La disparition des oppresseurs révèle l'homme comme incurable oppresseur de lui-même : « t'es seul ! T'as plus personne pour t'accabler ! Pourquoi ça recommence les vacheries ?... Parce qu'elles remontent spontanées de ta nature infernale, faut pas te faire d'illusion, ni de bile, *sponte sua* [31] »). Mais la conclusion de tout cela, hélas, vous la trouvez finalement dans *Bagatelles :* « La misère russe que j'ai bien vue, elle est pas imaginable, asiatique, dostoïevskienne, un enfer moisi, harengs-saurs, concombres et délation... Le Russe est un geôlier né, un Chinois raté, tortionnaire, le Juif l'encadre parfaitement [32]. » Comme l'antisémitisme encadre pour Céline tous ses jugements politiques.

On trouvait la même apparente hésitation, qui est en réalité une manière très précise d'aller compromettre tous les partis sans adhérer à aucun, dans ses dissertations médicales d'avant *Voyage*. D'abord, il commence par déclarer : « La vie est malade tout le temps, toujours. » Puis il se met à envisager un traitement possible de l'incurable : « On pourrait peut-être dans une autre société modifier radicalement les conditions qui créent et entretiennent la maladie [33]. » Puis : « Il faudrait que cette société s'écroulât pour qu'on puisse parler véritablement d'hygiène généralisée qui ne s'accorde bien qu'avec une formule socialiste ou communiste d'État [34]. » Pour finir sur ce flash sans équivoque : « Il est possible que dans l'entourage d'Hitler se trouve le dictateur au chômage qui organise enfin cette misère anarchique et la stabilise à un niveau raisonnable [35]. » On voit très bien que Céline se moque parfaitement des différentes idéologies en présence parce que l'antisémitisme est tout autre chose qu'une idéologie de plus, c'est une croyance qui peut éventuellement se trouver une politique à un moment donné et la choisir comme vecteur, mais le problème n'est pas là. Impossible, par conséquent, de déraciner cette croyance de l'intérieur du projet politique dont elle est le supplément insaisissable. Impossible à partir du politique de voir clair sur cet appareil raciste qui consiste, en prêtant à l'Autre une maîtrise sur la jouissance qui déborde toute maîtrise, à se faire soi-même débordement de malédiction et d'exclusion. La politique ne peut rien contre cette passion dont elle est régulièrement le jouet. La religion antisémite est un ouragan qui emporte et confond les débats de la droite et de la gauche. C'est quelque chose comme un écrasement de la perspective de la transcendance. Le passage des romans aux pamphlets est là : Céline cesse de penser sa propre absence au monde comme positive pour désigner à l'intérieur de ce monde une présence négative à éliminer. Pour ce faire, il peut donner l'impression de tenir n'importe quel discours, du marxiste au fasciste, ce sera toujours le même discours.

On pourrait presque dire qu'il cesse alors de dominer sa propre littérature pour en devenir lui-même une des formules : dans les pamphlets il renaît homme, c'est-à-dire rejet incarné. Et ce genre d'incarnation, il savait pourtant parfaitement ce que c'était : « le coup d' "incarner" est magique !... on peut dire qu'aucun homme résiste !... on me dirait "Céline ! bon Dieu de bon Dieu ! ce que vous incarnez bien le Passage ! le Passage c'est vous ! tout vous !" je perdrais la tête ! prenez n'importe quel bigorneau, dites-lui dans les yeux qu'il incarne !... vous le voyez fol !... vous l'avez à l'âme ! il se sent plus !... Pétain qu'il incarnait la France il a godé à plus savoir si c'était du lard ou cochon, gibet, Paradis ou Haute-Cour, Douaumont, l'Enfer, ou Thorez... il incarnait !... le seul vrai bonheur de bonheur l'incarnement !... vous pouviez lui couper la tête : il incarnait !... la tête serait partie toute seule, bien contente, aux anges [36] ! »

Prenons ce texte comme une description de la jouissance de Céline tout le temps qu'il a été « l'incarnement » de la religion antisémite. La formule est éblouissante : de l'*incarnation* à l'*incarnement*, on a tout l'itinéraire, toute la chute vers la viande qui prend la parole, qui s'incarne par enfouissement de chair comme un ongle incarné.

Le dispositif antisémite est absolument en état de fonctionner avec la place déjà marquée pour les explications et les excuses rétrospectives, quand on voit Céline se préparer à l'avance sa position de persécuté, se donner les apparences du donquichottisme contre les bastions collectifs. On sait bien entendu à quel point la passion antisémite est une affaire communautaire, l'affaire communautaire par excellence. Céline ne fait donc que prêter une voix, un peu spéciale certes, au délire de l'ensemble social — tout en continuant sur sa lancée d'écrivain à se prétendre seul. C'est remarquable dans cette lettre où il dissuade une journaliste de prendre la défense de *Bagatelles* : *«Je ne veux à*

aucun prix que vous vous mêliez de cette affaire (...) Je ne veux pas
que vous vous compromettiez avec cette histoire — avec votre
famille et vos enfants. *Ce pourrait finir tragiquement.* Vous ne
savez pas ce que ce genre de foudre peut déclencher! (...) *Je ne
veux pas* qu'on me serve, qu'on m'assiste, qu'on me défende. *Une
fois pour toutes.* Ni vous ni un autre. Je sais ce que je fais. Ce que
je risque. C'est très bien ainsi et cela suffit [37]. » Il fallait qu'il ait
l'air d'être toujours aussi seul, à la fois pour que les pamphlets
paraissent en continuité avec le reste de l'œuvre, et aussi pour
que personne ne puisse voir émerger lentement de « Céline »
cette morsure messianique sur le réel qu'on peut appeler le
« célinisme ». Puissant et solitaire comme un Moïse mythique,
il n'est jamais plus qu'à ce moment en position de fondateur de
religion : « je peux me vanter d'être dans le droit fil, aussi haï
par les gens d'un bout que de l'autre... je peux dire, sans me
vanter, que le fil de l'Histoire me passe de part en part, haut en
bas, des nuages à ma tête, à l'anu [38]... ». Les déclarations d'après
guerre sont remplies de constatations de ce genre par lesquelles
il entend démontrer qu'il ne s'est pas trompé, qu'il a bien
toujours été, à travers tous ses livres, l'exception faite homme.
« Je peux me flatter d'avoir fait pendant la période la plus
enragée de l'Histoire de France, l'unanimité des Français au
moins sur un point : mon assassinat [39]. » « Il y a eu un cataclysme. L'épicentre c'était Stalingrad. Là on peut dire que c'était
fini et bien fini, la civilisation des Blancs. Alors tout ça, ça a fait
du bruit, des bouillonnements, des fusées, des cataractes. J'étais
dedans... j'en ai profité [40]. »

Que dit, d'après Freud [41], celui qui s'affirme comme une
exception? Que l'injustice que lui a fait Dieu lui donne tous les
droits. L'article de Freud sur les exceptions a permis longtemps
à la psychanalyse de bouffer de l'écrivain comme jadis on bouf-
fait du curé. On commence à se demander aujourd'hui si la
chose n'est pas plus compliquée qu'elle n'en a l'air et si l'art n'a
pas un peu raison de se prétendre dans le régime de l'exception.
A condition toutefois que n'y subsite pas la hantise d'une

injustice non liquidable comme dans le passage de Céline à l'antisémitisme. Bien entendu, il n'attribue pas cette injustice à Dieu — en quoi il est immédiatement et plus que jamais déiste puisqu'il l'attribue comme par hasard au peuple d'où vient le nom de Dieu... Ce qui le conduit instantanément à parodier la victime de Dieu, à se poser en *Unique* mis à mort au milieu de l'arène du monde : « horde des gradins, balcons, avant-scènes, baveux en bistrots, boudoirs et salons [42]... ». Le lynchage auquel il dit avoir échappé à la Libération aurait pu être l'occasion du grand orgasme réconciliateur des Français : « Que mes cris auraient retenti des hauts d'Enghien à Port-Royal !... au moins cinq millions de personnes qui s'émouvaient prenaient l'amour, des psychanalysés déboutés, frigides au coco, kola, Mayol, martinets, urinoirs, croûtons ! tout [43] ! » « Je bienfaisais cinq cent mille ménages [44] ! » « Les martyrs, les Golgothas, c'est des félicités, des Ciels [45] ! » Sans doute sa conversion en bouc émissaire était-elle sa dernière chance de sauver son antisémitisme : alors il montre ses contemporains à la fin de l'Occupation venant renifler son futur cadavre, les femmes surtout : « Les femmes bandent, elles ! franchement !... les jeunes pire ! Elles me voient déjà au crochet, écartelé, émasculé. Vite ! vite ! qu'elles se disent ! Sa langue ! ses yeux ! Elles ondulent, elles m'embrassent avec une tendresse [46] !... » « Ça fait longtemps que les Boches flanchent, mais ça fait vraiment que trois ou quatre mois qu'on peut les dire vraiment foutus... et ça fait trois ou quatre mois aussi que je tâte tellement de nichons qui bandent [47]... »

C'est écrit dans *Féerie 1,* peut-être son livre le plus sacrificiel, composé juste après la fin de la guerre alors qu'on « l'enchriste » tout là-haut vers le nord, au Danemark. La « féerie » ne sert qu'à accélérer la danse du lynchage. D'après un témoin [48], il voulait dans *Féerie* écrire l'histoire d'une petite fille que l'on tue parce qu'elle a corrigé son chien. Évidemment l'anecdote a disparu mais il en reste quelque chose qui pourrait se dire ainsi : plus Céline sera tué, plus on finira par s'apercevoir qu'il avait raison de corriger son chien. C'est dans ce but qu'il a développé un si fantastique narcissisme de la cause perdue. Dès l'exergue de *Voyage;* avec cette « chanson des Gardes Suisses » de 1793 où résonne la lamentation des soldats vaincus d'un roi assassiné. Céline a pris soin de se mettre tout de suite dans les poubelles de l'histoire. D'une certaine façon l'antisémitisme est toujours déjà dans les poubelles de l'histoire, ce qui assure son atroce éternité : il n'y a pas d'*églises* ou de *temples* antisémites à détruire. L'antisémitisme est la vraie « âme d'un monde sans âme », « l'esprit d'un monde sans esprit », la haine opiacée des peuples, leur rêve fuyant en excès. Lucidement, au nom de cet excès, Céline a affirmé la disqualification du politique. Ce n'est qu'un autre excès qui peut venir disqualifier l'excès antisémite.

Pour achever de rendre au délire du « célinisme », qui se croyait et que nous continuons à vouloir unique en son genre, ses justes proportions, rappelons brièvement sur quel fond historique de vertige nihiliste ce délire s'est déployé. C'était l'époque aussi du *Surréalisme au service de la révolution* (ASDLR), de la dédicace des *Nouvelles Révélations de l'Être* d'Artaud à Hitler, des alexandrins d'Aragon chantant le Guépéou, des petits vers d'Éluard chantant Staline (« Car la vie et les hommes ont élu Staline / Pour figurer sur terre leur espoir sans bornes »), l'époque où Pound faisait des « causeries » fascistes à la radio mussolinienne, où toutes les avant-gardes — futurisme russe, italien, etc. — choisissaient leur camp. Bref, une ère de ruée frénétique de l'art vers les girons totalitaires.

Il faut également situer les pamphlets de Céline dans la sinistre et longue histoire de l'antisémitisme littéraire qui commence avec le Moyen Age chrétien déclarant la guerre au « peuple déicide ». Céline, qui n'a hérité sa langue de personne, hérite parfaitement de Luther et de son ordurier *Contre les Juifs et leurs mensonges,* ou de ces vers de Racine dans *Esther :* « Il fut des Juifs. Il fut une insolente race. / Répandus sur la terre, ils en couvraient la face. » Ou de Kant : « Le judaïsme, comme tel, pris dans sa pureté, ne contient absolument aucune croyance religieuse (...) il a exclu le genre humain entier de sa communion [49]. » Ou de Fichte : « Une nation puissante et hostile, en guerre perpétuelle avec toutes les autres et qui, dans certains États, opprime durement les autres citoyens [50]. » Hegel : « l'esprit infini n'a pas de place dans le cachot d'une âme juive [51] ». Swift : « Qu'arrivera-t-il si les juifs se multiplient et forment un formidable parti parmi nous [52] ? » L'encyclopédiste Nicolas Boulanger dans le Christianisme dévoilé : « peuple le plus ignorant, le plus stupide, le plus abject, dont le témoignage n'est d'aucun poids pour moi [53] ». Logiquement, la Révolution de 89 a tenté en même temps que la déchristianisation de la France une déjudaïsation frénétique : « Il faut une loi précise qui défende aux descendants d'Abraham de circoncire les enfants mâles [54] » (la Feuille de Salut public). Enfin Marx : « Le christianisme est issu du judaïsme, et il a fini par se ramener au judaïsme. Par définition, le chrétien fut le Juif théorisant ; le Juif est, par conséquent, le chrétien pratique, et le chrétien pratique est redevenu Juif [55]. » Est-il si étonnant que finalement le seul ou presque à résister au délire soit Sade, chez qui on trouve même sur la persécution antisémite des lueurs de pitié : « Les malheureux pères de votre religion, les Juifs, se brûlaient en Espagne en récitant les mêmes prières que ceux qui les déchiquetaient [56] » ? Pour finir, est-ce Céline qui, au XXe siècle, écrit : « lui et ses pareils [les Juifs], tous plus ou moins marchands ou usuriers parqués aujourd'hui dans quelque sordide bourgade des steppes, ils organiseront le monde et nous apprendront à mettre nos idées en ordre et à gouverner nos affaires sous leur bienveillante direction [57] » ? Ou encore : « Il me suffit que les qualités de la race juive ne soient pas des qualités françaises [58] » ? Non : c'est l'insignifiant Georges Duhamel et l'inoffensif André Gide.

Il ne s'agit pas d'atténuer par ces rappels la responsabilité de Céline. L'adhésion de nos plus illustres contemporains aux différentes versions de l'horreur totalitaire ne rend pas moins insoutenable son propre engagement. L'antisémitisme tranquille des phares de la pensée et de la littérature occidentales ne diminue pas son antisémitisme hurlé. Il s'agit de voir comment, au terme d'une longue histoire, en criant quelque chose que tout le monde a su si bien chuchoter dans des coins de pages, Céline exerce la fonction de révélateur messianique de la brûlante religion des communautés. Sartre avait raison de dire que le mot *opinions* en ce qui concerne l'antisémitisme fait rêver [59]. On n'a pas d'opinions religieuses. On a une foi, et qui dévore tout. C'est la vieille Égypte des idoles poursuivant les Hébreux, la vieille Égypte aux eaux dormantes dans les cœurs occidentaux qui s'éveille brusquement dans la prose pharaonique célinienne des pamphlets. Il faut peut-être lire *Bagatelles* ou *l'École des cadavres* comme un retour de cette Égypte increvable. L'antisémitisme ne serait-il pas cette maladie de la mémoire qui consiste à ne pas pouvoir remonter par le souvenir plus avant que l'Égypte ? A ne pouvoir remonter en somme jusqu'à Abraham, c'est-à-dire encore avant Moïse, contemporain des pharaons ? Il y a là une énigme qui reste troublante puisque tout Céline, dans ses romans, est soulevé par les voix de l'immémorial humain, du préhistorique remémoré du fond de l'anhistorique, et que donc le trouble de mémoire, c'est-à-dire l'apparition des pamphlets, ne joue qu'à un seul niveau — de sorte que même quand il est là, il y est avec tout le rythme imprimé dans les romans par l'immémorial, toute la musique de la mémoire déposée en prime et pourrissant sur place. D'où l'apparence inextricable du problème, pour qui croit que l'antisémitisme peut se liquider facilement avec la liquidation de la question religieuse.

Ajoutons que, pour compliquer encore les choses, Céline aura été *père* de toutes les façons possibles, c'est-à-dire qu'il aura été en même temps l'incarnement et l'incarnation de la fonction paternelle. Sartre a très maladroitement tenté de débrouiller le problème. Son intervention est exemplaire, dans l'ordre de la bévue historique. Notons au passage que l'appréciation portée par lui sur le « cas Céline » est probablement un des points de son œuvre le plus sûrement garanti de passer à la postérité — négativement bien sûr. Simone de Beauvoir note dans ses *Mémoires* que, dès *Mort à crédit* (1936), Sartre et elle avaient flairé l'ignominie célinienne encore masquée. Mais alors pourquoi *la Nausée*, qui paraît deux ans plus tard, en 1938, porte-t-elle en exergue une phrase de *l'Église* ? Et pas n'importe quelle phrase. Elle n'a l'air de rien, comme cela, détachée du contexte (« C'est un garçon sans importance collective, c'est tout juste un individu »), mais elle est tirée d'une des séquences du troisième acte, l'acte antisémite précisément, où l'on voit Yudenzweck et Moïse, à la Société des nations, en train de régler son compte à l'« aryen » Bardamu, coupable de parler le « langage de l'individu ». En 1938, d'autre part, *Bagatelles pour un massacre* était déjà paru. Peut-on par conséquent parler encore du flair de Sartre ? Sa sévérité d'après-guerre a-t-elle vraiment pour mobile de nobles exigences morales ? Si Sartre a bien noté que pour Céline il n'y avait « de solution que dans le suicide collectif, la non-procréation, la mort [60] », il a cru bon d'ajouter que si, avec cette vision catastrophique des choses, Céline « a pu soutenir les thèses socialistes des nazis, c'est qu'il était payé [61] »... Céline n'avait bien sûr pas besoin d'être payé par les nazis pour refonder l'antisémitisme, puisqu'il était dans l'incarnement, c'est-à-dire qu'il payait une dette à sa mère en empruntant la dépouille du père. Il suffit de se souvenir des imprécations d'Auguste, le père de *Mort à crédit,* contre les francs-maçons, Dreyfus, les intrigants, les arrivistes, l'Exposition universelle, la « poisse », la « providence » et bien entendu les Juifs. « Il a recommencé l'inventaire de tous mes défauts, un par un... Il recherchait les vices embusqués au fond de ma nature comme autant de phénomènes... Il poussait des cris diaboliques... Il repassait par les transes... Il se voyait persécuté par un carnaval de monstres... Il déconnait à pleine bourre... Il en avait pour tous les goûts... Des Juifs... des intrigants... les ''Arrivistes''... Et puis surtout des francs-maçons... Je ne sais pas ce qu'ils venaient faire par là... Il traquait partout ses dadas [62]... » Inutile d'insister sur le devenir-père-pour-la-mère de Céline antisémite.

Il n'est d'ailleurs pas indifférent de voir qui sont exactement les « pères » symboliques que Ferdinand, dans les romans d'éducation, suit l'un après l'autre vers leur catastrophe. Courtial des Péreires, l'inventeur, « l'homme à synthèses » qui dirige une revue périodique intitulée le *Génitron,* monte en ballon le dimanche, organise un « Concours du mouvement perpétuel », résume toute l'œuvre d'Auguste Comte en « une prière positiviste en vingt-deux versets acrostiches [63] », crée un phalanstère campagnard utopique assorti d'expériences agricoles révolutionnaires, et finit sur une colline, le double canon d'un fusil de chasse dans la bouche, la cervelle défoncée. Ou encore Hervé Sosthène de Rodiencourt, « *Explorateur des Aires occultes, Ingénieur initié* [64] » déguisé en Chinois qui apprend à Ferdinand la sidérale circulation des ondes : « Le commerce des Ondes, Ferdinand ! l'approche ! l'approche ! Tout est dans l'approche !... Ne ressentez-vous point ici même les effluves appelantes du Thibet ? En quelque sorte une caresse ? (...) Vous êtes opaque !... encore opaque !... Cela vous passera [65] !... » Au beau milieu du trafic londonien, il tente une pratique d'envoûtement : « Si je m'étais pas désisté (...) on aurait vu un foyer de Force jaillir en plein Piccadilly, un bouleversement d'autobus, une transmutation tellurique comme on avait pas encore vu même au Bengale où c'était pourtant les prodiges à Goâ Gwentor où les lamas d'Offrefonde artificiaient des cataclysmes pour le monde entier, des conflagrations cosmiques qui fendillaient l'Himalaya... que l'Inde tremblait jusqu'à Ceylan, que ça brouillageait dans la lune, que ça se voyait au télescope [66]... » Père de pacotille mystique pour menu délire moderne d'Occident, à quoi Artaud semble avoir répondu dans son *Adresse au Dalaï-Lama :* « C'est l'esprit français dans ce qu'il eut de plus odieux aux pires époques, qui s'est réfugié sur l'Himalaya, et nous est revenu, *orientalisé,* bien avant l'entrée des Gaulois [67]. »

N'est-il pas étrange que les deux « pères » choisis par Ferdinand adolescent représentent très exactement les deux versants de la petite fantasmatique païenne contemporaine : le positiviste et l'occultiste, c'est-à-dire très exactement du religieux pour terriens ? Quand le positivisme et l'occultisme entrent dans un

sommeil fusionnant, qu'engendrent-ils ? Le monstre de l'antisémitisme. Lorsque Céline écrit ses pamphlets, il est au
confluent de ces paternités-là.

Quant à sa paternité effective d'écrivain, sa manière d'être
lui-même le père incarné dans les lettres de la rumeur babillante
du bébé humain sadique-anal, c'est ailleurs qu'il faut la lire,
comme un effort très lucide pour dépasser justement l'imbrica-
tion d'incarnement des « pères » : « Il m'a fallu servir pendant
tant d'années de fils, de serf, de paillasson, de héros, de fonc-
tionnaire, de bouffon, de vendu, d'âme, d'écureuil, à tant de
légions de fous divers, que je pourrais peupler tout un asile rien
qu'avec mes souvenirs [68]. »

Les *Entretiens avec le professeur Y* sont la tentative exemplaire de
faire re-légitimer — après-guerre — sa puissance paternelle. Au
passage, notons que le rendez-vous avec l'interviewer se situe dans
le square des Arts-et-Métiers, comme de juste, puisqu'il s'agit de
démontrer le métier dont il a fait preuve dans son art. Les *Entretiens*
s'élaborent dans un « blanc » de son œuvre : à l'époque, en 1954,
Voyage et *Mort à crédit* sont oubliés, *Guignol's Band* et les deux *Féeries*
passés inaperçus, quant à la trilogie allemande, elle n'est pas encore
écrite. Il s'agit donc de regagner le terrain. L'interlocuteur, le
professeur Y qui résume le public et même la globalité humaine,
devient très nettement le *fils* de l'écrivain au fur et à mesure de la
démonstration que ce dernier lui administre. Faux professeur,
colonel clandestin, dialecticien paralysé et terrorisé, auteur d'un
manuscrit mort-né, et surtout prostatique, *pisse-copie* dans tous les
sens du terme, l'interviewer petit à petit revient à l'enfance. La
révélation par Céline de ses secrets d'écriture le rend énurétique
comme un gosse qui s'oublie dans son lit. Tout le livre n'est que
l'affirmation croissante et bouffonne de la paternité symbolique de
l'écrivain. Plus Céline déchire le voile qui entoure sa technique
d'écriture, son art poétique si on veut, plus le professeur Y se
rabougrit, régresse au stade sadique urétral, croupit dans sa flaque
d'angoisse. Comment Céline, sur la fin de sa vie, aurait-il pu mieux
affirmer la conscience très claire qu'il avait d'être cette pater-

nité-là ? Il ne s'est d'ailleurs pas gêné pour le dire un peu partout : « Je suis le papa de bien des petits enfants, à maigres couillettes, qui font à mes frais les petits farauds, les petits inspirés, les petits fiévreux prophètes, d'une petite "sauterie" dans une autre, à droite, au centre, et surtout à gauche. Je veux pas les déranger, je suis discret par nature, les papas savent bien qu'il faut s'effacer[69]... » Ou encore : « Est-ce *créateur ?* ma seule question. / Je suis le Père Sperme[70]. »

D'où aussi l'extrême lucidité sur la haine *filiale* dont il était l'objet de la part des candidats à la littérature, une haine qu'il a très bien mise dans la bouche du professeur Y : « Vous êtes grotesque de prétention[71] ! » « Vous rabâchez monsieur Céline[72] ! » « Vous êtes d'une vanité de paon[73]. » « Vous êtes aigri... vous êtes envieux[74] ! » Comment ne pas penser aux « Vous délirez, monsieur Artaud. Vous êtes fou », dont est scandé *Pour en finir avec le jugement de Dieu ?*

Plus on est haï plus on est copié. Céline savait très bien qu'il était l'objet d'une vaste opération de plagiat de la part de ceux qui se croyaient ses contemporains. Il a décrit cela comme une transposition du banquet totémique au cours duquel les fils se partagent les restes du père qu'ils viennent de tuer : « Je ne peux pas vous dire, moi, en personne, combien de fois on m'a copié, transcrit, carambouillé ! ... un beurre !... un beurre !... et fatalement, bien entendu, par les pires qui me calomniaient, harcelaient les bourreaux qu'ils me pendent !... ça va de soi[75] !... » « polycopie ! plagiacopes[76] !... » « génies bébés !... génies ramolos !... génies femelles !... génies riens[77] !... » Conséquence : ses pires ennemis se retrouveront exactement là où ils se sont mis, en nourrice chez lui, vagissant dans sa nursery : « Les jeunes m'ignorent, les barbus m'ahaïssent, les libraires me boykittent, les universités *plus bébés que jamais, bébégayent,* les Ligues et leurs manifesses, me pendent tant que ça peut[78] ! » Il appellera Roger Vaillant « morveux » et Sartre « fœtus » ou « môme Narte ». Il parlera de « torcher l'avorton Sartre[79] ». « Une fessée pour Sartre est là toute prête[80]... » Dans *Féerie 1,* l'immortalité de Céline en tant qu'incarnation du père toujours-déjà mort est encore plus frappante : les autres écrivains coalisés le transbahutent en brouette, il y a là tous ses contemporains en culottes courtes et bicornes d'académiciens et ils lui pissent dessus. Sans doute est-ce pour les mêmes raisons que Sartre, qu'il n'a cessé d'insulter après la guerre, devient dans *l'Agité du bocal* «*Jean-Baptiste Sartre*». Transfert de prénoms dont le sens pourrait être : moi le père des pères, je suis le Baptiste en personne, celui qui donne le nom de baptême.

Cette paternité *méritée* par l'écriture s'est trouvée retournée dans l'antisémitisme des pamphlets. Passage du statut de père absent inoubliable à celui de père mort-vivant. On a là encore une fois comme une sorte de sinistre parodie de la double figure gnostique de la divinité : d'un côté le Dieu absolument caché, de l'autre le Démiurge malfaisant créateur du monde. Céline a occupé tour à tour ces deux places. Il a été cet autre père d'au-delà des paternités réelles détaillant chirurgicalement l'errance d'un atome de sujet griffé par la maladie de la vie sur le cauchemar d'un décor qui se déplace tout seul, New York, l'Allemagne en flammes, l'Afrique, Meudon, les dispensaires de banlieues du bout du monde. Mais il est aussi revenu dans la terre-fondrière des guerres pour payer sa dette d'homme à l'idole maternelle, c'est-à-dire pour adhérer à *la* religion des parlants. Et à ce stade c'est contre l'antisémitisme que peuvent redevenir vraies les critiques modernes de la religion : car l'antisémitisme est bien cette illusion étroitement liée, comme disait Freud, aux symptômes névrotiques ; cette consolation, comme disait Marx, des processus économiques aliénants et cette sacralisation criminelle de l'ordre social ; cette fiction dépréciatrice de la vie, cette maladie du ressentiment, comme disait Nietzsche.

C'est la religion dans son sens si rabâché de lien collectif (*ligare*). Mais c'est ce contre quoi la religion dans son sens méconnu dégagé par Benveniste (*legere, religere*: revenir sur, ressaisir par la pensée, recueillir, recollecter) n'a cessé de lutter.

CÉLINE

NOTES

1. *CC 5*, p. 146.
2. *Ibid.*, p. 155.
3. *HER*, p. 45.
4. *CC 1*, p. 59.
5. *HER*, p. 125.
6. Saint Augustin, *La Trinité, I. Le Mystère*, IV, c. VII.
7. *GB 1*, p. 11.
8. F. Kafka, *La Muraille de Chine*, coll. «Folio», Gallimard, p. 132.
9. M. Proust, *A la recherche du temps perdu*, Pléiade, t. II, 1954, p. 305.
10. Cité in J. Catteau, *La Création littéraire chez Dostoïevski*, Bibliothèque russe de l'Institut d'études slaves, 1978, p. 171.
11. Cité in E. Pollet, *Escaliers*, Bruxelles, La Renaissance du Livre, 1956, p. 34.
12. *MC*, p. 527.
13. S. Freud, *Gesammelte Werke*, t. XVII, p. 46-48.
14. S. Freud, *Cinq Psychanalyses*, PUF, 1954, p. 116.
15. S. Freud, *Moïse et le Monothéisme*, coll. «Idées», Gallimard, p. 124.
16. *GB2*, p. 234.
17. *GB1*, p. 227.
18. *BM*, p. 41.
19. *Change* 13, p. 6.
20. *HER*, p. 289.
21. *CA*, p. 277.
22. *HER*, p. 291.
23. *Ibid.*
24. *Ibid.*
25. *MC*, p. 631.
26. *HER*, p. 289.
27. *CC5*, p. 28.
28. *E*, p. 31.
29. *BM*, p. 45-46.
30. *MC*, p. 25.
31. *Ibid.*, p. 24.
32. *BM*, p. 47.
33. *CC3*, p. 199.
34. *Ibid.*, p. 188.
35. *Ibid.*, p. 218.
36. *CA*, p. 124-125.
37. *CC5*, p. 196.
38. *N*, p. 525.
39. *HER*, p. 304.

40. *CC2*, p. 170.

41. S. Freud, *Quelques types de caractères dégagés par la psychanalyse : les Exceptions,* in *Essais de psychanalyse appliquée,* coll. « Idées », Gallimard, 1971.

42. *R,* p. 851.

43. *F1,* p. 54.

44. *Ibid.*

45. *Ibid.*

46. *Ibid.,* p. 20.

47. *Ibid.,* p. 21.

48. P. Monnier, *Ferdinand Furieux,* L'Age d'homme, 1979, p. 95.

49. E. Kant, *La Religion dans les limites de la raison.*

50. Cité in L. Poliakov, *Histoire de l'antisémitisme,* t. 3, Calmann-Lévy, 1968, p. 198.

51. *Ibid.,* p. 203.

52. *Ibid.,* p. 47.

53. *Ibid.,* p. 141.

54. *Ibid.,* p. 238.

55. *Ibid.,* p. 382.

56. D.A.F. de Sade, *Aline et Valcour,* in *OC,* Cercle du Livre Précieux, t. IV, 1962, p. 269.

57. G. Duhamel, *Les Maîtres,* Mercure de France, 1937, p. 84.

58. A. Gide, *Journal 1,* Pléiade, p. 397.

59. J.-P. Sartre, *Réflexions sur la question juive,* coll. « Idées », Gallimard, 1976, p. 7.

60. *Ibid.,* p. 48.

61. *Ibid.,* p. 47-48.

62. *MC,* p. 639.

63. *Ibid.,* p. 823.

64. *GB1,* p. 265.

65. *Ibid.,* p. 273.

66. *GB2,* p. 258-259.

67. A. Artaud, *OC,* t. I, Gallimard, 1970, p. 24.

68. *CC1,* p. 91.

69. *BM,* p. 217.

70. Cité in A. Paraz, *Le Gala des vaches,* Balland, 1974, p. 320.

71. *EY,* p. 23.

72. *Ibid.,* p. 34.

73. *Ibid.,* p. 38.

74. *Ibid.,* p. 78.

75. *Ibid.,* p. 33.

76. *CA,* p. 28.

77. *Ibid.,* p. 37.

78. *R,* p. 838 *(je souligne).*

79. Cité in A. Paraz, *Le Gala des vaches, op. cit.,* p. 178.

80. *Ibid,* p. 180.

4. Divin, trop divin

Il est curieux de constater que, dans la plupart des analyses qu'on a pu faire des pamphlets, les thèmes secondaires qui y sont traités n'ont pratiquement jamais été mis en rapport avec l'antisémitisme central. Pourtant, sous leur apparence inoffensive, ces thèmes — la danseuse, l'urbanisme, l'école, l'information, la langue française, le christianisme, etc. — jouent à mon avis un rôle capital d'inducteurs sans lequel le racisme des pamphlets n'aurait pu être ce qu'il est. Je pense qu'il faut donc étudier ces thèmes qui n'ont apparemment rien à voir avec le délire où ils sont pris et qui pourtant donnent sa spécificité à ce délire.

Pour le bon sens, il paraît évident que les pamphlets sont aussi des livres de Céline, même s'ils sont exclus de ses œuvres complètes. Or, personne ne s'est avisé de tirer les conséquences d'un phénomène qui mérite, à mon sens, qu'on s'y arrête : celui de la rapidité d'exécution des livres polémiques par rapport à la lenteur de composition des romans. La différence est en effet frappante : quatre ans de travail pour *Voyage* ou *Mort à crédit*, trois ans pour *D'un château l'autre* et *Nord*. Quant à *Rigodon*, c'est la mort qui en a interrompu le remaniement. Pour tous ces livres, des milliers de pages manuscrites, c'est-à-dire une lenteur extrême de résurrection : une jouissance qui prend son temps.

Les pamphlets en revanche ont tous été crachés en quelques mois, six pour *Bagatelles*, encore moins pour *l'École* ou *les Beaux Draps*. Rage de l'élocution, frénésie de haine tambour battant :

il y a là, je crois, quelque chose qui relève de l'éjaculation précoce, d'un court-circuit laissant le sujet pantelant frustré dans son érotisation transcrite en sténo. Comme dit Lacan : « c'est précisément au fait que son désir est suspendu à la fonction imaginaire de l'*ego* que le sujet doit le court-circuit de l'acte, dont la clinique psychiatrique montre clairement qu'il est lié à l'identification narcissique au partenaire [1] ». On a cela très perversement exposé dans l'exécution en quelque sorte sommaire des pamphlets, sauf qu'il s'agit surtout d'un renforcement de l'*ego* communautaire s'identifiant narcissiquement à un partenaire condensé, *le* Juif auquel est prêtée une capacité de jouissance indépassable et mystérieuse.

Disons donc d'ores et déjà que les pamphlets ne sont écrits *qu'en apparence,* qu'ils ne sont des livres qu'en apparence, si écrire consiste à donner l'impression du plus de vie possible à travers le plus de mort possible, du plus de meute et de guerre et de monde possibles à travers le moins de guerre et de monde subjectifs. L'écriture expresse des pamphlets, leur giclure prématurée de verbe, montrent très bien comment peut s'écrire la religion antisémite en tant que débordement des idéologies. Quand la viande reprend la parole par incarnement, le trouble de mémoire qui en est la condition se fait dans ce jet d'épanchement précoce. Car il s'agit d'un trouble parfaitement sexuel de mémoire dirigé contre les *revenants* de l'immémorial. Dans les romans, on voit très bien ce que Céline tend à réaliser par l'éjaculation lente, par sa jouissance interminée et par là même « illisible » : il tend à devenir en personne un revenant, comme se le recommandait à lui-même déjà Kafka : « Il est de meilleur conseil de tout accepter, de se comporter comme une masse inerte, même si l'on se sent comme emporté par le vent, de ne se laisser entraîner à aucun pas inutile, de regarder les autres avec un regard vide d'animal, de n'éprouver aucun remords, bref, d'écraser de ses propres mains le dernier fantôme de vie qui subsiste encore, autrement dit d'ajouter encore au silence de la tombe et de ne rien laisser exister en dehors de lui [2]. » Tandis que dans les pamphlets, c'est au service du refoulement sauvage des revenants qu'il met toute la puissance de plus-value de son écriture. D'où il devient aussitôt éminemment lisible. D'ailleurs l'interdiction des pamphlets ne serait-elle pas d'une certaine manière la confirmation qu'ils sont justement trop lisibles, trop clairs pour la communauté qui ne tient pas à voir sa jouissance noir sur blanc, sa secrète et sociale jouissance amnésique? Alors qu'il s'agirait au contraire dans les romans d'être le témoin en retrait de ce nœud malade, de parler depuis un détachement qui s'appelle l'émotion, de faire entendre la lointaine jouissance d'un rescapé des communautés à travers des segments de messages, des suspensions syntaxiques et cette lenteur à jouir (à écrire) qui est la trace visible de l'érotisation de la distance, le rythme sexuel du ressuscité.

Ce qui ne veut pas dire que la séparation doive être systématiquement maintenue entre les pamphlets et les romans, ne serait-ce que pour en finir avec ce genre de ceintures de chasteté. On pourrait même rêver une double opération qui consisterait à prouver son antisémitisme à travers une lecture exclusive de ses œuvres «autorisées», et symétriquement son art poétique à travers ses uniques livres «interdits». Mais je voudrais envisager une autre voie par laquelle je tenterai de rendre visible la généalogie de son racisme, dont je marquerai les étapes indifféremment à travers l'ensemble de ses livres.

On sait que c'est du refoulement de toute négativité — mort, désir, répétition, rythmes, érotisme, rire — que naît généralement l'adhésion mortifère à un idéal du moi politique, à un totalitarisme et par-dessus tout à un racisme. La spécificité de l'antisémitisme célinien vient de ce que le mécanisme exactement inverse y semble exposé. Le négatif occupant intégralement les romans, ce qui fait retour dans les pamphlets c'est le positif, enfin le sien, qui recoupe largement celui de la collectivité. Alors une question se pose : le problème pour Céline n'a-t-il pas été toute sa vie de ne pas pouvoir faire de l'art avec ce qu'il aimait? De ne parvenir au contraire à sublimer dans l'écrit que ce dont il avait peur et horreur ? C'est ce drame que je vais essayer d'étudier, et qui permettra de commencer à cerner — en quelque sorte soustractivement — sa révolution d'écriture, d'en dessiner les contours, de la définir par ce qui, chez lui, a dû être mis en sourdine pour qu'elle commence.

On ne répétera jamais assez à quel point Céline a pu être religieux de la façon la plus banale et la plus irréductible qui soit. Au point que rien ne semble plus dérisoire que l'apostrophe d'Aragon en 1933 l'adjurant de s'engager du côté des exploités contre les exploiteurs en des termes de convertisseur : « Le grand problème pour vous Louis-Ferdinand Céline, sera quoique vous en croyez, de sortir de l'agnosticisme [3]. » Le problème est au contraire toujours de demeurer dans une position de *sortie* par rapport à l'agnosticisme comme par rapport à son inverse. On sait qu'il n'y a pas réussi. Voyons donc d'un peu plus près son culte positiviste.

Céline a cru au progrès comme tout le monde, c'est même le titre de sa première pièce longtemps inédite. A 22 ans, il avait déjà sa petite idée là-dessus : « Toutes les religions qui dans l'histoire des siècles ont tenu un moment le flambeau du pro-grès, ont parcouru par un chemin plus ou moins accidenté leur cycle évolutif [4]. » A leur tour, les races naissant aujourd'hui à la civilisation « subiront aussi les effets amollissants de la déca-dence et puis leur absorption par une autre race et il en sera éternellement ainsi dans la marche des civilisations vers le mieux (...) jusqu'au Jour où la science se suffira à elle-même, où elle créera la Vie [5] ». En 1916, dans une lettre, Céline pose ainsi les bases de sa religion de progrès à ressort intime de racisme. Pourquoi s'agit-il d'une religion ? Mais tout simplement parce que l'enjeu est de déloger définitivement ce que les religions dites judéo-chrétiennes maintiennent tant bien que mal : la dimension négative. Si la vérité du langage est chrétienne, comme le disait Georges Bataille, il est évident que les pamphlets constituent l'exemplaire tentative de se passer de cette vérité, c'est-à-dire aussi — par le symptôme de la rapidité d'écriture — de se passer du langage. Ce qui fait qu'ils montrent très bien la chose qui, dès qu'on fait le vide religieux, vient inévitablement occuper ce vide...

Tout à fait à l'opposé, celui qui écrit *Voyage,* c'est-à-dire qui expose par le ralenti de son écriture le négatif mortel de ce monde, aurait pu parler comme Jabès des « divers passages que l'être se fraie dans la nuit des songes jusqu'au verbe[6] ». Mais les pamphlets constituent un accident, un éboulement au milieu de ce voyage, suivi d'une tentative de rationaliser d'urgence la catastrophe, de regrouper ces trépanés de la vie qu'on appelle hommes. Dans cette rationalisation, la route qui mène au verbe est coupée. La langue qu'il utilise ne se souvient plus des autres langues. Ou plutôt, le français de Céline veut bien se souvenir qu'il vient du grec ou du latin, mais l'idée qu'il pourrait venir bien plus profondément de l'hébreu lui paraît complètement folle. L'antisémitisme est une amnésie religieuse sur le déjà-dit. C'est cette amnésie, bien plus qu'un quelconque cynisme banal, qui lui fait écrire tant d'énormités, et pas seulement dans les pamphlets, dans des lettres aussi, contemporaines des premiers romans : « Demain l'Europe entière sera fasiste [*sic*] et pour longtemps ! L.F. Céline ira en prison aussi[7]. » Ou encore : « Les Juifs sont un peu menacés mais seulement très peu et je ne crois pas que cela devienne jamais grave[8]. »

L'amnésie pousse à l'anticipation. D'une certaine façon, les pamphlets sont les romans d'anticipation de l'abjection historique imminente. Avec *Bagatelles* en décembre 1937 puis avec *l'École* en novembre 1938, Céline est en avance sur l'ignominie française. On peut lire ces torrents racistes comme des manières d'anticiper colossalement le pétainisme. Il s'en fait d'ailleurs une gloire au début de l'occupation : « Pour devenir collaborationniste, j'ai pas attendu que la Commandanture pavoise au Crillon[9]. » Il a même à cœur de rester à l'avant-garde du mouvement avec la publication dès 1941 des *Beaux Draps* — dont le premier titre fut *Notre-Dame de la Débinette* — où il annonce la prochaine débâcle du nazisme à un moment où l'euphorie règne dans la collaboration. La précipitation de l'éjaculation précoce stylistique entraîne l'anticipation du discours. Le sujet emporté est à la lettre empêché de revenir en arrière, la mémoire lui est interdite, il ne peut plus *relire* le monde. Il est poussé en avant par son propre oubli. C'est aussi l'aventure des temps modernes.

Toute la différence réside donc dans une certaine vitesse du poignet. Les romans : des milliers de pages patiemment creusées par les doigts, labourées douloureusement à un rythme de tortue pour arriver à faire percevoir au lecteur justement le contraire ; l'élan, le tourbillon des intonations exclamatives ou suspensives, la gravitation folle des syntagmes. Les pamphlets : le déchaînement du poignet à la cadence même des phrases, saccade sur saccade, pulsion sur pulsion. Plus un seul interstice de temps pour la résurrection de la mémoire. C'est du corps parkinsonien qui s'imprime à même sa surface de passion. L'écriture se fait presque à la vitesse de la future lecture. *Il faut* que ça coïncide, que ça copule chair avec chair. Rien d'étonnant par conséquent à ce qu'il y ait tant de *peau* sur le chemin généalogique de l'antisémitisme célinien.

Les étapes sur ce chemin ont des noms innocents : c'est la danseuse, c'est la femme, les belles légendes, les utopies. C'est-à-dire, comme je tenterai de le montrer, le positif qui constitue les échecs de son art : ce qui n'a pu se retrouver *transposable* dans les romans. L'intéressant est que ces déchets représentaient précisément pour lui la positivité suprême. Qu'ils n'aient pas franchi le seuil des romans, qu'il ait été obligé de les brasser avec les immondices des pamphlets, est tout de même très significatif.

Il y a quelque chose que Céline croit voir passer comme une onde à travers les mailles serrées de la meute guerrière, à travers les phénomènes palpables de l'effervescence, c'est le muscle devenu élan chorégraphique, autrement dit cette figure positive par excellence : la danseuse.

A partir de sa rencontre avec Elisabeth Craig à qui est dédié *Voyage,* toute sa vie est liée à cette hypostase nietzschéenne ou dyonisiaque qui est là pour faire croire qu'on peut échapper aux catégories contraignantes de la mère et de la femme. Céline n'est pas le seul à s'être excité sur la féminité qui fait des pointes. Mallarmé ou Valéry, pour ne citer qu'eux, sont restés fascinés par le papillon, le flocon, le nuage vivant et palpitant, bref la femme en tutu qui, croyaient-ils, «*n'est pas une femme,* mais une métaphore résumant un des aspects élémentaires de notre forme, glaive, coupe, fleur, etc. [10]». Curieuse, cette dénégation universelle du *sexe* de la danseuse. Pour Céline, c'est un oiseau :

« — Les danseuses sont très effroyables... très facilement. Ce sont des oiseaux...

— Tu crois?... tu crois?...

— Tout le monde le sait [11]... »

Il paraît évidemment un peu excessif de dire que la danseuse représente chez Céline une des manifestations les plus enfouies de son antisémitisme. Pourtant, l'œuvre elle-même le démontre. A ses deux bouts, dans les premiers et les derniers romans, on ne trouve pas de danseuses, mais au contraire des personnages qui boitent : au début la mère claudicante de *Mort à crédit;* à la fin Céline lui-même traversant *Rigodon* sur des cannes. Entre les deux, vous avez des danseuses, mais précisément, soit dans des livres ratés comme *l'Église* (qui comporte d'ailleurs une longue séquence antisémite où Céline se contente de mettre en scène les célèbres et ignobles *Protocoles des sages de Sion...*) ou *Progrès,* soit dans les pamphlets. Comme si le fait de se passer de la boiterie fondamentale de l'espèce — de son signe de culpabilité originaire — comportait comme sanction instantanée soit l'échec esthétique, soit le délire communautaire. Il y a des tas de choses qui dansent dans les romans de Céline, les bateaux dans les ports en flammes, les bagarres de *Guignol's Band,* l'obsession des hallalis auxquels il se dit historiquement promis, les bombes, les dégringolades d'immeubles, les opérettes noires de la débâcle nazie — mais c'est plutôt un tango macabre qu'un envol de jetés-battus délivrant la terre de son poids de viande.

Que le genre humain soit coupable et passe son temps à

s'enfoncer de plus en plus profondément dans son désastre, il le montre à travers des milliers de pages. Mais ça ne l'empêche pas de vouloir le contraire, c'est-à-dire de rationaliser une utopie de corps se passant de la Faute. « Vous avez deviné semble-t-il que j'aimais la perfection physique des femmes jusqu'au délire. C'est une vérité que je vous livre. *Elle commande toutes les autres* [12]. » Céline donne lui-même le mot juste : délire. Dans son échelle de valeurs, la danseuse incarne le plus haut degré : le fluide, le léger. Ce que lui-même, par l'écriture, n'arrive à atteindre que par un effort considérable, extrêmement *lourd,* en entassant laborieusement les mots et les phrases. Le délire consiste donc à vouloir désigner dans le réel un référent qui se trouverait en relation directe avec l'effet produit par son style. C'est-à-dire à établir un lien de dénotation entre le Bien obtenu esthétiquement à force de représentation du Mal absolu, et quelque chose qui serait du Bien réel, spontané, instantané. Foi insensée en la présence d'un référent pour la « réussite » littéraire.

Survolons les romans : des hôpitaux, des dispensaires, une galère de cauchemar, les poux, les puces, des banlieues croupies, des terrains vagues, des suicides, Paris transformé en volcan, la prison, les décombres du bout de l'histoire, le roulement infatigable des guerres.

C'est par-dessus tout cela que Céline hallucine la danseuse comme un entrechat souverain faisant l'économie de la boueuse condition humaine. Ce n'est ni la Grande Mère dévorante gavant la grossesse hystérique de la terre, ni la gardienne de la reproduction de la chair à canons, ni la mécanique érotique des illusions des mâles. La danseuse est quelque chose comme une recette magique de guérison par le geste contre ce monde malade d'une accumulation de gesticulations. C'est un ordre dans le chaos, la Grèce qui recommence. « Je suis Athénien, je suis difficile pour le physique [13]... » Ou encore : « païen par mon adoration absolue pour la *beauté physique, pour la santé...* (...) grec à cet égard totalement [14] ». « Ce sont les danseuses que *je lis* / Je suis grec par ce côté — ah pas / par le sexe ! par le geste...

par / leur émanation même [15]. » Voici l'homme aux petits rats.

Fascination du muscle grec, gymnastique mystique civilisa-trice, frénésie rythmique où il croit voir le dénoté réel de sa chorégraphie d'écriture, entrée du vaudou d'Acropole : « vous êtes belle, vous avez du muscle, vous dansez, hein [16] ? » Exalta-tion de la santé des stades où pourrait se dissoudre enfin la litanie de meurtres de la terre : « les muscles... la danse... pas de graisse [17]... ». Le contrôle de la société pléthorique, l'épuration de la meute obèse et entrelardée, se préparent dans le travail du tissu musculaire. Il s'agit de tout autre chose que de sexe et même de corps. Il est même frappant de voir à quel point ce thème a pu obséder Céline dès le début : dans son premier essai théâtral, *Progrès,* la danseuse américaine fait une longue profes-sion de foi sur le perfectionnement du muscle comme isolé de la chair : « Le désir des hommes voyez-vous, Monsieur du peuple le plus amoureux de la terre, c'est puissant et vague, ce qu'il faut c'est bien vous rendre compte, vous voyez ?... C'est oui ? c'est quatre heures de travail par jour, marquées là, du travail comme ça *(Elle fait les mouvements en musique.)* pas dans "ma chair" mais dans les muscles tout simplement... là... celui-là... le quadri-ceps... le voyez-vous et l'équilibre... là... et puis ceci en-core... rien de facilement obtenu... travail... fermeté... tou-chez... sentez-vous [18] ? »

Ce n'est plus le corps sans organes, c'est les organes sans corps. Avec au bout une société nouvelle qui en finira avec le langage et sur laquelle régnera, autour du muscle féminin idolâtré, une aristocratie anatomique sportive : « Le jour où les femmes seront habillées de muscles seulement... et de musi-que... que de phrases en moins... où les cuisses molles et roses seront enfin réputées dégoûtantes... où les rachitismes, les atro-phies, les grosseurs mal placées ne seront plus ce qu'elles sont aujourd'hui, les délicatesses dont on se vante et que les esthètes apprécient et peignent, Monsieur, mais bien des natures dégé-nérées, ce jour-là Monsieur, le monde vivra-t-il encore de mots ? Croira-t-il que la beauté est un don mystique, ou qu'elle est simplement faite d'or, de repos et de soleil, les esclaves non plus n'étaient pas beaux en Grèce, Monsieur [19]... »

Céline a souvent comparé ses propres infirmités à la grâce infatigable des danseuses qui partagèrent sa vie, d'Elisabeth Craig à Lucette Almanzor. Il a même dit qu'il n'aurait rien été sans elles : « C'est elle [Lucette] qui a le génie, pas moi — comme l'avait Elisabeth Craig [20]. » Il semble donc qu'il ait cherché perpétuellement de ce côté-là la signature réelle de sa littérature. Autrement dit, qu'il ait cru que ce n'était pas lui, Céline, qui ressemblait à la vitesse tournoyante de son écriture obtenue à force de musculation du poignet, mais la danseuse. Peut-on en déduire qu'à ses propres yeux sa signature se trouvait là où se trouvait sa religion ? C'est écrit en toutes lettres dans *Féerie 1* où il ressasse sa colère de n'avoir pu faire jouer ses ballets, c'est-à-dire de n'avoir jamais pu entrer dans la danse : « Ma petite religion de la danse ! où qu'on irait mort sans danse ? Ah ! Ah ! moi qu'ai vingt ballets pas dansés [21] ! » Rien d'étonnant à ce que finalement toute l'exception littéraire croule devant cette religion : Céline déclare qu'il donnerait « tout Baudelaire pour une nageuse olympique [22] ».

Le mou, le graisseux, empoisonnent le monde et tyrannisent le muscle. Les durs organes de la danseuse sont prisonniers du corps oriental juif, c'est en somme la fiction qu'on trouve dans *Bagatelles*. Céline frappe aux portes des directeurs de théâtre, Juifs bien entendu, avec des arguments de ballets. Il a moins envie de voir ses œuvres jouées que d'arriver à approcher les danseuses, accéder au « déduit divin [23] ». C'est même raconté en termes de voyage initiatique : « J'en ferais encore des démarches ! Je me ferais piler nom de Dieu !... pour me rapprocher des danseuses... Je suis prêt à n'importe quoi !... Pour la danse !... Je souffrirais deux, trois morts de suite [24]... » Sa religion se dit à découvert : « La danse c'est le paradis [25] !... » « Le poème inouï, chaud et fragile comme une jambe de danseuse en mouvant équilibre est en ligne, Gutman mon ami, aux écoutes du plus grand secret, c'est Dieu [26] ! » « Je veux bien calancher, tu sais, comme tout le monde... mais pas dans un vase de nuit... par une onde... par une belle onde... la plus dansante... la plus émue [27]... »

Mais les danseuses sont bien gardées. Il y a tout un rempart de Juifs qui en interdit l'accès. Jérusalem retient captive la Grèce — et finalement, le Verbe (hébreu) emprisonne le corps (athénien). La croisade antisémite célinienne est une sorte d'épopée de chevalerie de cauchemar : il s'agit d'aller délivrer les organes. D'où la répétition sur quatre cents pages du fantasme de sodomisation, terreur des sphincters forcés. L'antisémitisme est un organicisme.

Donc les Juifs gardent Dieu : ce qui serait somme toute de la bonne théologie raciste chrétienne vieille de deux millénaires, s'il ne s'agissait pas d'un Dieu radicalement étranger au Dieu que se disputent les monothéismes. C'est l'idole païenne que Céline veut libérer, c'est-à-dire quelque chose qui se justifierait, comme je l'ai déjà dit, d'avoir un référent sur terre. « Dans une jambe de danseuse le monde, ses ondes, tous ses rythmes, ses folies, ses vœux sont inscrits!... Jamais écrits!... (...) C'est Dieu lui-même [28] ! » Dès qu'il s'aperçoit qu'il n'arrivera pas à s'emparer de l'idole, on a l'explosion du lynchage raciste :

« — J'en aurai donc jamais des danseuses alors?... J'en aurai jamais! tu l'avoues. C'est tout pour les youtres! Gueule donc! traître!

— Toutes les mignonnes, Ferdinand, veulent toutes se taper les youtres [29] ! »

Nietzsche disait qu'il ne pourrait croire qu'à un dieu qui saurait danser. Céline fait un pas de plus, il y croit. C'est-à-dire qu'il croit qu'il existe quelque chose, ici-bas, qui ressemble à la fluidité posthume musiquée de son propre style. D'où, par la suite, après l'échec de sa croisade, la publication des ballets *sans musique, sans personne, sans rien*. Autrement dit, sans référent. La musique est bien descendue dans son écriture, mais il n'a pas pu remonter de son écriture à la musique. Que peuvent la danse et le muscle pour l'art? La catastrophe des pamphlets répond clairement qu'ils ne peuvent rien. Quant aux romans, on peut chercher : aucune figure positive de danseuse. Même l'épouse, Lili, est bien équivoque, par exemple dans *Féerie 2 (Normance)* où elle joue une version dégradée de la belle et la bête avec Jules, le monstre cul-de-jatte dont elle apparaît la complice par intermittence. Dans les romans où règnent la meute et la décomposition, l'onde incarnée c'est l'écriture.

Rien d'étonnant par conséquent à ce que les femmes n'y soient pas non plus très bien traitées : « Les femmes ça décline à la cire, ça se gâte, fond, coule, boudine, suinte sous soi ! mutines à poison, gredinettes, pertes, fibromes, bourrelets, prières... C'est horrible la fin des cierges, des dames aussi [30]... »

Mères du malheur, militantes de la guerre des hommes, manipulatrices de la meute : de Lola dans *Voyage* tremblante d'hystérie patriotique, à Aïcha von Raumnitz qui traverse *D'un château l'autre* bottée, cravache au poing, flanquée de deux dogues sanguinaires à qui elle donne à manger la viande des prisonniers torturés dans la chambre 36 du Löwen, les romans sont jonchés de femmes pousse-au-crime qui n'aiment dans les hommes que l'odeur de leur mort prochaine. « Musyne désirait fort aussi, comme Lola, que je retourne au front dare-dare et que j'y reste [31]. » La seule peut-être un peu radieuse de toute l'œuvre, c'est Molly, une prostituée comme par hasard, c'est-à-dire une femme qui sans cesse dit négativement oui aux hommes, comme l'autre Molly, celle d'*Ulysse*. Quant aux autres, elles ne sont que d'infimes ponctuations sur la pente du cauchemar. Madelon qui trahit tout le monde et finit par tuer Robinson. Sophie, l'infirmière slovaque, qui trahit Bardamu : « Elle me faisait cocu à l'hygiène [32]. » Les deux Henrouille. La Mireille de *Mort à crédit,* héroïne du Front populaire qui « levait le boulevard derrière elle à bander l'Internationale [33] » mais qui réserve au narrateur des abîmes de mauvaises surprises : « Elle était garce, elle jouissait très difficilement et le danger ça la fascinait [34]. » L'épouse de Gorloge qui déniaise Ferdinand avant de le voler et de provoquer son renvoi : « Mords un peu, mon chien joli !... Mords dedans ! Va ! qu'elle me stimule... (...) Ça cocotte la merde et l'œuf dans le fond, là où je plonge [35]...» Nora Merrywin qui le viole avant de se suicider. L'épouse nymphomane de Sosthène de Rodiencourt dans *Guignol's Band* et la si pure Virginia qui se retrouve enceinte d'on ne sait qui. Et aussi les *girls* américaines intouchables, statues grecques emplumées de dollars, et les femmes des coloniaux aux règles interminables accordées à la diarrhée de cauchemar du temps africain. *La* femme chez Céline c'est New York, la ville debout au néon où la guerre se poursuit dans le fracas du changement d'ère.

Biographiquement, Céline semble en avoir assez vite fini avec sa propre sexualité. En 1930, il est en train d'écrire *Voyage,* il a trente-six ans et il fait allusion à l'impuissance qui approche : «Bonne santé, vieux, bonne broche toujours ? Voici l'âge de la redoutable [36] !» Quelques mois plus tard, il va choisir son pseudonyme : un prénom de femme.

Il faut revenir sur ce choix ? Le bon sens voudrait que ce soit un hommage à la féminité. D'autant plus que la croyance à la femme n'est pas du tout absente de son œuvre — mais c'est justement dans les textes non romanesques qu'on trouve ces professions de foi très modernes, pour autant que notre modernité, dans ce domaine, serait l'ultra-féminisme masculin. Et comme par hasard, l'idée que la femme est l'avenir de l'homme ne va jamais sans le culte du progrès : «Alors les femmes, patientes, plus subtiles, moins logiques, plus mystiques, en somme plus vivantes, sortiront du silence et nous conduiront à leur tour avec plus de bonheur, peut-être, sur un autre chemin [37].» C'est écrit dans la thèse de médecine. Mais dans *l'Église* également on trouve ceci : «Ah! Ferdinand... tant que vous vivrez, vous irez entre les jambes des femmes demander le secret du monde [38] !» Ou encore cette réplique adressée à Véra : «Tu m'as expliqué bien des choses que je ne comprenais pas tout seul [39]...»

Seulement, comme je l'ai déjà dit, Céline ne signe pas ses livres de n'importe quel prénom de femme. Il a choisi celui de sa

grand-mère, c'est-à-dire la femme à qui sa propre mère, nécessairement, reprochait sans cesse de l'avoir fait naître femme, si
on suit la démonstration de Freud : « Nous ne quitterons pas le
chapitre des "exceptions" sans observer que la prétention
qu'ont les femmes aux privilèges et à être dispensées de tant
d'obligations de la vie repose sur cette même base. D'après ce
que nous apprend l'expérience psychanalytique, les femmes se
considèrent comme ayant subi un grave dommage dans leur
petite enfance sans qu'il y ait à cela de leur faute, comme ayant
été en partie mutilées et désavantagées. La raison pour laquelle
tant de filles en veulent à leur mère a pour racine ultime ce
reproche que celle-ci les a fait naître femmes au lieu de les faire
naître hommes [40]. »

Au moment où Céline s'apprête à apparaître comme écrivain
sous un pseudonyme féminin, c'est depuis la position de la
grand-mère qu'il regarde le marché des hommes et des femmes,
c'est-à-dire depuis un point situé hors du circuit sexuel, autrement
dit hors du monde, dans une position de parenté à la fois effacée et
surplombante, dans un dépassement du blocage originaire sur la
scène de coït parental. La grand-mère n'est pas une femme comme
les autres, c'est quelqu'un qui a été une femme, comme l'écriture
vivante de Céline est une écriture qui a vécu. Quand le père mort en
état de résurrection prend un nom, pourquoi ne choisirait-il pas le
prénom de la grand-mère ? Il faut se souvenir aussi de ce que Céline
a toujours souligné comme étant sa particularité sexuelle : le
voyeurisme. Alors disons que c'est en tant que grand-mère qu'il
répète à la femme sans cesse : *je te vois*.

« Vous avez aussi cette forte vacherie anglo-saxonne, qui va si
bien aux femmes quand elles sont jolies. Moi, j'en ai assez vu des
latines. Elles aiment trop les hommes, et les latins, d'ailleurs,
ils ne pensent qu'à faire l'amour. Quand il y en a un qui n'y
pense pas, il devient dictateur, c'est forcé ! Vivent les Américaines qui méprisent les hommes [41] ! »

Que chuchote donc, à l'intérieur d'une constellation qui
s'appellerait « Céline », la grand-mère à son petit-fils ? Que le

couple du siècle c'est ça : le corps femelle néo-grec-américain et la tripe mâle fasciste. Qu'il ne faut jamais croire à la femme puisqu'elle sait bien, elle, la grand-mère, que sa fille n'arrête pas de regretter de n'être pas un homme. Qu'il ne faut pas croire à la mère puisque celle-ci n'en finit pas de crier sa rage de vouloir passer pour un père. Subtilement, la vérité prend la forme du radotage de la grand-mère pour faire entendre un petit quelque chose sur la question à travers la surdité du genre humain : « Mais les "foâmes" ne sont pas que corps !... goujat ! elles sont "compagnes" ! et leurs babils, charmes et atours ? à votre bonne santé ! si vous avez le goût du suicide, charmes et babils, trois heures par jour, vous pendre vous fera un drôle de bien !... haut ! court !... soit dit sans méchante intention ! ou vous passerez toute votre vieillesse à en vouloir à votre quéquette de vous avoir fait perdre tant d'années à pirouetter, piaffer... faire le beau, sur vos pattes arrière, sur un pied, l'autre, qu'on vous fasse l'aumône d'un sourire [42]... »

Les infirmières de *Voyage* sont des mères qui ne raccommodent les soldats que pour les renvoyer au front : « Les infirmières, ces garces, ne le partageaient pas, elles, notre destin, elles ne pensaient par contraste, qu'à vivre longtemps, et plus longtemps encore et à aimer [43]... » « A l'abri de chacun de leurs mots et de leur sollicitude, il fallait dès maintenant comprendre : Tu vas crever gentil militaire... Tu vas crever... C'est la guerre [44]... »

Le long hurlement qu'adresse Robinson qui va mourir à Marion, ce long hurlement d'aveugle condamné contre l'amour et les sentiments, peut s'entendre dans cette bouche de Céline, sa bouche-grand-mère, l'incarnation la plus frappante de son détachement. C'est en tant qu'aïeule sur le point de rendre le dernier soupir qu'il brame qu'il n'y a pas d'un côté les hommes et de l'autre les femmes, mais un système tout-puissant homme-femme auquel il est, lui, avec sa grand-mère dans la bouche, étranger.

« Les trucs aux sentiments que tu veux faire, veux-tu que je te dise à quoi ça ressemble moi ? Ça ressemble à faire l'amour dans des chiottes ! Tu me comprend-t-y à présent ?... Et tous les sentiments que tu vas chercher pour que je reste avec toi collé, ça me fait l'effet d'insultes si tu veux savoir... Et tu t'en doutes même pas en plus parce que c'est toi qui es une dégueulasse parce que tu t'en rends pas compte... (...) T'y tiens quand même toi à faire l'amour au milieu de tout ce qui se passe ?... De tout ce qu'on voit ?... Ou bien c'est-y que tu vois rien ?... Je crois plutôt que tu t'en fous !... Tu fais la sentimentale pendant que t'es une brute comme pas une... Tu veux en bouffer de la viande pourrie ? Avec ta sauce à la tendresse ?... Ça passe alors ?... Pas à moi !... Si tu sens rien tant mieux pour toi ! C'est que t'as le nez bouché ! Faut être abrutis comme vous l'êtes tous pour pas que ça vous dégoûte... Tu cherches à savoir ce qu'il y a entre toi et moi ?... Eh bien entre toi et moi, y a toute la vie [45]... »

C'est en tant que grand-mère moribonde qu'il peut également dans ses lettres se mettre dans la position de donner tant de conseils aux femmes qui ont traversé sa vie. Des conseils précis, intimes, indiscrets, qui disent au fond qu'il s'estime un certain nombre de droits sur la question. Il y a là un court-circuitage des lois sexuelles très impertinent. On peut imaginer que la réaction de ses correspondantes a été de penser qu'il se mêlait de ce qui ne le regardait pas, qu'il violait en quelque sorte les droits imprescriptibles de la femme : « Pas *d'amour sans préservatif,* ou ALORS PAR-DERRIÈRE [46]. » Et encore : « Cultivez vos connaissances. Faites du sport. Dans la vie future il faudra des idées et des cuisses et du vice aussi. Gardez et prenez tout cela [47]. » « Mais de l'ambition Erika, pas de slavisme — plus de folies ou bien alors des folies bien choisies, bien fructueuses — *ne pas grossir non plus* attention — Et toujours le ridicule des choses que vous comprenez très bien [48]. » « Vous avez du charme, vous aurez du vice quand vous voudrez — Conservez votre santé — vos cuisses, votre esprit — Ayiez [sic] comme but de sortir de la misère d'abord — Ne vous amusez pas en route avec des petits hommes qui ne servent à rien — *ne bavardez pas inutilement*. Faites l'amour (SANS RISQUES) parce que c'est stimulant, et réservez tout votre esprit à votre réussite matérielle [49]. »

Quoi de plus scandaleux aux yeux de la femme qu'un homme qui avoue un certain détachement vis-à-vis de la chose sexuelle, c'est-à-dire qui laisse entendre qu'il a deviné le détachement de la femme ? Quand Céline se disait voyeur, c'était déjà cela : la sexualité vaut un coup d'œil de temps en temps, des visites furtives pour s'assurer que c'est toujours là sous le petit bouillonnement d'un reste de mythologie qu'on appelle l'amour. «Vous m'aimez bien mais je vous fâche. Je ne parle pas assez d'amour. "Parlez-moi d'amour !..." Je voudrais bien N... mais je ne peux pas. Je ne parle jamais, je n'ai jamais parlé de ces choses-là [50]. » Et puis beaucoup plus tard, dans un des romans de la fin, sous l'éclairage de la bombe atomique qui commence une nouvelle nomenclature du genre humain : « au vrai, je regarde plus les femmes depuis des années... l'âge sans doute, et puis aussi les événements... quand la forêt brûle les plus loustics animaux et les plus féroces pensent plus ni aux bagatelles ni à se dévorer... nous pour notre compte ça faisait depuis 39 que notre forêt brûlait... je veux qu'il y ait des exceptions, des gens qui s'en ressentent raison de plus, qui godent qu'aux supplices, que les yeux les langues arrachées portent aux galanteries... pareil que de manger du caca, et s'abreuver aux pissotières... je ne suis pas doué [51]... ».

J'ai demandé plus haut ce que pouvaient la danseuse et ses muscles pour l'art. J'ai répondu qu'ils ne pouvaient rien. Il faut penser la même question à propos de la femme. Au fond, dans le théâtre familial, la grand-mère est seule à pouvoir dire que la femme n'existe pas : c'est ce qui se passe aussi dans les romans de Céline. A l'inverse, dans les pamphlets, ou les pièces qui les préparent, partout où elle existe, la femme intervient dans la spirale d'engendrement de l'antisémitisme, avec sa fine pointe incorruptible : la danseuse-idole, Çiva féminin, Cybèle en tutu.

Revanche de la mère, de la Grande Mère, sur la mère-grand ? Il ne faut pas oublier que Céline a essayé toute sa vie de faire croire que son pseudonyme était le prénom de sa mère. Les pamphlets et les romans dessinent comme un dialogue haineux entre mère et grand-mère. Dialogue entre l'hommage maternel — précipitation d'éjaculation précoce, perte du souvenir, foi délirante dans les valeurs du progrès — et la grand-mère — voix lente à distance, corps exténué laissant se dégager sa somme de mémoire.

Plus loin que l'élimination des Juifs, il y a dans les pamphlets ce futur profilé de statues grecques, mutation de la féminité dans son érection de muscles : la femme supérieure, la surfemme. La danseuse comme avenir de la femme.

L'important est de bien voir que ce projet n'apparaît nulle part dans les romans.

Ce qui s'y retrouve en revanche tout le temps mis en scène c'est l'obsession de l'accouchement. On sait que son premier livre publié fut sa thèse de médecine — hommage, entre parenthèses, à un Juif, le grand médecin hongrois Semmelweis qui avait découvert une technique pour éviter aux femmes en couches de mourir de fièvre puerpérale : il s'agissait de désinfecter les mains des médecins avec une solution de chlorure de chaux avant qu'elles n'entrent en contact avec les organes génitaux féminins. Toujours le versant positif, dans les œuvres non romanesques. Mais par la suite, dans ses romans, les accouchements tournent plutôt mal. Il en a donné des versions spécialement atroces, la plus frappante étant dans *Voyage* où une fille de vingt-cinq ans est en train de crever à la suite d'un avortement raté : « Je voulus l'examiner, mais elle perdait tellement de sang, c'était une telle bouillie qu'on ne pouvait rien voir de son vagin. Des caillots. Ça faisait "glouglou" entre ses jambes comme dans le cou coupé du colonel à la guerre [52]. »

Là encore, le positif que représentait à ses yeux comme à ceux de tout un chacun un accouchement réussi n'arrive pas à passer la barre du symbolique. La maternité tourne à la catastrophe et quand il donne l'impression de s'attendrir sur des enfants, ce sont, comme dans *Rigodon,* des mongoliens. Même dans *Bagatelles,* la mise au monde n'a de valeur qu'en tant que souffrance pour les femmes. Quand sa jeune guide soviétique énumère tous les vices de la dernière tsarine de Russie, il suffoque : « La tsarine ?... mais vertige d'horreur ! mais trombe d'ordures ! Mais elle avait eu cinq enfants ! Tu sais pas ce que c'est cinq enfants ? Quand toi t'auras eu le cul grand ouvert comme elle ! cinq fois de suite, alors tu pourras causer [53] !... »

Corrélativement, la grande conquête de l'accouchement sans douleur le laisse froid. Il y a même une anecdote [54] sur la colère qui l'envahit contre une doctoresse qui lui en fait l'éloge. Céline était donc quelqu'un de décidément bien méchant, puisqu'il n'arrivait à trouver qu'une seule excuse à cette déchéance escroquée à l'être qu'est la naissance : la souffrance de celle qui en est coupable...

Je reviens sur la question du début : Céline n'a-t-il écrit dans ses romans que ce qu'il n'*aimait* pas ? La logique de la parole, bien plus puissante que son délire, l'a-t-elle poussé sans cesse à contredire systématiquement ses propres goûts ? C'est vérifiable dans ses préférences esthétiques. Il a dit qu'il avait « quelques confrères admirables [55] » : Simenon, Marcel Aymé, Dabit, Morand, Mac Orlan. C'est-à-dire tout sauf ce qu'il était lui-même *obligé* d'écrire.

Quant à ses rares références à la peinture moderne, elles sont accablantes : « Vlaminck me semble parmi les peintres celui qui se rapproche le plus de mon idéal avec Gen Paul et Mahé [56]... »

Même évidente faiblesse en ce qui concerne la musique. Des goûts avoués pour Couperin, Liszt, Chopin, et surtout une conception de la musique comme support de la danse : « Musique !... ailes de la Danse ! Hors la musique tout croule et rampe... Musique édifice du Rêve [57] ! » Mais la musique, dans les romans, c'est le phono du bordel de Detroit, la sinistre Musyne « violoniste de guerre [58] », Borokrom pianiste et lanceur de bombes, le cul-de-jatte Jules, joueur de bugle appelant l'apocalypse aérienne, les trompettes militaires renvoyant au front les maquereaux réfugiés à Londres. Et quand la danse s'en mêle, ce sont les entrechats de Lili sur le toit de l'immeuble au milieu des rafales de mitraillettes.

C'est surtout bien autre chose, le souffle de l'écrit, le rythme qui porte la résurrection de la parole : « Le trop concret, sans note avec, vous évadez ! Votre nénette dérobe !... Je vous retrouve plus !... Il faut tout vous chanter ! Rechanter [59] ! »

Céline n'a donc pas cessé de refouler tout ce qu'il appréciait comme positif. C'est très clair dès les premières lignes de *Bagatelles,* où le positif justement s'apprête à essayer de faire le retour que l'on sait : « Le monde est plein de gens qui se disent des raffinés et puis qui ne sont pas, je l'affirme, raffinés pour un sou. Moi votre serviteur, je crois bien que moi, je suis un raffiné [60] ! » Ce qui veut dire évidemment que ses livres, eux, ne le sont pas du tout, il le reconnaît quelques pages plus loin en condensant les attaques dont ils ont, dit-il, été l'objet dans la presse : « Elle [la critique] a dit comme trésor de merde qu'on pouvait pas trouver beaucoup mieux... dans les deux hémisphères, à la ronde... que les gros livres à Ferdinand... Que c'était vraiment des vrais chiots [61]... » Bref, ce n'est pas avec les dentelles qu'il a écrit ses romans : « mon " je " est pas osé du tout ! je ne le présente qu'avec un soin !... mille prudences !... je le recouvre toujours entièrement, très précautionneusement de merde [62] ! »

S'il y a effectivement une authentique délicatesse de Céline, elle est dans le mouvement de ses phrases binaires dialoguant avec les points de suspension trinitaires, c'est-à-dire dans la lumière de sa reconquête raffinée de l'énorme richesse syntaxique française dont il a donné, bien longtemps après les « classiques », l'un des derniers spectacles possibles.

Pourtant Céline a prétendu lui-même administrer d'autres preuves de sa délicatesse : je veux parler des « légendes » et des ballets. Son œuvre aura été au fond une manière de *ne pas* écrire ce qu'il croyait être venu pour écrire. Il y a là toute une anti-histoire de la littérature célinienne qui tourne autour de *la Volonté du roi Krogold,* espèce d'épopée de chevalerie germano-celte ou wagnéro-bardique dont le manuscrit perdu, retrouvé, interrompu à travers *Mort à crédit,* le poursuit toute sa vie, dans sa correspondance et ses romans de la fin. D'une certaine façon, *Mort à crédit* pourrait se définir comme l'ensemble dilatoire des procédures pour retarder puis finalement ne jamais écrire cette « légende ». Le texte en est d'abord égaré par la mère Vitruve qui tape ses œuvres à la machine, elle finit par le retrouver et Céline décide d'en infliger la lecture à un confrère, Gustin Sabayot, qui s'endort. A cet instant, Gustin, au fond, c'est Céline lui-même, un des Céline qui étaient en Céline, celui qui écrit les romans et qui, pour cette raison, ne peut pas croire à la légende en toc médiéval qu'il se sert à lui-même. C'est trop tard pour ce genre de rêve, il a trop vu — comme médecin — déferler les métasta-ses parlantes, l'effervescence incurable : « tout le bourbier, le monde en transferts d'assassins, était venu refluer sur sa bouille, cascader devant ses binocles depuis trente ans, soir et matin [63] ».

C'est donc sur un fond de pathologie instituée, de meute grabataire, que se déroulent les bribes de la « légende », la mort de Gwendor le Magnifique, prince de Christianie, le château du roi Krogold avec ses donjons, ses oubliettes et ses mâchicoulis, Wanda la Blonde, toute cette reconstitution d'un horrible mau-vais goût moyenâgeux rappelant Ossian, Walter Scott, le gothi-que romantique. Liturgie des vieilles pierres, Graal à petit prix, Table ronde de pacotille : « Des véritables merveilles... des bouts de Légende... de la pure extase... C'est dans ces rayons-là que je vais me lancer désormais [64]... » « Tant qu'à battre la vache campagne j'aime mieux rouler dans des histoires qui sont à moi... Je vois Thibaud le Trouvère [65]... » Traduisez évidem-ment qu'il va raconter tout le contraire, son propre passé sans légende : « Le siècle dernier je peux en parler, je l'ai vu finir... Il est parti sur la route après Orly... Choisy-le-Roi [66]... »

Un tel acharnement à se croire destiné à jouir d'épopées délicates fait penser à Sade, qui s'imaginait doué pour tout autre chose que ses romans : le théâtre, le drame raffiné à la Diderot. Là-dessus comme sur presque tout le reste, la lecture de Céline est à reprendre. Les anecdotes de bazar des « légendes » sont, comme la danseuse-idole, des symptômes de ce qui a dû être refoulé pour que les romans puissent s'écrire. Inutile, je pense, de noter au passage la consonance vaguement germanique ou bretonnante des noms de lieux ou de héros. Inutile non plus d'insister sur le *gold* de Krogold, ce roi sanguinaire, monstrueux comme son château, qui constitue peut-être une figure camouflée de l'homme de l'or : le Juif. Il y a un étroit lien invisible entre la « légende » et les pamphlets. Jusqu'aux *Beaux Draps* où abondent les formules pseudo-médiévales du genre : « de cy », « joye » ou « sylves ».

Toute cette camelote de contes de fées n'arrive donc pas innocemment, elle empêche de saisir la vraie dimension de l'horreur dont Céline est sorti « mort » et dont il a prétendu guérir par le racisme. Il s'agit au fond de savoir si on choisit d'écouter le *conte de fée* ou la *féerie,* le fabliau-alibi ou la dégelée des forteresses volantes tisonnant les brasiers de la terre. La féerie célinienne n'est évidemment pas à chercher du côté de ses allégories pompières et féodales, mais plutôt là où son écriture se met à la hauteur de notre préhistoire contemporaine comme séquences de farandoles pyrotechniques sur les décombres. C'est toujours la même question, celle du trouble de mémoire. Avec ses légendes médiévales, on pourrait croire qu'il remonte bien plus loin que ses propres souvenirs, alors qu'il s'arrête sur la butée des « origines de l'Occident » fantasmées. Pour ne pas aller, évidemment, jusqu'à l'immémorial. Et de même qu'il accuse les Juifs de lui avoir interdit l'accès aux danseuses, de même il accusera les « pirates » de la Libération de lui avoir volé le manuscrit de *Krogold*...

La mauvaise littérature de Céline est antisémite. On a même pu à juste titre [67] analyser les ballets de *Bagatelles* comme des apologues racistes illustrant la lutte à mort entre l'homme du terroir, le Celte des forêts, le Gaulois dansant, et l'étranger,

l'Américain capitaliste importateur de jazz judéo-saxon. Dans
les deux premiers ballets, *la Naissance d'une fée* et *Voyou Paul.
Brave Virginie*, les aryens sont vaincus. Dans le dernier, *Von
Bagaden*, c'est l'appel à la révolte finale. Ces divertissements
insipides sont des symptômes de sa religion raciste, maladie
métaphysique de la guérison. Céline maître de ballets règle la
chorégraphie de la meute sacrificielle. Pour pousser les choses un
peu plus loin, on pourrait même s'étonner que la republication
séparée de ces ballets soit passée comme une lettre à la poste en
1959 alors qu'il y est dit la même chose que dans les pamphlets,
lesquels restent, comme on sait, interdits. Qu'est-ce qui fait que
l'absence du mot Juif, dans ces textes procédant pourtant de la
même affirmation transposée que les pamphlets, les rend parfaitement acceptables et publiables ? Il est vrai qu'on rencontre
encore des gens qui pensent qu'en remplaçant le mot Juif dans
Bagatelles par n'importe quel autre vocable, le tour serait joué.
Ce petit fantasme de pseudonymie destiné à régler la question
juive célinienne a de quoi faire rêver. Parce que, éliminer le mot
Juif des pamphlets, c'est du même coup le remettre partout dans
les romans : c'est construire un délire consistant à penser qu'il a
dénoncé au fond le même Mal à travers *tous* ses livres, en se
trompant seulement une fois sur deux sur le nom exact de ce
Mal. Il faut donc aussi un peu de *goût* pour juger ce qui relève
chez Céline du racisme et ce qui n'en relève pas.

Il n'est pas indifférent non plus que tout cela ait été bouclé
dans la langue française, et par quelqu'un pour qui la langue
française était finalement la seule justifiée d'exister de droit
divin : « La langue française est royale ! que foutus baragouins
autour [68] ! » Ce qui fait d'ailleurs qu'aujourd'hui, c'est surtout à
l'étranger qu'on s'occupe de prendre la véritable mesure de
Céline. Les Français en revanche ne semblent pas lui savoir gré,
et pour cause, de ses éloges : « Il n'y a qu'une seule langue,
colonel, en ce monde paracafouilleux ! une seule langue valable,
respectacle ! la langue impériale de ce monde : la nôtre !... cha-
rabias, les autres, vous m'entendez ?... dialectes bien trop tard

venus!... mal sapés, mal léchés, arlequinades! rauques ou
miaulants à-peu-près pour rastaquouères! zozoteries pour
clowns [69]!» Durant ses années d'exil, il s'est plaint d'être obligé
d'utiliser des langues qu'il détestait comme l'anglais ou l'allemand. Et pourtant, il a eu sans cesse besoin de l'anglais ou de
l'allemand, par exemple dans *Guignol's Band* et dans les trois
derniers romans. Une fois de plus, on peut constater que ses
bons sentiments xénophobes n'ont pas résisté au filtre de son art.

D'ailleurs, le français lui-même, comment l'a-t-il utilisé? On
sait qu'il pensait que cette langue n'avait plus aucun avenir. Il
comparait avec les Chinois «qui sont en train de se défaire de
leurs caractères, de leur style même» parce qu'ils «ont le
courage, et ils ont la force, dirons-nous, la passion, de se défaire
entièrement de l'ancien chinois pour faire un chinois plus
neuf [70]». «Les Français n'ont certainement plus la foi pour
changer leur langue, pas assez de chaleur pour ça [71].» Il a décrit
la langue académisée que nous parlons tous comme le résultat de
la victoire d'Amyot sur Rabelais. Victoire qui permet de refuser
d'admettre que «le français est une langue vulgaire, depuis
toujours, depuis sa naissance au traité de Verdun [72]». Résultat:
«Aujourd'hui écrire bien, c'est écrire comme Amyot, mais ça,
c'est jamais qu'une *langue de traduction* [73].» Tout le travail de
Céline en somme consiste à revenir à l'original, à dé-traduire;
définissons son œuvre comme une herméneutique de notre langue vitrifiée.

De ce point de vue, il était parfaitement justifié de mettre en
avant son travail de styliste. Comme Artaud ou Beckett, comme
Joyce, il a montré puissamment que la littérature était d'abord
une théorie active d'interprétation de la langue morte dans
laquelle les parlants croient vivre, et que cela même constituait
le *sens* de la littérature, c'est-à-dire le traitement du latin de
cuisine dans lequel le genre humain baragouine, aime ou pense.
Nous vivons *en traduction,* c'est même ce qui, d'après Freud,
définit l'essence du refoulement. Il y a un «défaut de traduction» chez l'homme. Sauter du français au «céline», c'est

montrer la capacité à passer d'une langue étrangère à une autre, donc à cerner le refoulement. Céline y est parvenu, et à partir de là tout ce qu'il a pu dire contre l'anglais ou l'allemand paraît bien dérisoire.

Ce qui ne l'a pas empêché de croire quand même que le français était sa langue maternelle, ce en quoi il ne s'est pas séparé — pas plus que dans ses autres croyances — du bon sens de la communauté. Sa lucidité sur le parler académique, « cloaque à verbe bien filé [74] », il a dû la mettre de côté pour rester filialement attaché au français. Qu'il ait pu estropier sans cesse notre dévotion collective aux imparfaits du subjonctif et se mettre quand même à défendre la mère-langue-patrie menacée, montre encore que le problème résidait dans la question du référent. Jamais Céline n'est plus fils de sa maman que dans les pamphlets, *les Beaux Draps* notamment où le programme de régénération de la race passe par une restauration de l'*alma mater,* de l'école. Il croit alors dur comme fer que l'éducation tue le naturel, il appelle la structure scolaire « grande mutilante de jeunesse [75] », et en somme glisse tranquillement vers les rêves d'écoles « parallèles, « sauvages », qu'on verra s'épanouir bien des années après dans les marges du marxisme. Étrange croisade, drôle de roman de chevalerie ! Jamais Céline n'est plus amnésique que lorsqu'il a l'air de se souvenir des origines sacrées du français : « L'art n'est que Race et Patrie [76] ! »

Mais il n'y a pas que l'école qu'il faut redresser. Les pamphlets regorgent de projets fantastiques à peu près pour tout, la santé, la médecine, l'urbanisme, l'information, le cinéma, la littérature. L'utopie étymologiquement, comme chacun sait, est un « nulle part » qui enrage de n'être pas partout et qui vient s'imprimer dans les sociétés avec les conséquences catastrophiques que l'on sait.

Dans les romans toutes les chutes s'accumulent, les hommes et les choses ; le parlant n'est que l'ultime point d'une trajectoire d'écrasement de l'être. Ce qu'on appelle avec optimisme la vie est l'effet de cette dégringolade. Nous n'existons que par un

CÉLINE

croc-en-jambe du dieu mauvais de ce monde. Les nouveau-nés ne naissent pas, ils jonchent le sol. Là où on s'imagine que tout commence, tout est fini, les quatre fers en l'air, le cou rompu et la poussière mordue. S'il y a un « naturel », c'est celui de la culbute, rien d'autre. L'écriture est un savoir sur la nullité du monde. Inversement, à l'intérieur de ce savoir, les pamphlets font semblant de pouvoir en savoir plus et découvrent que ce monde-ci pourrait être modifiable : c'est la promesse de toutes les idéologies littérales dont l'utopie n'est que l'excès décoratif. Jardins d'Alkinoos, île des Bienheureux, Atlantide, îles Fortunées d'Horace, Cité du Soleil de Campanella, abbaye de Thélème, nouveau monde amoureux de Fourier, ont fait rêver à une possible alternative à l'intérieur de cet univers-ci — dont par là même ils affirment qu'il est unique. Rien n'est plus ennemi de la multiplicité des mondes que l'utopie.

Notons deux faits bien précis : d'abord qu'il existe un trou d'environ quinze siècles entre la fin des utopies antiques et le recommencement de la tradition sous l'effet du double craquement de la Réforme et de la Renaissance. Ces quinze siècles correspondent en gros à l'histoire du christianisme, de sa naissance à son déclin. Pendant tout ce temps-là, la place de l'utopie a été occupée et débordée par la notion de Royaume de Dieu. Notons d'autre part que Thomas More, à qui l'on doit l'invention du terme, a dit qu'il s'agissait d'une « *bagatelle* littéraire échappée presque à son insu de sa plume ». Il y a comme ça des rencontres étranges. Retenons en tout cas ceci : quiconque touche à l'utopie, c'est-à-dire assujettit la réalité du monde donné à un modèle de perfection schizophrénique, est obligé de piétiner *avant le début* ou *après la fin supposée* du christianisme. On verra plus loin à quel point cela se vérifie dans les pamphlets.

Si Céline est *un*, c'est-à-dire multiplement écrit à travers toutes ses œuvres, il apparaît double en revanche à l'intérieur des seuls pamphlets. Double au sens où Orwell parle du *double think*, de la double pensée permettant d'assumer des positions apparemment inconciliables : ainsi, dans *Bagatelles*, la haine

152

raciale et l'idéal utopique de bonheur universel. Camps de la mort et camps de vacances. Mais s'agit-il réellement d'une contradiction ? Est-ce un hasard si c'est justement là, au milieu des appels au meurtre, que sont jetés les plans d'un bonheur communautaire futur ? Tout cela ne va-t-il pas fatalement ensemble ? Ne suffit-il pas qu'il y ait une victime et un syndicat du crime à ses trousses, pour que brusquement on s'imagine que les choses pourraient s'améliorer ?

Ainsi s'éclairent les grands projets architecturaux de *Bagatelles* en réponse justement à l'Exposition de 1937, juive comme il se doit : « pour faire du sensationnel ! pour en jeter plein la musique, que ça soye vraiment dans la mesure et à l'échelle de notre temps, gigantissime, fallait montrer des grands travaux... des vrais labeurs pharamineux, mammouthéens, des entreprises titanesques... qu'ils en rotent alors des oursins... que la langue leur en pendrait aux bizus des quatre hémisphères... des genres de super-Pyramides... les pluri-canaux de la mer Blanche... le nivellement des Hautes-Alpes... le remplissage de la Manche... enfin des choses bien monstrueuses... dont on puisse se montrer crâneurs [77]... ». Ou encore : « tripler la Seine jusqu'à la mer, en large comme en profondeur... Voilà un programme qui existe ! C'est des choses qui peuvent compter ! Rendre la Seine super-maritime [78] ! ». Rien n'est moins gratuit que ce spectaculaire : il s'agit d'offrir le grand air aux petites bourses : « Il faut amplifier le trafic direction la mer, d'une manière très monstrueuse ! léviathane ! Je décréterais la construction du plus bel auto-strade du monde (...) vers les falaises, vers les plages, vers le grand air, à partir de Rouen... J'en ouvrirais un éventail, comme on en aurait jamais vu, sur ces paysages... (...) Des autobus populaires Paris-La Bleue aller et retour : 20 francs [79]... » Jamais Céline n'est plus *social* que dans ces délires d'urbanisme : « il faut crever, émietter, dissoudre les villes ! et Paris... pour l'exemple, d'abord ! / Éparpiller ce Paris, faire avec lui, petit Poucet, jusqu'au bord des vagues [80] ».

Dans *les Beaux Draps,* toujours sur le même ton humoristique, le programme est encore plus hallucinant de précision. Le monde des romans, cette vaine méchanceté de l'histoire, a disparu. Les populations bombardées, les pauvres gens massacrés dans toutes les hystéries guerrières, apprennent qu'un remède est possible : la « Révolution moyenneuse », solution sanitaire de l'égalitarisme entraînant sa litanie de mesures discrétionnaires :

« Je décrète salaire national 100 francs par jour maximum et les revenus tout pareillement pour les bourgeois qui restent encore, bribes de rentes, ainsi je n'affame personne en attendant l'ordre nouveau. Personne peut gagner plus de cent balles, dictateur compris, salaire national, la livre nationale. Tout le surplus passe à l'État. Cure radicale des jaloux. 100 francs pour le célibataire, 150 pour les ménages, 200 avec trois enfants, 25 francs en sus à partir du troisième môme. Le grand salaire maxima : 300 francs par jour pour le père Gigogne[81]. » Résorption du chômage : « Je nationalise les Banques, les mines, les chemins de fer, les assurances, l'Industrie, les grands magasins... C'est tout ? Je kolkozifie l'agriculture à partir de tant d'hectares, les lignes de navigation (...) Et ceux qui veulent pas travailler ? Je les fous en prison[82]. » Comme de juste, le compte des marginaux est réglé d'avance : « les poètes je m'en occupe aussi, je leur ferai faire des films amusants, des jolis dessins animés, que ça relèvera le niveau des âmes, il en a besoin[83] ».

De droite ? De gauche ? National-socialisme ou stalinisme à l'européenne ? Eurosocialisme ? Un peu tout cela à la fois, avec en prime l'aveu de la passion raciste dont peu de mouvements politiques reconnaissent qu'elle est l'âme de leur programme. Voyez comme Céline finalement est « modéré », acceptable, moderne : « Faut pas du grand communisme, ils comprendraient rien, il faut du communisme Labiche, du communisme petit bourgeois, avec le pavillon permis, héréditaire et bien de famille, insaisissable dans tous les cas, et le jardin de cinq cents mètres, et l'assurance contre tout[84]. »

Voyez comme il anticipe sur quarante ans d'après-guerre, de

social-capitalismes et même de gauchismes : «Vous voulez re- trouver l'entrain ? La force créatrice ? alors première condition : Rénovez l'école ! recréez l'école ! pas qu'un petit peu... sens dessus-dessous !... / Tout doit reprendre par l'école, rien ne peut se faire sans l'école, hors l'école. Ordonner, choyer, faire éclore une école heureuse, agréable, joyeuse, fructueuse à l'âme enfin, non point morne et ratatinière, constipante, gercée, maléfique. / L'école est un monde nouveau qui ne demande qu'à paraître, parfaitement féerique [85]. » Et ce cri qu'on aurait pu bomber sur les campus : «O pions fabricants de Déserts [86] !» On trouve de tout dans le parcours politique de l'antisémitisme, ce qui veut dire que l'antisémitisme est un peu partout dans tous les par- cours politiques.

Évidemment, les romans n'appellent pas à des réformes phi- lanthropiques de ce genre, ils n'appellent à rien d'ailleurs, ils répètent de toutes les façons possibles la déception des espoirs qui sont derrière les réformes. Ce qui ne les empêche pas, après-guerre, de porter çà et là comme des cicatrices furtives de vagues nostalgies d'utopie. Par exemple l'évocation du sana qu'il rêvait de mettre sur pied dans la proche banlieue parisienne : « le Mont-Dore en omnibus ! la station royale des Petites Bour- ses [87] !». Mais Céline n'insiste plus. Au bout des grands projets d'architecture *pharaonique,* il y a eu les millions de morts des camps. Alors il met ses rêves en sourdine. Une dernière propo- sition d'urbanisme, pourtant : « le monde sera seulement tran- quille toutes les villes rasées ! je dis ! c'est elles qui rendent le monde furieux, qui font monter les colères, les villes ! plus de music-halls, plus de bistros, plus de cinémas, plus de jalousies ! plus d'hystéries !... tout le monde à l'air ! le cul à la glace ! vous parlez d'une hibernation ! cette cure pour l'humanité fol- le [88] !... »

Je disais que l'utopie s'est développée autour d'une lacune de quinze siècles, avant et après ce qu'on appelle le judéo-christia- nisme — lequel apparaît comme la volonté d'interruption bru- tale de ce délire. Reprenant l'utopie, bien après qu'elle ait ressuscité aux alentours de la Renaissance, Céline s'engage donc aussitôt très logiquement dans un procès d'une férocité inouïe contre la tradition biblique-évangélique. Il y a là, dans les pamphlets, un petit coin de haine qui reste aujourd'hui fort acceptable par les contemporains et même secrètement réjouissant pour autant que l'aversion contre le christianisme va absolument de soi au XXe siècle. Or, l'explication de Freud là-dessus est plus que jamais d'actualité : « n'oublions pas la dernière en date des causes de l'antisémitisme ; rappelons-nous que tous les peuples qui pratiquent aujourd'hui l'antisémitisme ne se sont qu'à une époque relativement récente convertis au christianisme et souvent parce qu'ils y ont été contraints sous menace de mort. On pourrait dire qu'ils ont tous été " mal baptisés " et que, sous un mince vernis de christianisme, ils sont restés ce qu'avaient été leurs ancêtres, des barbares polythéistes. N'ayant pu surmonter leur aversion pour la religion nouvelle qui leur avait été imposée, ils ont projeté cette animosité vers la source d'où le christianisme leur était venu. (...) Leur haine des Juifs n'est au fond qu'une haine du christianisme [89]. »

Aujourd'hui, dans l'impossibilité historique de clamer l'antisémitisme, c'est l'antichristianisme qui se dit à cœur ouvert. Céline a l' « avantage » pour nous d'exposer les deux, noués en écheveau d'exécration. En quoi il est bien toujours *la gaffe,* l'énorme gaffe de la communauté, le lapsus horrible qui lui a un jour échappé. Nul doute que lorsqu'il énonce carrément que « le Bon Dieu est juif [90] », c'est l'horreur générale de la civilisation chrétienne pour ce que disent les deux « testaments », l'ancien et le nouveau, qui s'engouffre là. Il ne s'agit certes pas de nier les contradictions irréductibles qui existent entre les traditions juives et chrétiennes, ni d'oublier tant de siècles de persécution antisémite déchaînée par l'Église. Il s'agit de montrer que si le chrétien a pu être l'ennemi du Juif, l'antisémite d'aujourd'hui, lui, ne s'y trompe jamais : il n'a qu'un seul ennemi à double détente, le judéo-chrétien comme il dit. C'est en chrétien « mal baptisé » que Céline attaque le christianisme dont il désigne fort

justement les racines quand il appelle l'institution catholique
« vieille sorcière judaïque [91] », quand il dénonce « la connivence
judéo-chrétienne [92] », quand il tremble d'une possible réconciliation des religions du Livre : « Le protestantisme n'est qu'une
chapelle de la plus grande juiverie [93]. » « La religion christianique ? La judéo-talmudo-communiste ? Un gang ! Les Apôtres ?
Tous Juifs ! Tous gansters ! Le premier gang ? L'Église ! La première racket ? Le premier commissariat du peuple ? L'Église !
Pierre ? Un Al Capone du Cantique ! Un Trotski pour moujiks
romains [94]. » Soupçon horrifié qu'il puisse exister un axe échappant à la confraternité « aryenne » et prenant sa source dans un
Dieu discordant de toute communauté : « de Moïse à l'Intelligence Service, par le Talmud et les Évangiles [95] ». Bien entendu, ceux qui y résistent le mieux sont ceux qui ont été le plus
tardivement « baptisés » : « La partie solide de la France, l'anti-
discoureuse, a toujours été la partie celte et germanique [96]. »
« La partie non celtique en France, cause et pontifie [97]. » Et
fatalement, contre le danger, Céline est prêt à se réconcilier avec
Marx : « Karl Marx, qu'il faut relire, Juif beaucoup plus précis et
instructif que Montaigne, écrit précisément : "Les Juifs s'éman-
cipent dans la mesure où les chrétiens deviennent juifs." En
France, les Juifs sont parfaitement émancipés et les chrétiens
sont devenus parfaitement juifs [98]. » Corrélativement, Freud
devient l'ennemi principal pour avoir « découvert l'endroit où se
trouvait Dieu ! où se trouvait l'âme [99] !». « Le Dr Faust parle
avec le Diable. Le Dr Freud parle avec Dieu. Tout va très
bien [100]. » Pourquoi ses prédécesseurs en antisémitisme ne trou-
vent-ils pas grâce à ses yeux ? Parce qu'ils n'ont pas su comme lui
se débarrasser du christianisme : « Ainsi Drumont et Gobineau
se raccrochent à leur Mère l'Église, leur christianisme sacris-
sime, éperdument. Ils brandissent la croix face au Juif... (...) La
croix antidote ? quelle farce ! comme tout cela est mal pensé, de
traviole et faux, cafouilleux, pleurard, timide. L'aryen succombe
en vérité de jobardise. Il a happé la religion, la Légende tramée
par les Juifs expressément pour sa perte, sa châtrerie, sa servi-

tude [101]. » La religion chrétienne « décatit en mendigots, en sous-hommes dès le berceau, les peuples soumis, les hordes enivrées de littérature christianique, lancées éperdues imbéciles, à la conquête du Saint-Suaire, des hosties magiques, délaissant à jamais leurs Dieux, leurs religions exaltantes, leurs Dieux de sang, leurs Dieux de Race [102] ». Les vrais ancêtres de l'antisémitisme ? Sûrement pas des chrétiens mais plutôt des païens de l'Antiquité, Diodore, Sénèque, Tacite, et quelques philosophes des Lumières comme Voltaire. Toujours cette lacune de quinze siècles, ce trou dans l'histoire dont des hommes comme Céline sont encore à se demander comment on a pu le laisser se creuser impunément. Rutilius Namatianus, le dernier poète du paganisme, figure en bonne place dans *Bagatelles* [103] : il écrivit que si Rome n'avait pas eu la mauvaise idée de conquérir Jérusalem, jamais sa civilisation n'aurait été infestée par la peste chrétienne. Les Jésuites furent des Juifs déguisés, c'est dit dans *l'Église* et repris dans *Bagatelles*. Les dogmes chrétiens sont le cadeau empoisonné du peuple de la Bible : « On s'est étripé depuis toujours sous l'impulsion des Juifs des siècles et des siècles pour le pucelage de la Sainte-Vierge, pour les burnes du Pape [104] ! » Est-ce tellement par hasard que Céline, piochant dans l'Ancien Testament des « preuves » de la méchanceté sanguinaire du Dieu d'Israël, met en exergue d'un chapitre de *Bagatelles* [105] un passage du Psaume 110 qui est justement intitulé *le Sacerdoce du Messie* et que les chrétiens lisent comme un oracle concernant le Christ ? « Le Seigneur tient ses assises parmi les nations remplies de cadavres, il écrase les têtes dans les contrées tout autour. » (La traduction de Céline est évidemment falsifiée. Voici celle de *la Bible de Jérusalem* : « Il fait justice des nations, entassant les cadavres, / il abat les têtes sur l'immensité de la terre. » Céline omet de préciser qu'il s'agit du jugement dernier.) Tout ce qui est connoté de christianisme appelle automatiquement l'insulte. Léon Bloy, écrivain à ses yeux hautement catholique, est qualifié de « plastronneur de crucifix [106] ». Claudel et Mauriac sont vomis. La stupéfiante expression « Juifs de Lourdes [107] » surgit brusquement à un détour de *Guignol's Band.* Et on se tromperait lourdement si on pensait que le symptôme disparaît dans les textes d'après-guerre, en même temps que l'antisémitisme. Au contraire. Céline sait parfaitement que là, il ne risque rien, qu'on va même peut-être lui pardonner un petit peu son racisme, tant l'antichristianisme est sympathique à la communauté. C'est même le seul symptôme qui passe la barre des années d'exil. En 1949, le gouvernement MRP de Bidault est soupçonné de christianisme : « Ces gens-là adorent le Diable par Jésus-Christ [108]. » *Rigodon,* son livre d'outre-tombe, est un accablant testament religieux fourmillant de professions de foi : « Le bon Dieu, invention des curés ! absolument antireligieux ! voilà ma foi une fois pour toutes [109] ! » Avant-guerre, l'invariant était le judaïsme, dont le christianisme n'était que l'intestin grêle. Après-guerre, la perspective se retourne et c'est le christianisme qui devient l'invariant d'une rubrique générale étrangement intitulée : religions à petit Jésus. « Toutes les religions à "petit Jésus", catholiques, protestantes ou juives, dans le même sac ! je les fous toutes au pas ! que ce soit pour le mettre en croix ou le faire avaler en hostie, même farine ! même imposture ! racontars ! escroquerie [110] ! » L'antisémitisme est une maladie syncrétique : pour cette religion fondamentale des hommes, toutes les religions du Livre sont une : « Il n'y a qu'une seule religion : catholique, protestante ou juive... succursales de la boutique "au petit Jésus"... qu'elles se chamaillent s'entretripent ?... vétilles !... corridas saignantes pour badauds ! le grand boulot le seul le vrai leur profond accord... abrutir, détruire la race blanche [111]. » Et si déjà la Bible avait dit à sa manière ce que la biologie et la génétique affirment aujourd'hui, que les races n'existent pas, qu'il n'y a que des métissages ? C'est ce dont tremblent les premières pages de *Rigodon :* « tous issus de la Bible, absolument total d'accord qu'on est que blancs, viandes à métissage, tournés noirs, jaunes et puis esclaves, et puis soldouilles et puis charniers... je vous apprends rien... Bible le livre le plus lu du monde... plus cochon, plus raciste, plus sadique que vingt siècles d'arènes, Byzance et Petiot mélangés !... de ces racismes, capilotades, génocides, boucheries des vaincus que nos plus pires grands guignolades tournent pâles et rosâtres en rapport [112] ». Non, toutes ces citations ne sont pas extraites des œuvres « interdites » mais de son ultime roman, peut-être le plus beau à tant de points de vue. Et il faudrait continuer à répéter qu'il y a deux Céline, un bon et un mauvais séparés par les différents titres de ses livres ?

On a noté l'abondance des fantasmes de sodomisation dans les pamphlets ; on a insisté sur la manière dont la relation avec les Juifs était vécue sur le mode anal. Mais on a oublié de s'intéresser au jaillissement saisissant d'images excrémentielles dès qu'il s'agit des chrétiens. Le refus de se vivre comme déchet de parole met immédiatement en contact avec le déchet organique fétichisé. Du fond de sa prison danoise, où justement il a des problèmes personnels d'évacuation, le nom d'un certain écrivain catholique, Ciboire (Claudel), surgit. Et immédiatement : « Mais comment il fait caca, Ciboire, à propos ? C'est ça l'essentiel : caca... mettons que je le retrouve ! je lui demande [113] !... » Quelle est la seule, l'unique question que se pose Bardamu en face d'un curé, l'abbé Protiste ? « Je me l'imaginais, pour m'amuser, tout nu devant son autel [114]... » Quant à l'abbé Fleury dans *Mort à crédit*, il tripatouille le cadavre de Courtial des Péreires d'une façon tout à fait dégoûtante : « Il plonge les doigts dans la blessure... Il rentre les deux mains dans la viande... il s'enfonce dans tous les trous... Il arrache les bords !... les mous ! Il trifouille !... Il s'empêtre !... Il a le poignet pris dans les os [115] ! » Et pour finir, bien entendu, le Christ lui-même : « à présent c'est facile de nous raconter des choses à propos de Jésus-Christ. Est-ce qu'il allait aux cabinets devant tout le monde Jésus-Christ ? J'ai l'idée que ça n'aurait pas duré longtemps son truc s'il avait fait caca en public [116] ». Des tas de mouvements hérétiques à l'aube du christianisme n'ont pas accepté la nature humaine de Jésus, justement parce qu'il fallait envisager aussi ses activités organiques. Au fond Céline revient sur la même butée. Dès qu'il s'agit de christianisme il se pose des questions de caca, de nudité ou de cadavre. Des questions de corps et de peau. Si par hasard ces gens-là avaient trouvé le moyen de n'avoir pas la même peau que nous? Voilà l'angoisse. D'où toute la Bible, dans *Rigodon,* ramenée à une histoire de métissage, c'est-à-dire de teinte de peau. Dites-moi qu'il ne peut pas y avoir d'autre jouissance que la mienne, celle de l'incarnement : telle est la supplication qui parcourt son œuvre, et pas seulement les pamphlets. L'autre nom de l'antisémitisme est organicisme. Mais en même temps que les Juifs, l'organiciste a un autre ennemi privilégié : le chrétien. C'est que le christianisme n'arrête pas de traiter la question, avec une précision intolérable pour l'organiciste. De ce point de vue, Sade (dont il faut répéter qu'il est sans doute, par ailleurs, le moins antisémite des écrivains français) a exprimé parfaitement l'angoisse organiciste devant le « mystère » chrétien : « ce grand Dieu, créateur de tout ce que nous voyons, s'abaissera jusqu'à descendre dix ou douze millions de fois par matinée dans un morceau de pâte, qui, devant être digéré par les fidèles, va se transmuter bientôt, au fond de leurs entrailles, dans les excréments les plus vils [117]... ».

En même temps, c'est bien là l'énigme, Céline n'a peut-être pas cessé de parler dans la dimension juive. Il a donné de la notion d'*exil* une version écrite comme on n'en avait encore jamais vue. Le stéréotype raciste de l'*errance* juive — où les non-Juifs ont mis toute leur terreur de voir des hommes, parmi eux, se vivre comme lieu de passage alors qu'eux-mêmes n'arrêtaient pas de s'enraciner — est d'une certaine façon disséqué à travers toute son œuvre, et pas seulement dans *Voyage* mais jusqu'aux livres de la fuite en Allemagne, aller-retour de trains dans l'aller-retour des syntagmes à travers l'horreur mondialisée. Tous ses romans sont une recherche des passages et des cols, une émigration jaillissante, une évacuation panique par des défilés impossibles. Ainsi que le note Julia Kristeva : « *C'est en somme en compétition avec les abominations bibliques, et plus encore avec le discours prophétique, que se place une écriture aux limites de l'identité lorsqu'elle fait face à l'abjection.* Céline évoque les textes bibliques, mentionne les prophètes, vitupère contre eux. Son texte cependant en épouse le trajet, jaloux et néanmoins différent [118]. »

Il y a dans le Coran une sourate qui concerne les « fils d'Israël » et qui dit en somme que pour retrouver le *sens* dont sont porteurs les Juifs, chacun doit traverser sa propre nuit. Céline, intitulant son premier roman *Voyage au bout de la nuit,* se doutait-il que cette sourate XVII s'appelait *le Voyage nocturne ?*

Bien moins timide que la plupart des antisémites de son époque, Céline en a appelé contre la Bible à la « vraie » religion de l'Occident, la prétendue culture celte. Lui-même s'est défini « avec un côté légendaire très celte, légende d'abord, pour ainsi dire Barde. Barde à la con ! Et con de barde [119] ! ». Ou encore : « je suis celte avant tout rêvasseur bardique [120] ». Comment fédérer les « aryens » sinon sous cette bannière transcendante de remplacement ? « Vive la Religion qui nous fera nous reconnaître, nous retrouver entre Aryens, nous entendre au lieu de nous massacrer, mutuellement, rituellement, indéfiniment [121]. » Une religion à nous, une « religion blanche [122] », c'est le cri qui s'est poussé dans toute la chrétienté sourdement contre le christianisme. Comme tous les antisémites, Céline a rêvé d'un Christ non juif. Mahé décrit son ravissement à la National Gallery de Londres, lorsqu'il découvre un tableau de Bosch, *la Montée au Calvaire,* où Jésus, selon lui, a un visage typiquement « aryen ». Comme tous les antisémites aussi, il a déliré sur la Bretagne, « pays divin. Je veux finir là, auprès de mes dernières artères, après avoir soufflé dans tous les binious du monde [123] ».

En 1944, alors que l'Allemagne nazie commence à s'écrouler, que Vichy s'est décomposé, que lui-même est menacé de mort et que l'antisémitisme comme thérapie sociale a échoué, il écrit cette lettre vaguement cadencée d'alexandrins à un poète breton, Théophile Briant :

« Les Légendes et le Braz et la Mort où sont-ils ?... Puis-je les obtenir aux prix d'or et de sang ? (...)

162

« Le temps, la mer, le vent, les protêts, leurs sorcières, la horde des malheurs, la fatigue et la honte ont englouti nos rires, nos tendresses et nos chants et Le Braz et sa lyre... et le moindre feuillet du plus celtique message.

« Rien n'est à retrouver... C'est le complot aux ombres et le maudit en rage aux bribes de nos âmes !...

« Au secours, Théophile, les Légendes se meurent ! mieux qu'Artus sommeillent et ne reparleront plus ! Au combat Gwenchlann barde aux larmes de feu ! Accours et tes crapauds ! les charniers sont ouverts ! Au trépas de vingt siècles les boureaux roulent et cuvent ! Bientôt le moment rouge et la foudre du monde [124] ! »

Après le délire antisémite, l'obsession du « péril jaune » dans les romans de la fin a l'air pour tout le monde d'un divertissement inoffensif. Personne ne s'est interrogé sur ce surgissement des « Chinois » là où, avant, il y avait les « Juifs ». Pourtant la hantise est la même, à un terme près : « Jean-Jacques croyait *l'homme bon,* moi je le vois jaune, très bientôt, bon ou mauvais [125]... » Et aussi : « l'homme vrai de vrai est noir ou jaune [126] ! » Là où dans les pamphlets il prophétisait l'anéantissement des Occidentaux par les Juifs — « Nous disparaîtrons corps et âmes de ce territoire comme les Gaulois, ces fols héros, nos grands dubonnards aïeux en futilité, les pires cocus du christianisme. Ils nous ont pas laissé vingt mots de leur propre langue. De nous, si le mot "merde" subsiste ça sera bien joli [127]. » — il annonce maintenant leur dissolution sous la pression des « jaunes » : « hordes d'indigènes, honteux d'être eux... encore sûrement plus écœurants... "sous-peaux-blancs"... eurasiates, eurbougnoules, "eur" n'importe quoi, qu'on les accepte larbins de quelqu'un !... et qu'ils boivent ! qu'on les ramasse dans un cheptel [128] ! ». C'est « l'Europe aux pogromes anti-goyes ! ses dix mille massacres par trottoir [129] ! ». Je ne crois pas du tout qu'il s'agisse là d'un impromptu final sans malice. Les Chinois déferlant dans *Rigodon* n'arrivent pas par hasard. D'après Marthe Robert [130], c'est les Juifs que Kafka faisait apparaître sous l'apparence des Chinois dans *la Muraille de Chine*. Pourquoi Céline, dans un but évidemment tout à fait opposé à celui de Kafka, n'aurait-il pas réalisé une opération de ce genre ? Ses Chinois à Cognac sont de toute évidence des Juifs déguisés. Toutes les bêtises qu'on a dites sur l'obsession du péril jaune remplaçant après-guerre, l'obsession du péril juif tombent d'elles-mêmes. L'ennemi n'a pas changé, il a simplement pris, lui aussi, un pseudonyme. D'ailleurs, on sait que la fin des temps, à ses yeux, ce sera la disparition des Blancs par métissage avec les Noirs et les Jaunes. Or, que disait déjà *Bagatelles ?* Que le Juif « n'est que le produit d'un croisement de Nègres et de barbares asiates [131] ». Ce marron-jaune apocalyptique, cette couleur du jugement dernier, ne nous y trompons pas : c'est toujours l'antisémitisme.

Maintenant, il reste une question très simple et qu'on ne pose jamais. J'ai déjà essayé de dire comment la jouissance raciste des pamphlets n'avait pu passer — à de très rares exceptions près — dans les romans. Plus concrètement, il faut se demander pourquoi il n'y a, dans ses œuvres de fiction, aucun *personnage* de Juif. J'entends bien que sa pièce ratée, *l'Église,* présente, dans l'acte consacré à la SDN, trois figures de Juifs. Mais cette pièce précisément — et ce n'est peut-être pas un hasard — marque un échec flagrant de son écriture. J'entends bien également que, dans les deux *Guignol's Band,* apparaît un autre Juif, Titus Van Claben, prêteur sur gages énorme, asthmatique et musicophile, que Borokrom assassine. Mais le surgissement de ce personnage est aussi rapide que sa disparition, comme si Céline ne savait que faire d'un Juif nommé comme tel dans un roman. Significativement, c'est son cadavre fourré dans un sac qui restera présent jusqu'à la fin du livre, comme un souvenir embarrassant et inutilisable. A cet égard, le cycle des *Guignol's Band* raconte, à travers le tissu particulièrement tourmenté des phrases et des intrigues, l'impossibilité d'écrire l'antisémitisme, c'est-à-dire de donner un poids réel à un personnage qui serait avant tout un « Juif ». Malgré elle, la fiction n'arrêterait-elle pas de reconnaître l'immense sottise intransposable de l'antisémitisme ? La fiction ne serait-elle pas ce qui *allège* de la pesanteur raciste ? J'ai déjà dit que les métaphores de son délire, la danseuse, la femme, les ballets, les légendes, l'utopie et la langue-mère, ne parvenaient jamais à passer le seuil des romans. La littérature a peut-être servi à Céline à dire non à son propre antisémitisme en se le désignant à lui-même comme absence d'œuvre à l'intérieur de son œuvre. Les pamphlets programment bien le Juif, les Juifs, mais les romans annulent cette programmation. Ainsi montrent-ils mieux que n'importe quelle analyse l'obsession antijuive comme ignominie intraitable émergeant *à côté* de la parole, dans une sorte de monstrueuse ellipse de crime muet tordue dans l'être. Tout n'est pas transposable, disait Céline : il n'a pas pu transposer son antisémitisme.

Arrêtons-nous là pour finir quelques instants. Si on songe à quelle profondeur le racisme a pu être pour lui une passion, comment se fait-il qu'elle soit si peu manifeste dans les romans ? J'ai tenté de montrer qu'en dégageant la genèse de sa religion raciste, on dessinait *négativement* son art. Les trois pamphlets contiendraient-ils ce dont il n'a pu *parler autrement* ? L'antisémitisme serait-il ce dont on ne peut jamais parler autrement que par des pamphlets, c'est-à-dire la forme affirmative par excellence où rien ne peut plus se retourner, jouer en synonymes et rimes, se rythmer ? Si les pamphlets sont la vérité soustractive des romans, il faut se demander ce qu'il a dû en refouler pour passer à l'écriture de l'antisémitisme.

J'ai montré précédemment de quelle frayeur *Voyage*, *Mort à crédit*, *Normance*, *Nord* ou *Rigodon* étaient le cri ouvert, de quelles peur et stupeur ils se faisaient l'alphabet-écho : meute en guerre, ruche sacrificielle, termitière de néant des hommes, fourmilière fouillée et affolée. C'est cela qu'il a su refuser, c'est-à-dire écrire encore et toujours différemment dans chacun de ses romans, cet affrontement de plus en plus précipité de *nombres* et l'aveuglement général sur cette dimension convulsive vécue par chacun de nous, solipsismes parlants charcutés sur leur base. J'ai insisté

165

ailleurs [132] sur cette affaire de nombres, je n'y reviendrai donc pas. Rappelons seulement très vite qu'il semble que la littérature d'aujourd'hui, pour dire l'*innommable* de toujours, doit passer par une prise en compte de l'*innombrable,* c'est-à-dire cette mise en actes active et actuelle du nombre humain martelé et spectacularisé, cette espèce d'aimantation non vue des particules d'être vers leurs gouffres, énorme « lettre volée » du monde contemporain que nous avons sans cesse sous les yeux. Il est évident que cela, Céline a su l'écrire. Et il est également évident que ça n'avait rien à voir avec des histoires d'antisémitisme, que c'était même le contraire du centrage raciste, de cette rage du centre qu'est le racisme. D'où vient, tant d'années après sa mort, l'actualité de son œuvre ? De ce qu'elle manifeste de toutes les manières possibles, dans le déroulement broyé des récits comme dans l'infinitisation graduée de la syntaxe, cette rumination non perçue du troupeau en chute. Qu'est-ce qu'il n'a pas cessé d'écrire de moins en moins au fil de ses romans ? Ce qui ne fait point nombre. Il aurait pu signer cette note de Sade dans les brouillons des *Cent Vingt Journées de Sodome :* « Le duc raconte sur cela, mais ça ne fait point nombre, parce que, ne pouvant être renouvelé, ça ne fait point passion [133]. »

Si on se demande alors comment Céline, sachant ce qu'il savait, écrivant ce qu'il écrivait, a tout de même écrit ses pamphlets, c'est-à-dire a offert son travail d'écrivain à une passion qui entrait en contradiction radicale avec cette affaire de nombre (puisqu'il s'agissait d'extraire de la meute quelques individus, un peuple, une race), on s'aperçoit qu'il n'a pu le faire qu'en déplaçant considérablement sa vision, et en forçant la représentation des Juifs — impossible dans les romans — à devenir elle-même une fourmilière.

Cette construction est d'autant plus frappante qu'il lui faut, pour la justifier, provoquer par contraste une prétendue solitude, une imaginaire rareté des aryens. Niant la situation extrêmement minoritaire des Juifs dans toute société, c'est la « natalité déjà si piteuse » des non-Juifs, leur « biologie chancelante [134] » qu'il déplore. Dans une longue lettre adressée à Doriot, l'aryen c'est « *Sans Famille* », face au Juif « Monsieur " Tout-Famille " » », « Partouze et Téléphone ». « Plus aucun sens d'entraide. Plus aucune mystique commune [135]. » Le Bardamu de *l'Église* est « un garçon sans importance collective, c'est tout juste un individu [136] » (avant de bavarder inutilement sur l'idée que Céline aurait été payé par les nazis, Sartre, je le répète, avait choisi pour la placer en exergue de *la Nausée* cette phrase qui s'inscrit pourtant dans un contexte d'une violence antisémite peu commune...), tandis que Yudenzweck, son patron, « ne parle que le langage collectif [137] ». Les Juifs savent s'entraider, ils ont le sens de « l'internationale » : « le mal qu'ils se donnent à Tel-Aviv pour accueillir leurs braves frères juifs qui leur arrivent de partout, de Patagonie en Alaska, de Montreuil à Capetown, tous si persécutés, pantelants, héros du travail, du défrichage, du marteau, de la banque et faucille [138]... ». L'aryen c'est l'Un traqué ; le Juif, le multiple triomphant. Il faut à Céline cette inversion délirante pour que son écriture, faite pour manifester la toute-malfaisance du multiple, se soumette à l'antisémitisme. Dès lors, pour reprendre les mots de Sade, les Juifs font passion parce qu'il font nombre. Les métaphores du quantitatif étouffant reviennent au galop : la « pullulation des Yites [139] », « l'Hydre aux cent vingt mille têtes [140] ». Jusqu'en pleine Occupation, alors que les Juifs subissaient le sort qu'on connaît, ce dérèglement très particulier lui fait halluciner leur multiplication vertigineuse : « Plus de Juifs que jamais dans les rues, plus de Juifs que jamais dans la presse, plus de Juifs que jamais au Barreau, plus de Juifs que jamais en Sorbonne [141]. » Il s'agit, tout le monde l'a compris, d'une épidémie contre laquelle la présence d'un médecin n'est pas inutile. « Ils s'envolent du Kamtchatka... Ils jaillissent de Silésie... des tréfonds Bessarabiens... des bords de la Chine, des bourbes d'Ukraine, des Insulindes, de tous les égouts d'Amérique... Ils pullulent par toutes les routes pour les rats [142]. » Après guerre, le discours se renverse mais l'hallucination de la multiplication demeure. Hier, Céline voyait les Juifs pulluler, camouflés en aryens, aujourd'hui ce sont les aryens qui se bousculent pour devenir tous Juifs ! « Je suis sûr que les Juifs c'est comme les résistants ça se centuple — miltuple cent mille tuple avec la victoire ! Y a pas un Juif sur 1 000 qu'est juif pour de vrai *actuellement*. C'est une secte, un gang comme les *Templiers* tout ce qui est *ambitieux* devient juif, comme dans les années 400 [143]. »

Quelques mois avant sa mort, dans un entretien, des images du même genre resurgissent :

« — Et l'antisémitisme s'est greffé chez vous sur cette prise de conscience ?

— Ah, ben, là, j'ai vu un autre exploitant. A la Société des Nations, là, j'ai bien vu que c'est par là que ça se goupillait. Et plus tard, à Clichy, dans la politique, j'ai vu... tiens il y a une espèce de morpion, là [144]... »

Déjà *l'Église* racontait l'histoire du bacille de la peste pneumonique pourchassé à travers l'Afrique, les États-Unis, Genève, la France. Dans *Voyage,* Bardamu à New York est trieur de puces. « Puces de Pologne d'une part, de Yougoslavie... d'Espagne... Morpions de Crimée... Gales du Pérou... Tout ce qui voyage de furtif et de piqueur sur l'humanité en déroute me passait par les ongles [145]. » Le glissement se fait pour ainsi dire tout seul. On lit dans la lettre à Doriot : « Un Juif seul n'existe pas. / Un termite : toute la termitière. Une punaise, toute la maison. »

Quand la fourmi, qui écrit à la fois sur et hors de la fourmilière, veut se faire plus grosse que la multiplication de son écrit, il lui faut inventer un autre multiple pour faire semblant d'écrire encore. Les pamphlets ne s'inscrivent dans la continuité de son œuvre qu'à travers ce déplacement du multiple écrit qui, par ailleurs, a donné à son art toute son importance et sa puissance.

Céline ne mentait peut-être pas tant que cela quand il disait que le vrai fond « méchant » était dans ses romans, pas dans ses pamphlets, et que c'était pour ceux-là qu'il était puni à travers le prétexte de ceux-ci. « C'est pour le "Voyage" qu'on me

cherche! Sous la hache, je l'hurle! c'est le compte entre moi et
"Eux"! au tout profond... pas racontable... On est en pétard
de Mystique! Quelle histoire! (...) Le seul livre vraiment méchant de tous mes livres c'est le "Voyage"... Je me comprends... Le fond sensible [146]... » Plaçons-nous un instant du
point de vue de Céline : comme son antisémitisme a dû paraître
au fond soulageant pour beaucoup de ses lecteurs d'avant-
guerre, avec ses torrents d'utopie entre les rabâchages d'insultes,
avec sa lumière enfin au fond de la nuit, ses mièvreries, et ce
nom aussi tellement rassurant donné au *négatif* dont il avait
surchargé la langue de ses romans! *Mort à crédit* disait en somme
qu'on ne meurt pas, qu'on ne va pas au paradis si on n'a pas tout
raconté. Que répond en écho l'exergue de *Bagatelles?* «Il est
vilain, il ira pas au Paradis celui qui décède sans avoir réglé tous
ses comptes. » Presque la même chose, pas tout à fait la même
chose. *Mort à crédit* répétait qu'il n'y a pas de salut. *Bagatelles*
apporte une sérieuse nuance : mais si, mais si, réglez vos comptes et vous deviendrez immortel. Pour la confraternité qui
panique, les pamphlets sont bien moins « méchants» que les
romans.

Maintenant, si on se demande comment, refusant le monde et
maudissant la vie, Céline aurait pu éviter de rendre certains
hommes responsables de sa malédiction, on est forcé de répondre
qu'il lui eût fallu au moins cesser de maudire l'écart transcen-
dant ouvert par son langage. Je ne veux pas dire qu'il lui a
manqué d'être par exemple chrétien. D'autres écrivains au
XXe siècle ont pu atteindre une aussi insoutenable lucidité sans
se précipiter en retour vers aucun garde-fou. On peut même
définir l'écrivain comme celui qui, justement, *n'est pas obligé* a
priori d'avoir une religion, et sans doute est-il le seul de son
espèce. Mais en se mêlant de la réforme du monde, en orchestrant la persécution, en se mettant en somme à croire aux
hommes, Céline était-il encore un écrivain ? Et ce qu'on appelle
improprement religion n'a-t-il pas été inventé pour calmer un
peu les passions criminelles de ceux qui croient trop au monde ?

NOTES

1. J. Lacan, *Écrits*, Éd. du Seuil, 1966, p. 250.
2. F. Kafka, *Œuvres complètes*, t. II, Pléiade, 1980, p. 174-175.
3. L. Aragon, in *Commune*, novembre 1933.
4. *CC4*, p. 85.
5. *Ibid.*, p. 85-86.
6. E. Jabès, *Le Livre des Questions*, Gallimard, 1963, p. 97.
7. *CC5*, p. 98.
8. *Ibid.*, p. 113.
9. In *l'Émancipation nationale*, 21 novembre 1941.
10. S. Mallarmé, *O.C.*, Pléiade, 1945, p. 304.
11. *BM*, p. 13.
12. *CC5*, p. 165.
13. *F1*, p. 12.
14. M. Hindus, *L.-F. Céline tel que je l'ai vu*, *op. cit.*, p. 163.
15. *Ibid.*, p. 223.
16. *E*, p. 116.
17. *Ibid.*, p. 221.
18. *P.*
19. *Ibid.*
20. M. Hindus, *op. cit.*, p. 223.
21. *F1*, p. 273.
22. *HER*, p. 92.
23. *BM*, p. 16.
24. *Ibid.*, p. 27-28.
25. *Ibid.*, p. 16.
26. *Ibid.*, p. 12.
27. *Ibid.*
28. *Ibid.*
29. *Ibid.*, p. 40.
30. *F1*, p. 16.
31. *V*, p. 82.
32. *Ibid.*, p. 464.
33. *MC*, p. 521.
34. *Ibid.*, p. 522.
35. *Ibid.*, p. 668.
36. *HER*, p. 206.
37. *S*, p. 93-94.
38. *E*, p. 223.
39. *Ibid.*, p. 226.
40. S. Freud, *Essais de psychanalyse appliquée*, *op. cit.*, p. III.

41. *E*, p. 117-118.
42. *N*, p. 478-479.
43. *V*, p. 87.
44. *Ibid.*, p. 88.
45. *Ibid.*, p. 483.
46. *CC 5*, p. 31.
47. *Ibid.*, p. 32.
48. *Ibid.*, p. 48.
49. *Ibid.*, p. 40.
50. *Ibid.*, p. 73-74.
51. *N*, p. 77.
52. *V*, p. 259.
53. *BM*, p. 364.
54. P. Monnier, *Ferdinand Furieux, op. cit.*, p. 198.
55. *BM*, p. 215.
56. *Ibid.*, p. 216.
57. *Ibid.*, p. 374.
58. *V*, p. 80.
59. *F 1*, p. 174.
60. *BM*, p. 11.
61. *Ibid.*, p. 13-14.
62. *EY*, p. 66.
63. *MC*, p. 518.
64. *Ibid.*, p. 505.
65. *Ibid.*, p. 530.
66. *Ibid.*, p. 533.
67. Cf. A Chesneau, *Essai de psychocritique de L.-F. Céline*, Archives des Lettres modernes, 1971.
68. *F 1*, p. 154.
69. *EY*, p. 111.
70. *CC 2*, p. 89.
71. *Ibid.*, p. 90.
72. *Ibid.*, p. 135.
73. *Ibid.*, p. 134.
74. *Ibid.*
75. *D*, p. 160.
76. *Ibid.*, p. 177.
77. *BM*, p. 234-235.
78. *Ibid.*, p. 236.
79. *Ibid.*
80. *Ibid.*, p. 239.
81. *BD*, p. 135.
82. *Ibid.*, p. 136.
83. *Ibid.*
84. *Ibid.*, p. 137.
85. *Ibid.*, p. 162.

86. *Ibid.*, p. 163.
87. *F1*, p. 32.
88. *CA*, p. 286.
89. S. Freud, *Moïse et le Monothéisme, op. cit.*, p. 124.
90. *BM*, p. 312.
91. *EC*, p. 266.
92. *Ibid.*, p. 272.
93. *BM*, p. 248.
94. *EC*, p. 271.
95. *Ibid.*, p. 34.
96. *Ibid.*, p. 284-285.
97. *Ibid.*, p. 285.
98. Lettre à *Je suis partout*, 9 juillet 1943.
99. *BM*, p. 306.
100. *Ibid.*, p. 307.
101. *BD*, p. 80-81.
102. *Ibid.*, p. 81.
103. *BM*, p. 308.
104. *Ibid.*, p. 86.
105. *Ibid.*, p. 49.
106. P. Monnier, *Ferdinand Furieux, op. cit.*, p. 113.
107. *GB1*, p. 28.
108. In A. Paraz, *Valsez saucisses*, Amyot-Dumont, 1950, p. 308.
109. *R*, p. 711.
110. *Ibid.*
111. *Ibid.*, p. 711-712.
112. *Ibid.*, p. 721.
113. *F1*, p. 163.
114. *V*, p. 332.
115. *MC*, p. 1055.
116. *V*, p. 358.
117. Cité in Sade, *Discours contre Dieu*, textes réunis et préfacés par Gilbert Lély, coll. « 10/18 », 1980, p. 98.
118. Julia Kristeva, *Pouvoirs de l'horreur, Essai sur l'Abjection*, Éd. du Seuil, coll. « Tel Quel », 1980, p. 219.
119. P. Monnier, *Ferdinand Furieux, op. cit.*, p. 113.
120. *HER*, p. 113.
121. *EC*, p. 233.
122. *BD*, p. 81.
123. H. Mahé, *La Bringuebale avec Céline, op. cit.*, p. 59.
124. *CC1*, p. 138.
125. Lettre à R. Nimier du 4 décembre 1959. Citée par H. Godard, in Céline, *Romans II*, Pléiade, p. 1179.
126. *R*, p. 712.
127. *EC*, p. 78-79.
128. *CA*, p. 267.

129. *R,* p. 718.

130. M. Robert, *Seul comme Franz Kafka,* Calmann-Lévy, 1979.

131. *BM,* p. 192.

132. Cf. mon *Opium des lettres,* Christian Bourgois, 1979, et particulièrement le chapitre intitulé *Après Céline.*

133. D.A.F. de Sade, *Les Cent Vingt Journées de Sodome,* in *OC, op. cit.,* t. 13, p. 61.

134. *EC,* p. 80.

135. *BM,* p. 67.

136. *E,* p. 161.

137. *Ibid.;* p. 163.

138. *R,* p. 914.

139. *BM,* p. 50.

140. *BD,* p. 78.

141. *Ibid.,* p. 44.

142. *BM,* p. 77.

143. *CC6,* p. 297.

144. *HER,* p. 49.

145. *V,* p. 189.

146. *Ibid.,* p. 9.

5. « Métro-tout-nerfs-
rails-magiques-à-traverses-trois-points »

Après les chapitres consacrés à l'antisémitisme, les livres sur
Céline enchaînent rituellement sur quelques aperçus de son
écriture. C'est le signal du soulagement : on s'extirpe du fond
idéologiquement boueux de certaines de ses œuvres pour débou-
cher sur ses expérimentations stylistiques où on ne risque plus
de tomber sur des représentations de haine malséante. Cette
proximité précipitée de chapitres a de quoi faire rêver. La forme
laverait-elle le fond ? Aurait-elle la vertu d'évacuer les mauvaises
odeurs qui traînent dans les coins de ses signifiés ? Autrement
dit, sa rythmique, sa ponctuation, sa syntaxe, sa prosodie dans
lesquelles glissent les éléments d'un lexique très riche, très
différencié, tout cela serait-il pur des opinions qui, tout de
même, y sont ici ou là véhiculées ? Sa langue peut-elle être
étudiée hors de tout rappel de sens, muettement, sans qu'on
risque jamais d'être dérangé par ce qu'elle continue à raconter ?
Enfin, l'antisémitisme étant incontestablement l'*antisigne* [1] en
actes, que penser de quelqu'un qui met son arsenal incompara-
ble de signes au service de la persécution du signe vivant dans le
monde ?

Je n'échapperai pas à la règle en parlant moi aussi de sa langue
après avoir évoqué son racisme. L'important me semble de ne
jamais oublier les bourbiers communautaires dans lesquels cette
expérience d'écriture est allée patauger. De même qu'il convient
de ne jamais perdre de vue, lorsqu'on parle de son antisémitisme, qu'il a émergé dans cette parole-là et pas dans une autre.

En somme, il y a deux formes d'oubli à mon avis qu'il faut éviter. La première consiste à se borner à la dénonciation — parfaitement nécessaire bien sûr — en négligeant ce qui a pu se passer en même temps dans la langue. La seconde, à faire l'économie du contenu de ses énoncés pour ne voir ses ébranlements formels que comme novation radicale sur la route progressiste de la révolution de la langue. Attitude qui permet d'adhérer en même temps sans le dire à une grande partie de ce qu'il faut bien appeler son « message ». Parce qu'après tout, à la base de son racisme, j'ai essayé de montrer qu'il y avait un formidable matérialisme, dont son bouleversement de langue est peut-être la conséquence la plus manifeste. Et quand on admire si bruyamment sa langue, quand tout l'esprit critique dont on a pu faire preuve devant son antisémitisme disparaît pour laisser place à une adhésion formelle sans nuances, est-ce que ce n'est pas l'origine de cette révolution de langue qu'on admire sans le savoir ?

L'aventure de Céline paraît tellement isolée et solitaire qu'il semble absurde d'avancer l'idée qu'elle puisse constituer une sorte d'*abrégé* fulgurant de tout ce qui a eu lieu dans la modernité comme tentatives d'avant-garde, laboratoire du style, travail sur la matérialité de la chose littéraire, expérimentations sur cette substance apparue comme continent au XXe siècle et qui est proprement la langue.

Le nom générique de ce bouleversement s'appellerait-il, en France, Céline ? La question a l'air d'autant plus saugrenue que dix autres noms viennent tout de suite à l'esprit, et que Céline pour sa part n'a jamais appartenu à aucune des communautés d'écrivains qui ont pu se constituer passagèrement en ce siècle.

Pourtant, si on prend un peu de recul, on s'aperçoit que finalement il a répondu à toutes les problématiques mises en place ailleurs, et qu'ainsi il a peut-être incarné mieux que quiconque la représentation ramassée de la crise moderne de la littérature. Incarnation condensée et explosive qui est aussi celle des limites de cette aventure. Bien que marginal par rapport à une affaire qui s'est déroulée en l'ignorant, il l'a projetée là où elle reste vivante, suspendue comme une chose toujours nouvelle et scandaleuse. Alors que ceux qui ont pu en apparaître comme les initiateurs et les théoriciens les plus consciencieux l'ont déjà précédé au musée. Ce qui ne veut pas dire d'ailleurs qu'il ait côtoyé ses contemporains autrement qu'en les ignorant, de cette ignorance particulière qui passait chez lui par l'insulte. Qu'est-ce qui a vécu en même temps que Céline? Le surréalisme, l'existentialisme, le « nouveau roman ». Le surréalisme, j'ai déjà dit qu'il l'avait décrit comme l'« art robot » de l'avenir. L'existentialisme, dans l'immédiat après-guerre, ce sont les injures contre Sartre, le pamphlet *A l'agité du bocal,* etc. Pour terminer, il vit assez vieux pour voir triompher les « nouveaux romanciers ». A sa mort, en 1961, Butor avait déjà publié *la Modification* et *Degrés,* Robbe-Grillet *les Gommes, le Voyeur* et *la Jalousie,* Claude Simon *la Route des Flandres,* Beckett la plupart de ses grands romans. De cette histoire qui a tout de même secoué l'horizon français, on ne trouve pas beaucoup de traces chez Céline, à part peut-être, dans un des derniers entretiens, ces quelques mots pour le moins savoureux avec le recul :

« Je me suis laissé dire que le dernier chef-d'œuvre c'était la Robe sur le gril... ou la Robe grillée?

— Robbe-Grillet!

— Oui, Robe grillée... Sans doute une histoire de sorcellerie... Doués pour les entreprises de l'ombre : marmite, manche à balai, baiser : au cul du diable, aux lépreux. Les déserts aussi, c'est leur affaire, le grand folklore occidental : désert de la fesse, de l'amour, de la vie... Sanglots, pâmoisons, douleur... Le gril, le pal, le plomb fondu, bouillant [2]. »

Ce serait pourtant une erreur de croire qu'il n'a pas entendu très clairement, d'une tout autre façon, ce qui se passait autour de lui. La preuve : le soin apporté dans ses derniers romans à la remise en question des problèmes de structure. Ainsi que l'insistance, à cette époque, sur son travail de styliste. Finalement, à travers ses fureurs, ses naïvetés, ses « gaffes » et ses réussites, il reste celui qui aura donné, à l'insu de tous, face aux réussites partielles de chacun, la meilleure représentation de la totalité du procès dans lequel se débattait la modernité. En marquant un excès par rapport à chaque innovation, en passant au-delà. Au-delà des tentatives de subversion du surréalisme peu à peu rabougries dans l'ésotérisme par entrée des médiums dans les médias, comme au-delà de la position critique des « nouveaux romanciers » très vite ankylosés dans la pratique routinière de la représentation sans sujet. Au-delà parce que affrontant sans cesse, comme je l'ai dit, la brutalité de la profusion planétaire, la mise en spectacle permanente de la quantité, l'accumulation des menaces. Le plus significatif est qu'en réalisant ce coup de force, il soit resté systématiquement invisible aux écrivains qui étaient ses contemporains, comme hors de leur champ de vision, alors qu'il était en train d'englober en virtuose la plupart de leurs acquis, tout en commettant ces « gaffes » monumentales qu'ils étaient bien trop prudents, eux, pour commettre mais qui mettaient en lumière non seulement ce qu'il y avait de pervers en lui, mais encore la perversion bien matée du reste de la communauté, la perversion de tout le siècle en somme et des avant-gardes en particulier. Se pencher sur son écriture, c'est par conséquent prendre automatiquement en compte toute une aventure dont il n'est que le nom le plus vaste mais où il y a des tas d'autres petits noms, une constellation littéraire qui, entre les années trente et les années soixante, se serait appelée globalement *Céline*...

Pourquoi donc, à un moment précis, quelque chose est-il venu secouer les habitudes de langue à travers des expériences divergentes dont Céline est le condensé ? D'abord, bien sûr, entre la publication de *Voyage* et les dernières lignes tracées de *Rigodon,* il y a cette agglutination historique qui s'appelle en même temps fascisme, nazisme, stalinisme, etc., d'où toute parole ressort vibrée et sonnée pour longtemps. Mais plus profondément, ce qui arrive à ce moment-là dans la langue est peut-être à comprendre en rapport avec la position très particulière du français par comparaison avec les autres langues européennes. Qu'est-ce qui a fondé l'allemand ? La traduction de la Bible par Luther, l'italien se déduit de Dante, l'anglais, c'est encore une traduction de la Bible et puis Shakespeare. Quand des langues naissent par translation de l'écrit testamentaire ou. dans l'invention d'une œuvre comme *la Divine Comédie,* tout ce qui s'y passera ensuite aura lieu en fonction d'un souvenir théologique, même s'il s'agit de s'en évader. Tout ce qui aura lieu dans la langue gardera la mémoire de cette fabrication théologique de la langue, comme si quelque chose de « sacré » y traînait toujours, marquant des limites mais du côté où il est impossible de ne pas savoir que c'est l'illimité qui fait les limites.

En France, il ne se passe rien de ce genre et tout de suite arrive la production « profane », chansons de gestes, fabliaux, troubadours. L'absence de l'immémorial comme source est frappante. Il faut attendre Rabelais pour voir apparaître quelque chose qui approcherait Dante ou Shakespeare, Rabelais qui est sans doute beaucoup plus complexe qu'il n'y paraît et qui passe sa vie à répéter faute de mieux sous des formes irrévérencieuses les évangiles. Tout en inventant enfin un français possible. Échec total. Depuis, comme disait justement Céline, on n'a plus cessé de mépriser Rabelais à travers l'immonde épithète de « rabelaisien ». « Et le nom d'un de nos plus grands écrivains a ainsi servi à façonner un adjectif diffamatoire[3]. » Pourrait-on imaginer que les mots « shakespearien » ou « dantesque » soient pour les Anglais ou les Italiens synonymes de cochonnerie ? C'est en somme exactement la situation de la France, c'est-à-dire d'un pays où la théologie a continué très longtemps à s'écrire en latin en même temps que le français s'académisait dans la dénégation de ses origines vulgaires. Rabelais est devenu illisible et peut-être, depuis, dans cette langue, ne peut-on qu'être illisible dès qu'on se met à y introduire des bouleversements. Illisible comme Sade, comme Lautréamont, comme Mallarmé, comme Céline.

Mais ce phénomène du français très vite ratatiné sur ses règles a peut-être eu aussi une autre conséquence : que tout ce qui touche à l'immémorial et dont le spectre reste en somme l'écrit biblique, est demeuré pour nous du *latin*. Ce que Rabelais avait tenté, comme Shakespeare ou Dante, c'était une forme de mise en lumière, d'application et de révolte par rapport à la Bible. Il n'en est rien resté et la Bible a continué à être du latin. L'excès antisémite de Céline, cet excès dans la langue française, en est peut-être le résultat. L'autre, ce serait son travail d'écriture, et plus généralement toute perturbation dans la langue académisée, toute insistance sur le bouleversement de forme qui s'aveugle du côté des éléments de sens produits par ce bouleversement. C'est d'ailleurs dans ce texte où il parle de Rabelais comme d'un échec de français «vivant», que Céline dit clairement à quel point la jouissance du sens lui est interdite : « Le reste (...) ça ne m'intéresse pas. La langue, rien que la langue, voilà l'important. Tout ce qu'on peut dire d'autre, ça traîne partout. Dans les manuels de littérature, et puis lisez l'Encyclopédie [4]. » Pour la langue française, le sens est resté du latin, elle n'a absolument pas les moyens de jouer avec. Il faut donc étudier l'invention stylistique de Céline comme conséquence d'une difficulté à inventer dans le sens resté en *langue morte*...

Il a d'ailleurs dit quelque chose là-dessus. Pour lui, l'écriture était destinée à s'occuper de tout ce qui n'était pas « l'affaire de l'Église» : «dire aux gens ce qui est bien, ce qui est mal, ce qu'ils devraient faire et ce qu'ils ne devraient pas faire... se marier, ne pas se marier... c'est l'Église qui doit faire ça [5]... ». «C'est tout ce que j'ai, le style, rien d'autre. Il n'y a pas de messages dans mes livres, c'est l'affaire de l'Église [6]. »

Ces déclarations datent d'après la guerre. Certes, Céline a eu conscience dès *Voyage* d'apporter dans la littérature une révolution formelle que personne ne pourrait plus éviter. Mais ensuite il y a eu l'antisémitisme, les pamphlets, c'est-à-dire du sens, du message, des livres où il se mêlait précisément d'indiquer aux gens ce qui est bien et ce qui est mal. Qu'il ait été obligé après-guerre de reprendre toute l'affaire et de séparer forme et fond pour faire oublier le fond, vient peut-être de ce qu'il venait de faire l'expérience cuisante de l'absence de tout fond positif dans la langue française. L'antisémitisme viendrait-il d'une lacune ouverte à l'origine du français par l'absence d'une traduction de la Bible ? Céline laisse en tout cas entendre que ses pamphlets étaient une manière de se mettre à la place de l'« Église ». N'est-ce pas finalement sous le signe de cette absence dans la langue qu'il faut étudier toutes les découvertes de la modernité littéraire : la parole comme matière, le signifiant comme élément de la cosmogonie, l'écriture comme trace de la pulsion de mort, le rythme comme répétition de la catastrophe organique, etc. ? Appelons cela une angoisse ecclésiale. C'est l'angoisse des avant-gardes du XXe siècle face au sens et c'est celle de Céline.

L'antisémitisme des pamphlets a donc eu pour conséquence le pur travail de styliste d'après la guerre. L'expérience d'un sens meurtrier dans ses livres racistes a déterminé la suppression de tout sens et la mise en valeur d'un seul élément privilégié : l'écriture. Soit une position grosso modo matérialiste sur le dire préféré à la chose à dire. Parler de cette écriture, de ses rythmes et de sa syntaxe, c'est parler de ce qui décide de ne pas relever de la cléricature, de ce qui en a peur et bien sûr n'arrête pas de la redessiner, de s'y affronter mimétiquement, dans la violence tremblée des points de suspension.

Cette aventure, cet éblouissement du pas-de-sens, on en trouve l'explication en forme d'apologue dans les *Entretiens avec le professeur Y,* son art poétique mais aussi son mémorial, le livre où il prend manifestement date pour l'éternité sur sa souveraineté de novateur.

Avec un certain humour et pas mal de pertinence, il compare la révélation qu'il aurait eue de son écriture avec l'expérience célèbre de Pascal en 1654 sur le pont de Neuilly : les chevaux de son carrosse s'étaient emballés, deux d'entre eux étaient tombés à la Seine et Pascal s'était retrouvé miraculeusement suspendu au-dessus de l'abîme, à deux doigts de la chute. Ce regard jeté sur le gouffre a donné ce qu'on appelle *le Mémorial*, la « nuit de feu » : un papier cousu dans la doublure du pourpoint avec les célèbres phrases de sa conversion : « Dieu d'Abraham, Dieu d'Isaac, Dieu de Jacob (...) Oubli du monde et de tout, hormis Dieu (...) Joie, joie, joie, pleurs de joie », etc. Devant le vide, Pascal réentend les paroles entendues par Moïse, il remplit le vertige avec le mot qui, comme disait Bataille, « se dépassant lui-même détruit vertigineusement ses limites [7] ».

Trois cents ans plus tard, le gouffre est beaucoup moins noble puisque c'est celui du métro et le vertige n'appelle plus aucun nom. En face du vide, Céline ne se convertit pas à Dieu comme Pascal mais tout simplement au vide :

« — Oui, colonel !... moi ! regardez-moi, colonel ! Je suis un type dans le genre de Pascal...

— Pas possible ?

— Si ! si !... je vous le dis !... nom de Dieu ! regardez-moi [8] ! »

Pour tout le monde, pour tous ceux qui ont écrit au XXᵉ siècle et ne l'ont pas dit mais en ont subi quand même la pression, Céline raconte comment la littérature moderne s'est faite sous la domination du trou : « J'ai éprouvé moi aussi ! ... exactement !... ou à peu près... le même effroi que Pascal !... le sentiment du gouffre !... mais moi c'est pas au pont de Neuilly... non ! ça m'est arrivé au métro... devant les escaliers du métro... du Nord-Sud !... vous entendez colonel ? du Nord-Sud !... la révélation de mon génie, je la dois à la station "Pigalle" [9] !... »

Comment se déplacer d'un point à un autre dans une ville ? En surface, on perd son temps dans le bafouillage des encombrements, blocages aux carrefours, accidents mortels, spectacles, vitrines, étalages des femmes, convoitises : « les profondeurs ou la surface ? ô choix d'Infinis [10] ! » « j'hésite pas moi !... c'est mon génie ! le coup de mon génie ! pas trente-six façons !... j'embarque tout mon monde dans le métro, pardon !... et je fonce avec[11] ». La ruche est engouffrée dans le train d'enfer souterrain, « les maisons, les bonhommes, les briques, les rombières, les petits pâtissiers, les vélos, les automobiles, les midinettes, les flics avec! entassés, "pilés émotifs"!... dans mon métro émotif[12]! ». Qu'est-ce qu'il abandonne à la surface? Le déchet, l'artifice, le stéréotype : « la plus pire drouille du cinéma!... avec les langues étrangères donc! les traductions!... retraductions de nos pires navets! qu'ils les emploient pour leurs "parlants"!... en plus de la psychologie! le pataquès psychologique!... toute la chirie philosophique, toute l'horreur photographique, toute la Morgue des fesses figées, cuisses figées, nénés opérés, nez raccourcis, et les kilos de cils[13]!... ».

Pour humoristique qu'elle se veuille, la comparaison avec Pascal n'est pas du tout indifférente puisqu'il s'agit comme par hasard d'un écrivain religieux, voire « mystique », auquel Céline se mesure tout au bout de la langue française, trois siècles plus tard, comme pour bien insister sur le fait qu'il s'agit toujours de tourner autour de « l'affaire de l'Église ». Dans le trou où Pascal se souvient subitement d'une *voix* qu'il aurait plus ou moins oubliée jusque-là, Céline n'a plus à fourrer au XXᵉ siècle que la fourmilière de l'espèce humaine, et pour le compte c'est bien un trou de mémoire, un précipice où tout sens s'oublie, l'image de la grande *oubliette* qu'est le style quand il survit comme seul pôle positif.

La préoccupation des temps modernes a été d'oublier qu'il s'agissait d'un oubli. A travers une impressionnante mise en scène théorique, la découverte du texte comme tissu, du signe comme surgissement dérivant de signifiant, matière vivante libérée du signifié métaphysiquement clôturé, l'appui de la logique, de la linguistique, de la poétique et de la sémiologie. Ouvert, inachevé, infini, le travail de l'écriture n'a cessé de déjouer par anagrammes, polysémie, dialogisme ou écriture blanche, la reconstitution d'un sens unique, invitant à l'annulation par la jouissance ou la perte de conscience dans la lacune ouverte entre les codes, affrontant la parcellarisation du monde par la pluralisation du sens, la profusion des informations planétarisées par l'extension de la signifiance, les cassures et les mutations de la réalité par des récits cassés et transmutés, luttant contre les pétrifications institutionnelles par l'élasticité des fictions, se battant sur tous les fronts : envahissement des sciences, explosion de la notion d'inconscient, ébranlement des frontières de langues nationales, figement universitaire, sans compter la concurrence grandissante des médias. La modernité est descendue dans l'épaisseur souterraine de la langue, elle est allée explorer jusqu'aux pulsions originaires les stratifications insoumises du matériel verbal, intonations, glossolalies, rythmes, vocalisations, elle a ausculté au plus près la vibration même qui engendre l'écriture. Cet énorme labeur, Céline l'avait prévu et accompli à sa manière, il avait même donné un drôle de nom à la technique et aux effets qu'elle produirait : « métro-tout-nerfs-rails-magiques-à-traverses-trois-points [14] ». A sa façon à lui, il avait déjà retourné le vieux concept de la langue comme véhicule de la pensée :

« — C'est facile, les idées, les idées !... Ce n'est pas ça qui est intéressant, c'est le colorant. Moi, je ne m'intéresse qu'aux colorants. C'est tout. "*Brasser des idées*", regardez l'Encyclopédie ! Vous en brassez des idées !

— Vous en avez brassé comme tout le monde !...

— Comme véhicule ! Tout le reste ne m'intéresse pas [15]. »

Quant à la recherche de la musique comme dépassement agité du parlant dans ses bas-fonds, comme tourbillon dans lequel le corps et le reste ne seraient qu'un moment phénoménal vite éteint, il en a répété maintes fois la formule : « Resensibiliser la langue, qu'elle palpite plus qu'elle ne raisonne — TEL EST MON BUT — Je suis un styliste, un coloriste de mots mais non comme Mallarmé de mots de sens extrêmement rares — Des mots de tous les jours — Ni la vulgarité ni la sexualité n'ont rien à faire dans cette histoire ce ne sont que des accessoires [16]. »

Il a pensé la langue en émulsion comme visiteuse passagère de la petite péripétie de fibres qu'est chaque individu : « Le lecteur qui me lit! il lui semble, il en jurerait, que quelqu'un lui lit dans la tête!... dans ma propre tête! (...) Pas simplement à son oreille!... non!... dans l'intimité de ses nerfs! en plein dans son système nerveux! dans sa propre tête [17]!»

Il a dit aussi, moins pudique que beaucoup sur le sujet, à quel succès étaient promises de telles expériences : « Le public s'intéresse à la voiture, à l'alcool et aux vacances [18]. » Il n'y a pas une seule de ses réflexions « théoriques » qui ne s'accompagne d'un procès très réaliste du sort contemporain fait à la littérature.

Nous allons donc essayer de regarder de plus près cette conversion à l'écriture qui accompagne la révélation du vide, et qui est proprement une conversion au sans-but du vide : « mon métro s'arrête nulle part [19]!... ». Négation voulue de tout sens qui débouche quand même sans cesse sur un sens : la malédiction de l'être estropié par le sens.

Il est peut-être temps de s'apercevoir qu'après *Voyage,* Céline n'a pas arrêté d'inventer avec une avance considérable tout ce qui arrivera peu à peu au roman contemporain. Du point de vue de la structure, ses livres n'ont cessé d'être des approfondissements d'une seule et même question : l'impossibilité de raconter les choses dans l'ordre de la logique « naturelle ». Cela va même jusqu'à l'obsession en débouchant dans les derniers romans où il n'arrête pas d'intervenir, de perdre le fil de l'histoire, de s'interrompre, d'oublier des détails, de supplier le lecteur de ne pas s'impatienter, bref de jouer au gâteux pour montrer que le problème est maintenant de s'en tirer avec l'énorme amas brassé, et que ce n'est sûrement pas un sujet, un corps, une structure qui peuvent le faire.

Tout cela n'est pas du tout innocent. Dans *Nord* par exemple, on voit très bien que Céline est au courant des activités de l'avant-garde : « Il paraît qu'il est tout à fait démodé d'écrire "qu'à dix heures le char à banc des comtesses était avancé..." eh bougre! qu'y puis-je si je me démode?... ce qui fut, fut!... et nous-mêmes, Lili, La Vigue, moi, Bébert, absolument démodés, prêts à l'heure!... haut du péristyle [20]!... » Maintes fois, comme le fera par exemple le « nouveau roman », il exhibe les trucages et la machinerie du récit : « Que voilà de disparates histoires ! je me relis... que vous y compreniez ci !... ça !... pouic ! perdiez pas le fil !... toutes mes excuses !... si je chevrote, branquillonne, je ressemble, c'est tout, à bien des guides [21] !... » Les deux *Guignol's Band* inaugurent la série des fictions indémarrables ou qui s'enlisent dans les anecdotes, s'annulent sous la pression des souvenirs. Ses livres sont des embarcations de plus en plus délabrées conduites par un pilote de plus en plus détérioré. Dans *Mort à crédit* il avait la fièvre, par la suite il ne cesse plus de s'écrouler sous les maladies, hallucinations, paludisme, chutes et chocs, jusqu'aux briques qu'il reçoit sur la tête dans *Rigodon,* qui provoquent des pertes d'équilibre en chaîne dans la narration et qui ne sont peut-être même pas vraies : « Un sort ?... ou juste pour vous amuser [22] ?... » Il y a même des mises en abîme, des répétitions de récits doublant le récit dominant. La plus célèbre est la légende récurrente du *roi Krogold* tissant d'innombrables rapports avec l'histoire de Ferdinand à travers *Mort à crédit.* Mais il y a aussi l'épisode de « la Publique » dans *D'un château l'autre* qui est, comme on le verra plus loin, une métaphore des derniers romans. Et plus subtilement, dans ces mêmes livres, les allées et venues de trains sous les bombes répétant le perpétuel mouvement de ricochet entre le récit et le narrateur qui surgit sans cesse avec ses soucis du moment, ses traites à payer, ses haines, ses démêlés avec son éditeur.

Tout cela n'a rien de très nouveau. L'intéressant est que Céline avance seul dans son invention : « Je me suis libéré de beaucoup de clichés. Les peintres ont abandonné le sujet peu à peu. J'ai tenté la même aventure. Mais ça me concerne seul [23]. »

Ces préoccupations de structure, qui ont eu naguère leurs heures de gloire, auraient pu être chez lui comme chez tant d'autres une simple façon mécanique d'accuser le coup du monde moderne sans l'analyser. Il n'en est rien. C'est perpétuellement par rapport au monde sens dessus dessous dans sa secousse de guerre que Céline pense la nécessité de sa recherche d'écriture : « le mieux je crois, imaginez une tapisserie, haut, bas, travers, tous les sujets à la fois et toutes les couleurs... tous les motifs !... tout sens dessus dessous !... prétendre vous les présenter à plat, debout, ou couchés, serait mentir [24]... ». L'écrit qui vise à une cohérence passe à côté de l'écho du tremblement de terre : « la fin avant le commencement !... belle histoire ! la vérité seule importe !... vous vous y retrouverez ! je m'y retrouve bien !... un peu de bonne volonté, c'est tout !... vous regardez un tableau moderne vous vous donnez un peu plus de mal [25] !... ». Que demande le lecteur ? La permission d'interpréter ce qui est écrit dans le sens de la représentation. Céline n'arrête pas de décevoir cette demande en intériorisant de toutes les façons possibles et jusqu'aux limites de la forme l'idée que l'écriture elle aussi est réellement un voyage au bout de la nuit, formule qui se rassemble à la fin dans le mot « transposition » : « transposez alors !... poétisez si vous pouvez ! mais qui s'y frotte ?... nul !... voyez Goncourt !... là la fin de tout !... de toutes et tous !... "ils ne se transposaient plus"... à quoi servaient les croisades ?... ils se transposaient [26] !... ». A diffuser ainsi jusque dans les structures du récit la notion d'un permanent voyage de personnes linguistiques vers le bout de la nuit du sens, Céline retrouve très loin de toute vue humaine l'ombre immémoriale du sens lui-même, qui dit sans cesse que nous ne sommes que de passage dans notre corps, notre sexe, notre langue et que c'est déjà imprimé. Quelques mois avant sa mort, voici la bande publicitaire qu'il avait prévue pour *Rigodon* : « Par-ci ! vite ! Par-là ! » Il définissait son dernier livre comme une « divagation à travers un paysage [27] », il avait même envisagé un autre titre : *Colin-Maillard*. La littérature existe pour surprendre l'être et le monde en flagrant délit d'enracinement et de croyance à être. Là-dessus, Céline est allé plus loin que ses contemporains. La structure de ses livres s'invente comme un écho de ses énoncés hyperlucides. Mise en tableau du monde culbuté, montage visible jusque dans le plus petit détail des vies en demande de sens blackboulées dans le non-sens en guerre.

Tout cela est très étranger aux calmes bricolages du formalisme, cela arrive en dictée de rafales infaillibles, nécessaires, comme la poussée de la voix de l'époque.

Maintenant, que vient faire là le *métro* lui-même, c'est-à-dire l'objet métaphorique de sa conversion au vide ? Disons très vite qu'il s'agit d'une intériorisation par l'écriture du thème omniprésent de la guerre. Le métro-fantôme formel dans lequel tout s'avale et se restitue en style, on en trouve l'image lointaine dans *Voyage* : c'est le gouffre-refuge où vont se cacher les Parisiens pendant les attaques aériennes : « Elle insistait pour que je me précipite avec elle au fond des souterrains, dans le métro, dans les égouts, n'importe où, mais à l'abri et dans les ultimes profondeurs et surtout tout de suite [28] ! » Ou encore le boyau intestinal qui absorbe à l'aube les fourmis des banlieues qui « avale tous et tout, les complets détrempés, les robes découragées, bas de soie, les métrites et les pieds sales comme des chaussettes, cols inusables et raides comme des termes, avortements en cours, glorieux de la guerre, tout ça dégouline par l'escalier au coaltar et phéniqué et jusqu'au bout noir [29]... ». Deux autres trous du même genre, la caverne fécale de New York et le souterrain aux momies de Toulouse, disent très bien ce qu'on trouve au bout : là merde, les morts ; la négativité. Céline en relève le défi par la vitesse imprimée très, très lentement, très laborieusement, du poignet à l'écrit : « tout berzingue direct [30] ! », « mille à l'heure [31] ! » Dans l'obsession du fond et du noir qui assiège l'espèce, quelle est la seule façon de s'en sortir ? Peut-être d'appuyer à fond sur l'accélérateur pour tourner plus vite que le tourbillon délirant des âges. Quelques heures avant sa mort, Céline trace les derniers mots de *Rigodon* : « de ces profondeurs pétillantes que plus rien existe [32]... ». C'est sur cette ultime descente de phrase que se décide la fin de son existence.

Sans compter qu'avec cette histoire de métro, Céline dit encore ceci : qu'il y a quelque chose qui *charge* la terre et que ce sont les masses humaines. Si l'on se fie aux apparences, le monde et ses phénomènes sont à l'intérieur de ces masses. Alors lui, Céline, en les prenant en charge, il montre que, contrairement aux apparences, c'est à l'intérieur de son propre élan à tombeau ouvert, à l'intérieur de son écriture et finalement de toute écriture, qu'elles se trouvent ces masses, qu'ils se trouvent tous ces magmas qui croient que ça se passe sans cesse dans leur intérieur. Et que s'il n'y avait pas ce métro pour les faire passer, il ne se passerait rien du tout.

Sur la question des trois points, la réaction de Roger Vailland me semble exemplaire de l'objection platement humaine qu'on a sans cesse faite à Céline : « Les points de suspension entre lesquels se délient ses phrases, c'est la définition même d'un style en décomposition [33]. » Céline n'aurait-il pas mis trois points parce qu'il n'arrivait pas à mettre autre chose ? Qu'est-ce qu'ils cachent, ces fameux trois points, coup de poing de la trinité ponctuée (qui d'ailleurs se démultiplient à la fin de *Bagatelles* où les derniers mots sont prolongés par pas moins de dix points !) ? Céline a donné là-dessus quelques éclaircissements : « Les trois points ! me les a-t-on assez reprochés ! qu'on m'en a bavé de mes "trois points" !... *Ah, ses trois points !... Ah !, ses trois points !... Il sait pas finir ses phrases !...* Toutes les cuteries imaginables [34] ! »

Ce qui se diffuse par ces intervalles grâce auxquels les accents toniques ressortent en faisant ressortir le relief des signifiants, c'est peut-être quelque chose qui vient pour provoquer l'angoisse de l'espèce sur les suspensions précisément de son langage, sur les trous qu'il y aurait dans sa parole et qu'elle ne voudrait pas voir, les excès de vide qu'ouvrirait chaque mot progressivement au fur et à mesure qu'il se précipite pour tenter de combler le vide. Comme des blancs dans la toile pour faire signe que les choses importantes ne pourront décidément pas être montrées, qu'il faudra s'en tenir à cette suggestion fluide, s'en contenter, ils découpent chaque fois un petit morceau de ce qui n'arrivera pas à la surface mais qui dit que la surface n'en est sûrement pas une. « Vous avez Seurat, il mettait des trois points partout ; il trouvait que ça aérait, ça faisait voltiger sa peinture.

CÉLINE

Il avait raison, cet homme. Ça a pas fait beaucoup école [35]. »

Ils sont là pour déclencher à chaque fois la remarque du « Colonel » dans les *Entretiens,* c'est-à-dire la remarque de Vailland : « A la place de ces trois points, vous pourriez tout de même mettre des mots, voilà mon avis [36] ! »

Comment faire remonter le trou de l'origine, le temps d'où vient le langage, à l'intérieur du langage comme un rappel permanent de la disparition du langage dans lequel nous ne sommes que des agonisants ? Comment intégrer dans un langage supérieur à la fois le langage et sa cause, c'est-à-dire son vide ? Le mince bord bavard du précipice et le précipice lui-même ? C'est toujours la même question qui déclenche toujours la même supplication de la névrose courante : des mots, des mots *à la place de.* Des mots, pas de blancs !

Les trois points n'appartiennent à l'ordre du discours général qu'en apparence. En fait, Céline le dit très justement, ce sont des « traverses » :

« — Mes trois points sont indispensables !... indispensables bordel de Dieu !... je le répète : indispensable à mon métro ! me comprenez-vous colonel ?

— Pourquoi ?

— Pour poser mes rails émotifs !... simple comme bonjour !... sur le ballast ?... vous comprenez ?... ils tiennent pas tout seuls mes rails !... il me faut des traverses [37] !... »

Si on regarde de près cette métaphore, on s'aperçoit, comme je l'ai déjà dit, que les trois points sont perpendiculaires à la rame du style. Comme si chacune de ces mini-ellipses, loin de remplacer des mots qui devraient prétendument être là, étaient les chocs de ce qui vient perpétuellement du dehors manifester la séparation des mots sous leur artificieux enchaînement de syntaxe. Il faut peut-être cesser d'être l'esclave de son œil, c'est-à-dire de l'alignement typographique, pour en finir avec l'idée que les trois points de Céline seraient dans le prolongement de ses phrases. Ils viennent au contraire verticalement sur l'horizontalité écrasée de la cargaison d'humanité pour faire la

190

différence avec cette platitude en voyage. Ce sont des accidents.
Et le plus drôle est que ces accidents, Céline le dit, empêchent la
rame de dérailler. Comme quoi c'est ce qui est anormal, hors de
l'ordre de l'espèce, qui sauve l'espèce. Bien sûr, ce sont des
accidents minuscules, des petits « non » répétés sous-jacents à
l'énoncé, d'infimes déchirures entre prédicat et constituant,
isolats entre les syntagmes sujets, objets ou nominaux. Micro-
scopiques phénomènes de fuite dans la langue qui disent que
c'est lorsqu'elle coule en continu avec sa syntaxe sans déchirure
que la langue déraille.

J'ouvre au hasard : « Lili devait aller à Paris… elle me laissait
jamais longtemps seul… il fallait, évidemment !… les commis-
sions… ceci… cela… pour les élèves [38] !… » Chaque fois, après
chaque suspension, on pourrait très bien imaginer qu'il s'agit
d'un nouveau locuteur s'emparant d'un nouveau syntagme. Il
n'y a pas d'énonciation à perpétuité liée à un sujet unique.
Personne n'avait fait remarquer avec une telle force les maillons
manquants entre les générations. D'ailleurs quand ils apparais-
sent pour la première fois massivement dans l'œuvre de Céline,
les trois points, c'est au début de *Semmelweis,* bien avant *Voyage,*
dans une séquence justement qui va à la recherche des pertes du
temps : « 1818… 1817… 1816… 1812… Remontons le cours
du Temps… L'espace à présent… Budapest… Presbourg…
Vienne… 1812… 1807… 1806… 1805 [39]… »

Et l'argot ? Il serait évidemment absurde aujourd'hui de croire
encore que l'argot célinien est un idiolecte patoisant, un socio-
lecte injecté dans la langue châtiée. Dans un entretien, Céline
dit en substance que l'argot n'existe plus. Il suffit de feuilleter le
répertoire dressé par Henri Godard dans le second volume des
Romans de la Pléiade pour se rendre compte que d'innombrables
mots ont perdu leur sens : « astibloche » pour asticot, « bour-
mans » pour policier, « bouzine » pour voiture, « carbi » pour
charbon, « crapaud » pour porte-monnaie, « frogomme » pour
fromage ou « vatelavé » pour gifle. L'argot n'est qu'une autre
manière de faire entendre par des mots qui furent vivants que les

langues n'arrêtent pas de mourir. Piment comme disait Céline, piment de haine sur la route de la traduction des langues mortes en langues vivantes. L'impression de populisme cache l'énorme travail, nécessaire pour qu'il ne s'agisse pas justement d'un dialecte populaire : « dans le peuple, l'envoi du vanne, cela fait une petite phrase drôle et puis c'est tout. Maintenir un effort de stylisation de 400-500 pages demande énormément d'efforts, à savoir qu'il faut énormément revoir et revoir [40] ».

Il y a quelqu'un qui, cent ans avant Céline, avait déjà utilisé la formule : l'argot, les trois points, les points d'exclamation. C'est Eugène Sue, qui d'ailleurs a quelques similitudes biographiques avec Céline : la médecine, un départ en bateau pour l'Amérique, l'exil (après le coup d'État de Louis-Napoléon Bonaparte) et même la formule de base de tout antisémitisme « chrétien » : Juifs et jésuites confondus dans une même haine (le jésuite Rodin du *Juif errant* est défini comme l'anéantisseur de « toute pensée, toute intelligence chez les peuples... ». Si on ouvre au hasard *les Mystères de Paris,* on est frappé par les ressemblances stylistiques : « Je me continue : Minute !... ne nous embrouillons pas. Tortillard est venu avec la Chouette (...) si elle revient... ça gâtera tout... d'autant plus que M. Rodolphe s'est peut-être arrangé autrement pour ce soir... Tonnerre ! ces oui et ces non me papillotaient dans la cervelle... J'étais abruti, je n'y voyais plus que du feu [41]... »

On pourrait se poser la question de savoir si Céline avait lu, comme Lautréamont, les feuilletons noirs de l'auteur du *Juif errant.* Peu importe : il y a là incontestablement une ligne de filiation « basse » qui pouvait le conduire aussi bien aux grandes réussites épiques qu'aux reconstitutions dérisoires de romans de chevalerie. Céline utilise l'argot comme il utilise les mots obscènes et le vocabulaire médical ou encore les mots-valises (« miraginer », « spermyramide », « vociféroce ») : il les fait servir à l'autopsie du corps de la langue morte, de la langue traduite à retraduire, de la langue du refoulement invisible à charcuter pour que le refoulement apparaisse. L'intéressant est que ce soit des atomes de haine, comme il disait, qui interviennent dans l'opération. Comme si la vérité à montrer à l'espèce à travers la mise en évidence de son refoulement parlant, c'était cette haine qu'elle se cache. Il ne faudrait pas tomber dans le panneau de croire que l'argot vaut par lui-même : ces mots sont chaque fois des abrégés de chaque phrase puis de chaque livre, des condensés de ce qu'ils disent, des manières ponctuelles de visiter au plus petit niveau ce qu'ils visitent au niveau le plus général. L'ensemble des livres convulsivement s'y réfléchit, et ces mots réciproquement renvoient le sens ramassé des livres. Avec cet avertissement de Céline pour qui voudrait tenter l'expérience sans rien savoir : « Chie pas juste qui veut [42] ! »

De *Voyage* à *Rigodon,* ce qui s'affirme du point de vue de la syntaxe, c'est une entreprise systématique et très consciente d'allègement. *Voyage,* dit Céline à la fin de sa vie, « ce n'était pas de l'émotion pure. Il fallait aller plus loin, dans la voie de la simplification calculée et raffinée [43] ». C'est là que se situe ce qu'il appelait sa grande attaque contre le Verbe. En somme, ce qu'il voit dans cette affaire, c'est qu'en lui donnant le Verbe, on a alourdi l'homme : « Quand vous chatouillez une amibe, elle se rétracte, elle a de l'émotion ; elle parle pas, mais elle a de l'émotion. Le bébé pleure, le cheval galope, à l'un, à l'autre, il faut apprendre à parler, à trotter. Seulement nous on nous a donné le verbe. Ça donne l'homme politique, l'écrivain, le prophète. Le verbe, c'est horrible, c'est pas sentable [44]. » On a fait changer l'homme de corps ; on lui a donné un corps. D'où la chute perpétuelle. « Le Verbe est venu ensuite pour remplacer l'émotion, comme le trot remplace le galop, alors que la loi naturelle du cheval est le galop ; on lui a fait avoir le trot [45]. » Céline pense qu'*on a fait avoir* le verbe à l'homme, pas le verbe johannique bien entendu mais la raison verbalement codée et corporelle qui se pense comme un fait de nature alors que le fait de nature était l'émotion. « On a sorti l'homme de la poésie émotive pour le faire entrer dans la dialectique, c'est-à-dire le bafouillage, n'est-ce pas [46] ? » Il y a eu une poussée, un changement d'*organa* comme aurait dit la théologie, une déchéance dans la corporéité qui fait que la corporation tombe d'autant plus vite qu'elle parle, qu'elle est lestée de parole comme une pierre au cou pour se noyer.

Alors, pour ne pas tomber trop vite, Céline, lui, qui voit bien que ce passage d'un corps à l'autre n'est pas un cadeau, n'arrête pas de jeter du lest jusque dans la syntaxe. Suppression par exemple de la particule négative *ne* : « les femmes, dont le sexe renonce jamais… (…) le coup monstrueux pour les dames, que les hommes bandent plus [47] !… ». Disparition du pronom personnel sujet : « y a à bien regarder et nom de Dieu être prêt à tout [48] !… ». Suppression de la particule *à,* qui donne même un titre : *D'un château l'autre.* L'émotion d'avant la corporéité ne connaît ni négations, ni pronoms, ni prépositions. Dans son expérience d'écriture, Céline a toujours cherché quelque chose qu'*on n'a pas fait avoir* à l'homme, il l'expliquait déjà au moment de *Voyage :* « Impossible pour moi de tracer l'épure d'un roman… Il faut que je sente une résonance, que je travaille dans le nerf, que j'aie le bon contact. Alors, je continue. Je ne m'occupe jamais de logique, Je cherche à suivre la bonne piste, à toucher (…), à ne pas lâcher, à arriver jusqu'à l'entrée de la grotte, puis à entrer dedans et alors le moindre son de ma voix appelle mille échos… "Ho… Ho…" Je fais "Ho…" et ça me répond [49]. » Ce n'est pas la voix qui compte, c'est l'écho qu'elle sollicite et qui lui restitue l'ordre impensable des valeurs : le plan du « torrent humain [50] » remis *à l'intérieur* de celui de l'émotion. On est tout à fait au-delà de la question de savoir si sa langue est artificielle ou si elle retrouve la « spontanéité » du parlé. A la limite, il s'agit même d'une sophistication suprême, forcénée, qui mêle les suppressions de particules négatives ou de prépositions à une surcompétence évidente dans l'emploi des formes « correctes ». On a pu dénombrer dans *Voyage* environ quatre-vingts exemples d'une forme de l'imparfait du subjonctif qui n'existe plus dans le parlé, mille cinq cent quatre vingt-huit utilisations du passé simple et même quinze exemples de passé antérieur[51]. Céline reprochait aux autres écrivains d'être tellement plongés au fond du langage communautaire qu'ils ne pouvaient même plus le situer par rapport à eux : « Ils se meuvent au fond du courant, comme au fond d'un fleuve trop lourd, sous un énorme poids de caressantes traîtrises sourdement, en scaphandre, éberlués, empêtrés de cent mille précautions ! Ils ne communiquent avec l'extérieur que par micros, vers la surface[52]. » Cent fois en parlant de son travail il a utilisé des termes qui disent à quel point il s'agit d'une fabrication rusée, tactique : « artifice », « déformation », « perfectionnements », « raffinement », « transposition », bâton qu'on casse pour le faire paraître droit dans l'eau, phrases que l'on sort de leurs gonds, etc. : « c'est un boulot très dur. (...) C'est un vrai travail. C'est le travail du styliste[53] ». Rien à voir avec du bavardage enregistré au magnétophone : « tous vos systèmes dictaphones, jabotophones, microsillants, valent pas tripette[54] ! ». Dans son discours mort, l'espèce se croit vivante. Céline, qui n'avait pas besoin de se croire systématiquement vivant, savait qu'il rendait les autres morts : « Je vous passerai mon infirmité, vous pourrez plus lire une seule phrase[55] ! » Tenter de guérir les autres par sa propre maladie, voilà le grand art. L'infirmité de Céline c'est cela : une syntaxe où le parlé n'arrête pas de se souvenir de l'écrit, et l'écrit du parlé, l'un se retournant sur l'autre pour le faire écouter et réciproquement, l'ensemble dessinant le tableau de la chambre d'écho de l'émotion. Écoutons-le encore une fois affirmer avec force que son travail n'a rien à voir avec une simple transcription de parlote : « On a tout dit quand on a proclamé que j'ai MOI AUSSI (comme les Américains, *évidemment !*) écrit des livres en *langage parlé.* Tout le secret ! Archi benêts ! *Il s'agit de tout autre chose :* d'un langage rythmé *interne* sans défaillance sur 630 pages ! Allez-y ! Essayez[56] ! »

Par le procédé du rappel[57], la phrase ne cesse de se commenter elle-même, c'est-à-dire de proposer successivement, à travers le double message d'une unité syntaxique rompue, l'émotion et son interprétation, l'horreur ou l'enthousiasme et leur écoute minutieuse, l'exclamation et son éclaircissement. Des premières pages de *Voyage* — « Je les connaissais un peu, les Allemands [58] », « Moi d'abord la campagne, faut que je dise tout de suite, j'ai jamais pu la sentir [59] » — aux dernières lignes de *Rigodon* — « il finira tout saoul heureux, dans les caves, le fameux péril jaune [60] ! » — on n'en finirait pas de relever des exemples de cette technique particulière de segmentation, qui est une manière de lâcher encore du lest tout en donnant l'impression de calquer le parlé populaire. Qu'est-ce que rappelle Céline avec le système du rappel ? Qu'il est question sans cesse de l'espèce, c'est-à-dire des pléonasmes biologiques que nous sommes, qui ne veulent pas s'écouter dans leur répétition, des populations de propositions grammaticales redondantes, des incarnations du binarisme. En brassant tout le temps, deux fois au moins, cette rumeur itérative, il s'agit de faire entendre le radotage du champ clos. Un peu comme si l'inconscient à tous les niveaux mettait en scène sa propre méconnaissance parlant dans chaque sujet.

De livre en livre, Céline n'a donc cessé d'alléger son écriture tout en donnant l'impression de l'alourdir pour qui s'arrête à la vision fascinée de la typographie. Il y a de ce point de vue des changements très nets d'un ouvrage à l'autre. A partir de *Mort à crédit*, les subordonnées disparaissent de la phrase. Les deux *Guignol's Band* marquent une généralisation du point d'exclamation. Le premier *Féerie* va très loin dans l'extension des ellipses suspensives : l'unité d'énonciation a disparu, d'où l'hostilité qui a accueilli ce livre à sa publication. *Féerie 2 (Normance)*, *D'un château l'autre*, *Nord* et *Rigodon* accélèrent la désarticulation syntaxique et les éboulements du lexique sous la pression du référent guerre grandi à hauteur de planète.

Sans cesse Céline dit qu'il n'y a pas style s'il n'y a pas mémoire de la chute et techniques d'allègement pour ralentir cette chute.

« Si vous vous mettez dans un cas tout à fait singulier comme le mien d'être traqué, et pas à la rigolade, pas traqué par les "passions", mais traqué à vous faire empaler et déchiqueter ou condamner en tant que repris de justice par vos frères, évidemment vous avez une histoire toute faite, vous n'avez plus d'efforts à fournir! Il n'y a plus qu'une question de style qui se présente [61]. »

Ou encore: «Si j'avais bien dormi toujours j'aurais jamais écrit une ligne [62]. »

L'ensemble donne quelque chose qu'on peut appeler éventuellement une «musique», c'est-à-dire ce qui est rendu possible par l'existence de ce ratage originaire qu'on nomme aussi péché. Comment empêcher le péché de prendre corps, de passer de l'angoisse de la dislocation du «tout» à la survalorisation sexuelle ou à la folie? Comment, une fois encore, repasser d'un corps à l'autre? «Hors la musique tout croule et rampe... Musique édifice du Rêve [63] !» Le mot «musique» lui-même est évidemment approximatif. «Tu remarqueras que je demeure / toujours dans mes pénibles livres / à un tout petit poil de la *musique*. / Ce sont pour ainsi dire des opéras / sans musique [64]... » Mais l'écriture où n'arrive même pas l'ombre portée de la musique se reconnaît tout de suite. C'est pour ça qu'il peut se permettre de donner ce «conseil» à Sartre : «Regardez Shakespeare, lycéen! 3/4 de flûte, 1/4 de sang [65]... » Ce qui ne l'a d'ailleurs pas empêché d'inverser lui-même le rapport dans les pamphlets.

Dans *la Naissance de la tragédie,* Nietzsche disait pour conclure que la musique n'existe qu'à cause de cette dissonance qu'est l'homme : «Si nous pouvions nous représenter la dissonance faite homme — et l'homme est-il autre chose? —, cette dissonance aurait besoin pour vivre d'une illusion souveraine qui jetât sur sa nature propre un voile de beauté [66]. » Céline va un peu plus loin en montrant que la seule chose qui ne soit pas illusion c'est justement cette musique qui analyse l'illusion humaine à se croire autre chose qu'une fausse note dans le silence.

Il est étrange que certaines des pages les plus «musicales» de son œuvre arrivent en conclusion des pamphlets. Je pense par

exemple à la description de Leningrad dans *Bagatelles* : « Le ciel
du grand Nord, encore plus glauque, plus diaphane que l'immense fleuve, pas beaucoup... une teinte de plus, hagarde...
Encore d'autres cloches... vingt longues perles d'or... pleurent
du ciel [67]... »

Mais aussi un peu plus loin :

« Et puis voilà...

Tout doucement, ils deviendront tous fantômes... et tous...
et tous... et Yubelblat et Borokrom... et la grand'mère... et
Nathalie... tout à fait comme Élisabeth [68]... », etc.

Ou encore dans *les Beaux Draps* la mélodie du vent d'hiver
dans la nuit de l'occupation :

« "Vous entendez pas ?"... Taa!!!... too!... too!... too!...
too... too... Taa!... Taa!... » comme le vent d'hiver rapporte ?
« ... Je lui chante pour qu'il entende mieux... la! fa! sol! la si
do! la! Do! qu'il entende bien tout l'appel!... do dièze! sol
dièze!... bien entendu! fa dièze mineur! C'est le ton! Le charme
des Cygnes!... l'appel, ami! l'appel [69]!... »

La musique est ce qui prend des libertés avec l'enfermement
du langage. Il n'est peut-être pas indifférent que ces libertés
soient prises au terme des pamphlets dont le but était d'interdire
à quiconque une autre jouissance que la leur. Dans les dernières
pages de *Bagatelles* ou des *Beaux Draps*, on est déjà de nouveau
dans les romans. L'éloquence tordue, sacrificielle, recommence à
se dissoudre en floconneux syntagmes. L'inguérissable redevient
évident sous l'opération de bouchage impossible de la blessure
par l'antisémitisme. C'est ainsi qu'au moment où s'arrête la
masse du racisme écrit, aux dernières pages des *Beaux Draps*,
dans l'allègement du style qui réapparaît, Céline qui s'était
voulu médecin des vivants peut redevenir musicien, c'est-à-dire
médecin des morts : « Je vais voir ça... si ils sont sages... bien
sages, impeccables... je délivrerai leur billet... le billet pour
s'enterrer... Je délivre celui-là aussi. Rien ne m'échappe. Je suis
Dieu assermenté [70]... » Il faut voir dans cette déclaration qui
peut paraître folle pour le bon sens la raison même revenue, le

lest à nouveau lâché et la chute ralentie. C'est l'amusicalité humaine qui produit la guerre, c'est-à-dire « tout ce qu'on ne comprenait pas [71] ».

Enfin, il y a la question de l'identité. La littérature contemporaine s'est préoccupée de cette affaire de locuteur, trajet tortueux de « je » à l'Autre, parcours discontinu de l'inconscient dans le sujet qui fait du sujet le théâtre douloureux d'une naissance interminable. La langue poétique est devenue plus que jamais un long vagissement poussé par le sujet en duel avec le signifiant ou le réel. De ce point de vue, le XXe siècle est revenu très loin en arrière des siècles précédents où la littérature pouvait faire appel à des personnages toujours-déjà nés, maîtres d'une identité centrée. Ce n'est pas un hasard si le texte que Freud laisse inachevé en mourant concerne le clivage du moi : l'*Ichspaltung*. A sa manière, la littérature n'a plus cessé de prolonger et de rendre impossible la question. La formulation la plus émouvante de cette mise en scène de la mort du cogito cartésien se trouve sans doute au début de *l'Innommable* de Beckett : « Où maintenant ? Quand maintenant ? Qui maintenant ? Sans me le demander ? Dire je. Sans le penser. Appeler ça des questions, des hypothèses [72]. »

Le problème est traité chez Céline avec une force d'autant plus grande que, comme Proust, il s'obstine à écrire toute son œuvre à la première personne. Avec un glissement de noms et de prénoms qui n'a pas été regardé d'assez près : Ferdinand Bardamu, puis Ferdinand, puis Céline ou Ferdinand dans les pamphlets, puis de nouveau Ferdinand. La seule à l'appeler Louis, c'est-à-dire à lui donner le prénom utilisé dans la vie quotidienne, c'est Lili, sa femme, dans les derniers romans. Inutile de dire que, d'un livre à l'autre, le « je » déplace très vite sa perspective. Dans *Voyage*, il s'agit d'une première personne très classique de narrateur transparent par rapport au passé raconté. Dans *Mort à crédit* pour la première fois le sujet de l'énonciation décolle du sujet de l'énoncé, il faut plusieurs dizaines de pages pour que reviennent les souvenirs, pour que le narrateur retrouve la mémoire et qu'à nouveau, comme dans *Voyage,* il disparaisse. Les deux *Guignol's Band* voient proliférer dans les intervalles d'un « Ferdinand » désormais aussi présent que discontinu une foule de narrateurs secondaires, Sosthène, Cascade, Pépé, etc. Les *Féerie* vont un peu plus loin dans la défaite biographique, c'est l'après-guerre, Céline est en prison ou dans sa cabane des bords de la Baltique, tout a foutu le camp, son appartement a été pillé, ses livres perdus, ses manuscrits envolés. Le sujet de l'énonciation n'est plus ici ou là à des points stratégiques, il est plus moléculairement mort et présent que jamais : « je vous l'écris de partout par le fait ! de Montmartre chez moi ! du fond de ma prison batave ! et en même temps du bord de la mer, de notre cahute ! Confusion des lieux, des temps ! Merde ! C'est la féerie vous comprenez... Féerie c'est ça... l'avenir ! Passé ! Faux ! Vrai ! Fatigue [73] ! ». Conséquence : le second *Féerie, Normance.* Autrement dit, le premier des romans du cycle des bombes. Il est faux de parler de « trilogie allemande ». Il faudrait dire « tétralogie » en y ajoutant *Normance.* L'invariant des bombes est plus déterminant que l'invariant géographique. *Féerie 2 (Normance)* est le premier livre à enregistrer le choc du plus-d'histoire, c'est-à-dire de la guerre occupant le présent vidé, menace pressentie et annoncée dans les précédents romans. On a dit platement qu'à partir de ce moment, le second conflit mondial lui ayant apporté une réalité bien supérieure à ses fictions, il n'avait plus rien à raconter. C'est faux, tout commence là au contraire, avec une voix qui ne ressemble plus à rien de ce qu'on connaissait. « Raconter tout ça après... c'est vite dit !... c'est vite dit !... On a tout de même l'écho encore... brroumn !... la tronche vous oscille... (...) le temps n'est rien, mais les souvenirs !... et les déflagrations du monde [74] !... » A la fin de *Féerie 2 (Normance)* ses manuscrits s'envolent par la fenêtre, les pages s'éparpillent dans le ciel de Paris, pour dire qu'il ne s'agit même plus à proprement parler d'écrire. Les trois derniers romans, avec le sujet de l'énoncé sur les hauteurs de Meudon remâchant une actualité agonique —

guerre d'Algérie, Congo, démêlés avec Gallimard, l'abbé Pierre, le prix Nobel, la Pléiade, Vailland, Sartre, le coût de la vie, ses derniers malades, etc. — mêlée au passé infernal de la fuite dans les décombres, systématisent cette mutation complexe. De plus en plus, ses livres n'arrêtent pas de mesurer, d'arpenter la distance amenuisée entre « je » et « je », entre sujet de l'énoncé et sujet de l'énonciation, entre sujet pensant et sujet existant, avec le passage du bouillonnement dilaté du monde entre ces bords rapprochés. Et les trois points qui tombent dru sur le discours comme de l'envahissement d'inconscient, quelque chose qui ignorerait le temps. Ce temps lui-même ne cesse de se rétrécir. Dans *Mort à crédit* l'enfance dépliée est encore un imparfait contrôlé par un présent qui le déchiffre. Et puis les dates se rapprochent, séjour à Londres, Seconde Guerre mondiale, Occupation, débâcle allemande. A la fin, il n'y a pratiquement plus de distance entre le « je » qui galope sous les bombes et celui qui écrit tout ça à Meudon. L'enfer à l'envers a été traversé, le *loin* est devenu tout *près*. La guerre de 39-45 n'est pas un accident dans son œuvre, il la lui faut comme champ de mines pour l'identité qui retourne sur ses pas et y saute. « Je me traverse comme un vieux bourdon, je m'empêtre tout batifolant [75]. »

Et puis, parce que cette aventure du temps qui diminue dans l'écrit et des moi qui se rapprochent ne peut finir sur aucune fusion, Céline meurt, c'est-à-dire qu'une dernière fois il coupe.

« — Vous pouvez le dire! le "moi" coûte énormément cher!... l'outil le plus coûteux qu'il soit! surtout rigolo!... le "je" ne ménage pas son homme! Surtout lyrique drôle!

— Et pourquoi donc?

— Prenez note! prenez encore note! vous relirez tout ça plus tard... *il faut être plus qu'un petit peu mort pour être vraiment rigolo!* voilà! il faut qu'on vous ait *détaché* [76]! »

Que serait un moi qui ménagerait son homme, sinon un double blocage de sécurité et de santé, une surveillance médicale permanente, en somme tout ce qu'on rencontre chaque jour d'anthropomorphique dans les rues ? Céline qui parle au « présent de résurrection » est, lui, complètement débloqué. C'est ce qu'il indique lorsqu'il affirme qu'il recouvre toujours très soigneusement son « je » de merde ; le déchet n'est pas l'endroit où tout s'arrête ; il est ce qui, aux yeux des hommes, cache encore le mieux le début de la fuite : « "Je" à la merde et "détaché" [77]. » Toute son œuvre raconte ce détachement, à partir de *Mort à crédit* où le commencement du récit est déterminé par la nécessité de rétablir la vérité contre le discours falsificateur de la mère. Mais où est la vérité ? Dans les trois points qui s'accumulent ? Peut-être. Qu'est-ce qui va sauter de plus en plus dans les trois points, et s'y abolir ? Il faut voir aussi avec quelle obstination il n'a cessé de transiter par la parole vers le silence à travers les cris de ses livres. « Moi, j'avais jamais rien dit. Rien [78]. » « Je veux passer fantôme ici, dans mon trou... dans ma tanière [79]... » « Je m'hermétise, je suis bourrelé de mots secrets. Je m'occulte [80]. » « Bien sûr que je vais pas tout vous dire. (...) ça coûte la vie d'être indiscret [81] ! » « Moi qu'ai le souci, la discrétion [82] ! » « La gaffe est de revenir dans un lieu où les gens dansent comme ci... comme ça... plus du tout la même chose que vous [83]... » Et enfin la toute dernière phrase de l'œuvre entière, sur « ces profondeurs pétillantes que plus rien existe [84]... »

Céline a dit que le diable est né d'une indiscrétion. L'enfer existe parce qu'on n'a pas su tenir sa langue, parce que la langue n'a pas su se tenir toute seule, sans les prétendus « parlants ». En écrivant il a essayé de réparer cette gaffe et il a disparu peu à peu dans cette réparation, au milieu de l'obscénité contorsionnée à la surface. Plus il y a du monde et moins il y a quelqu'un. Le XXe siècle et ses écrivains n'ont cessé de s'en douter. Céline n'a cessé de l'écrire.

« MÉTRO-TOUT-NERFS... »

NOTES

1. Cf. D. Sibony, *Remarques sur l'affect « ratial »*, in *la Haine du désir*, Christian Bourgois, 1978.
2. *CC 2*, p. 204.
3. *Ibid.*, p. 135.
4. *Ibid.*
5. *Ibid.*, p. 175.
6. *Ibid.*, p. 175-176.
7. G. Bataille, *L'Érotisme*, coll. « 10-18 », p. 295.
8. *EY*, p. 98.
9. *Ibid.*, p. 99.
10. *Ibid.*, p. 101.
11. *Ibid.*, p. 102.
12. *Ibid.*, p. 104.
13. *Ibid.*, p. 107-108.
14. *Ibid.*, p. 116-117.
15. *CC 2*, p. 33-34.
16. *HER*, p. 113.
17. *EY*, p. 122.
18. *CC 2*, p. 20.
19. *EY*, p. 116.
20. *N*, p. 548.
21. *CA*, p. 105.
22. *R*, p. 871.
23. *CC 2*, p. 40.
24. *N*, p. 318.
25. *Ibid.*, p. 310.
26. *R*, p. 827.
27. *CC 2*, p. 196.
28. *V*, p. 82.
29. *Ibid.*, p. 239.
30. *EY*, p. 108.
31. *Ibid.*, p. 109.
32. *R*, p. 927.
33. *HER*, p. 247.
34. *EY*, p. 114.
35. *CC 2*, p. 88.
36. *EY*, p. 114.
37. *Ibid.*, p. 115-116.
38. *CA*, p. 295.
39. *S*, p. 22.
40. *CC 2*, p. 69.

41. E. Sue, *Les Mystères de Paris*, Éd. Hallier, 1977, p. 131.

42. *GB 1*, p. 9.

43. In R. Poulet, *Entretiens familiers avec L.-F. Céline*, Plon, 1958, p. 53.

44. *CC 2*, p. 171.

45. *Ibid.*, p. 87.

46. *Ibid.*

47. *N*, p. 555.

48. *R*, p. 893.

49. *CC 1*, p. 52.

50. *BM*, p. 168.

51. G. Holtus, *Code parlé et code écrit : essai de classification de la langue de Céline*, in *L.-F. Céline, Actes du colloque international d'Oxford*, 22-25 septembre 1975, Australian Journal of French Studies, 1976, p. 36 *sq*.

52. *BM*, p. 168.

53. *CC 2*, p. 87.

54. *EY*, p. 90.

55. *GB 1*, p. 9.

56. *CC 6*, p. 177.

57. *HER*, p. 443 *sq*.

58. *V*, p. 15.

59. *Ibid.*, p. 16.

60. *R*, p. 927.

61. *CC 2*, p. 26.

62. *MC*, p. 505.

63. *BM*, p. 12.

64. In A. Paraz, *Valsez saucisses, op cit.*, p. 317.

65. *HER*, p. 37.

66. F. Nietzsche, *La Naissance de la tragédie*, in *OC*, t. I, Gallimard, 1977, p. 155.

67. *BM*, p. 333.

68. *Ibid.*, p. 373-374.

69. *BD*, p. 208-209.

70. *Ibid.*, p. 212.

71. *V*, p. 15.

72. S. Beckett, *L'Innommable*, coll. « 10,18 », p. 5.

73. *F 1*, p. 30.

74. *F 2*, p. 11.

75. *GB 1*, p. 43.

76. *EY*, p. 66-67.

77. *Ibid.*, p. 67.

78. *V*, p. 11.

79. *BM*, p. 374.

80. *BD*, p. 9.

81. *GB 1*, p. 30.

82. *GB 2*, p. 406.

83. *N*, p. 653.

84. *R*, p. 927.

6. Comment survivre à la modernité ?

Je viens de dire que Céline avait annoncé, condensé ou projeté la totalité des enjeux de la modernité littéraire. Ce qui implique d'une certaine façon qu'il aura appartenu au XXᵉ siècle et rien qu'à lui, qu'il aura été le XXᵉ siècle, même si la plupart du temps c'est réactivement qu'il en aura porté à ébullition l'aventure, conquêtes et aveuglements compris. La limite éblouissante ou lamentable de cette époque s'appelle, d'une certaine façon, Céline.

Mais nous ne sommes déjà plus dans le XXᵉ siècle, ou si peu. Et Céline tout de même est encore là, comme Joyce, comme Artaud, dans une sorte de permanence à rebondissements qui est peut-être le signe du XXIᵉ siècle commencé. Comme à chaque fois que saute aux yeux l'évidence que l'avenir a atteint son terminus, comme à chaque fois que la pulsion de mort parlante n'a plus à se mettre sous la dent que des successions de crises et des désillusions, les vieilles questions d'origine et de fin, les inusables énigmes sont reposées sans espoir : *jusqu'où ? vers où ? d'où ?* et tous les *pourquoi ?* Deviner ces fausses questions, les faire entendre dans le mouvement incessant des trois petits tours de piste effectués par les vivants en grappes. Affronter à nouveau, comme du temps de Shakespeare, comme du temps d'Homère, leur vide en attente, leurs malheurs à soulager. Recommencer à décevoir. La fin du XXᵉ siècle marque aussi la disparition de la littérature comme branche spécialisée de la médecine politique.

Qu'est-ce que pourrait être une modernité qui serait obligée de se passer du concept de modernité ? Qu'est-ce que pourrait être une littérature libérée des hypothèques de l'évolution et du progrès ? Un jeu d'errance entre des horizons de vérités sourdes ? Une musique couvrant et découvrant les lourds roulements mortels des commencements et des fins dernières ? Quelque chose qui inventerait mille détours et raccourcis pour empêcher l'oubli de l'horreur en reposant sans relâche les questions de toujours, depuis l'espèce d'intérieur d'oreille cabossée qu'est le décor du monde ?

Comment survivre à la modernité ? Peut-être que Céline a été le premier à résoudre le problème. En écrivant *Féerie 2 (Normance), D'un château l'autre, Nord* et *Rigodon*. La tétralogie des bombes dont *Féerie 1* formait la préface diffuse, le lever de rideau en parcours de pinceau de projecteur traîné dans l'intimité des coulisses de la mutation. Soit un ultime ensemble de livres balancé d'une main très sûre vers un avenir que nous voyons se dessiner et dont il est parvenu à faire sentir à l'avance les effets.

On peut s'étonner de l'apparition de cette tétralogie là où, pour tout le monde, existent deux groupes bien distincts, les *Féerie* d'une part et la trilogie allemande d'autre part. Je répondrai que ce découpage n'est que le résultat de certaines vicissitudes éditoriales et qu'on peut, il me semble, prendre avec tout cela, trente ans plus tard, quelque distance. De son retour en France, en 1951, jusqu'à la publication et au succès de *D'un château l'autre,* en 1957, Céline n'a cessé d'essayer de se faire entendre à nouveau. Les deux premiers *Féerie* avaient été un échec total. Il devait y avoir un troisième volume, *l'Ombrette :* « J'avais débuté le tome III de *Féerie,* l' "Ombrette", qui n'est pas à piquer des vers [1] ! » Ce livre racontait son séjour à Sigmaringen. Le silence dans lequel étaient tombés les *Féerie* le décida à le publier sous un titre complètement autonome : *D'un château l'autre.* En fait, il s'agit de la suite logique d'une seule et unique catastrophe. Par-dessus les découpages auxquels on l'a forcé à se limiter après-guerre, il n'y a qu'un texte ininterrompu auquel il s'est acharné à travailler dans les dix dernières années de sa vie comme s'il s'agissait en somme de laisser une trace de sa dignité et de son honneur retrouvés, ainsi que de la souveraineté renouvelée de son écriture. Il va mourir, mais pas avant d'avoir donné sa langue à l'horreur du XXe siècle, et pas avant d'avoir fait passer ce XXe siècle dans l'époque suivante, dans le monde suivant. Il va se faire le transporteur d'une apothéose guerrière. Et le plus stupéfiant est que cette apothéose où il a été du mauvais côté, du côté de ceux qui y auront été le Mal incarné, il va pourtant, lui, Céline, être le seul à en écrire la langue. Pour tous. Pour ses ennemis, ses alliés, pour ceux qui ont souffert ou qui sont morts des persécutions qu'il appelait, pour ceux qui ont lutté contre les abattoirs qu'il annonçait, pour les rescapés et les cadavres de tous les camps. Quatre livres où, alors qu'il est vraiment dans les poubelles de l'histoire, il dit : c'est moi qui ai le secret de tout ce drame et je vous emmène plus loin, je vous fais traverser le temps, c'est peut-être scandaleux mais c'est comme ça. Il y a un titre qu'il traîne de livre en livre, qu'il projette de donner à chacun de ses romans de cette époque et auquel il renonce à chaque fois : c'est *la Bataille du Styx*. Le titre général de la tétralogie. Comme quoi il s'agit de traverser la mort avec le flot des morts, et comme quoi il ne peut être question de repos puisque c'est encore une bataille.

A l'intérieur de ce dernier mythe, tous les événements qu'il récapitule forment en quelque sorte les déchets de l'universel malheur. La parodie de gouvernement de Pétain à Sigmaringen réfléchit dans son minuscule miroir les lâchetés, les trahisons et les ignominies de tous les pouvoirs. Les trains-fantômes de *Rigodon* qui passent bourrés de cadavres condensent dans une seule formule les convois et les cortèges d'immolés du nazisme puis des tyrannies qui ont suivi. Et Céline lui-même affamé, estropié, forme une sorte d'abrégé de toutes les souffrances de la déambulation et de l'exil. Il serait ignoble de comparer son châtiment au martyre insensé qu'ont connu tant d'hommes et de femmes. Il n'en reste pas moins que, par un étrange retournement de l'histoire, celui qui aura été coupable à tous égards reprend et assume les voix des innocents et les voix des coupables à travers une espèce d'opération surhumaine de retrait hors de la représentation du Mal qui lui coûte en somme la vie au fur et à mesure qu'il fixe pour jamais l'horreur contemporaine comme répétition de l'horreur immémoriale. Si quelque chose comme la notion de rachat ou de rédemption peut-être montré, senti, le modèle en est sûrement la tétralogie, où celui qui écrit se sauve dans le saut qu'il fait faire à la compréhension de l'espèce.

Il est évident qu'au moment où il attaque ses livres d'après-guerre, Céline est comme un revenant, comme un fantôme qui revient pour se racheter par la parole. La résurrection est une manière de désigner au-delà de la mort le verbe survivant. L'obsession du devenir-spectre, inséparable du devenir-silence dont j'ai déjà parlé, n'apparaît pas pour rien à la fin de *Bagatelles* : « Je leur ferai à tous... Hou! rouh!... Hou!... rouh[2]!... » Céline sait parfaitement le prix d'écriture qu'il va lui falloir payer ses pamphlets. Il va devoir se taire dans la langue de la communauté empêtrée pour parler dans la mort du retour des âmes errantes. La tétralogie est tout entière placée sous le signe du spectre parlant : ce qui veut dire aussi qu'elle est sursaturée d'interrogations sur les origines et sur les fins dernières.

Pour cet ultime voyage qui va de *Féerie 2 (Normance)* à *Rigodon,* et qui amplifie aussi d'une certaine façon les thèmes de ses précédents romans, Céline ramasse dans une barque des morts toute l'espèce humaine. Comment transporter les trépassés et les vivants, ceux d'hier et ceux d'aujourd'hui, les passagères formes parlantes? C'est la question que se pose celui dont les pamphlets, l'Occupation, la prison, l'exil ont fait un mort. La réponse se trouve résumée dans un passage de *D'un château l'autre,* l'épisode de « la Publique ».

Céline a rendu visite à une malade, Mme Niçois, qui habite au bord de la Seine. Sur un quai obscur, il surprend un va-et-vient étrange, des ombres qui montent et qui descendent d'un bateau-mouche qui porte un nom sur la coque en grosses lettres rouges : *La Publique*. Tout cela se déroule dans une nuit et un silence d'anti-monde : « Ils montent sur le bateau... ils parlent à quelqu'un... et ils repartent... je dis : ils parlent ?... je crois... je les entends pas !... je les vois, c'est tout... monter, se croiser... par trois... l'allée et venue par la passerelle... je vois un petit peu leurs figures... je peux pas dire non plus... plutôt leurs silhouettes... oui, certes ! troubles silhouettes [3]... »

L'apparition a lieu dans un tremblement de brouillard, « une grelottine de zef bien traître [4] », qui n'est peut-être que l'effet de la maladie de Céline, les séquelles de son paludisme. Il est là, mourant, devant les allées et venues des morts. Les silhouettes ont des capuchons sur la tête, des vêtements en loques, pas de visages. C'est les disparus des guerres et des persécutions, et c'est aussi ceux qu'il a demandé qu'on persécute, les Juifs. Il est là tout près d'eux, silencieux comme eux, il voudrait en savoir plus, alors il s'approche et reconnaît l'homme qui contrôle les entrées et les sorties, qui s'occupe de l'embarquement. C'est l'acteur Le Vigan, un collaborateur comme lui, qui l'a accompagné dans sa fuite en Allemagne. A l'époque où Céline écrit, Le Vigan est déjà parti pour l'Argentine où il mourra sans jamais revenir en France. C'est donc un spectre qui est là, un spectre de plus, et c'est aussi bien Céline lui-même qui se trouve à la tête de ce corbillard flottant. Le Vigan lui montre sa sacoche pleine d'or :

« — Alors, t'encaisses ?

— Tu parles !... et que du dur ! le dur !... le dur !... la barque à Caron ! tu penses !...

Je veux pas avoir l'air étonné... même je trouve ça tout naturel...

— Bien sûr !... bien sûr !...

— La barque à Caron ?... tu sais bien ?

— Oh, oui !... oh, oui !... évidemment !

— Maintenant tu vois c'est celle-là !

(...)

— Alors dis, c'est des morts tout ça ?

Que j'en aie le cœur net...
— Tous ceux qui montent?
— Qui veux-tu que ce soit [5] ? »
Et un peu plus loin :
« — C'est des morts alors ces mecs-là?
— T'as pas vu?... tu sens pas le relent [6] ? »

Il s'agit donc, sous les espèces de Le Vigan, de Céline lui-même se faisant payer, c'est-à-dire touchant son salaire d'écrivain sous forme de rédemption, en embarquant tout un monde, toute une fourmilière de morts vers l'« outre-là » comme il dit. La scène est d'autant plus étonnante qu'il prend soin de la rendre réaliste, avec le brouillard, la nuit, son chien pétrifié qui n'aboie pas et l'odeur surtout : « l'odeur que vous vous trompez pas... surtout moi!... moi, dirais-je... qu'ai fait vingt-cinq ans de "constats" [7]!... ». On a là enfin la silhouette définitive de Céline comme médecin des morts. Libéré de l'obsession de vouloir guérir qui que ce soit. Ce qui donne cette mise en scène ironique de jugement dernier rythmé par le claquement des coups de rames de Caron cassant les crânes des morts. Un jugement dernier à la sauvette comme il se doit à notre époque, sur un quai déshérité de la Seine, en pleine banlieue de Paris : «*vrang! brang!* Riches!... pauvres! les mères! les mômes dans les bras! *brang :* il leur sort la tête! si ça vole!... tu vois la rame?... là!... sa rame [8]! ».

La pensée de Caron, le batelier de la mort, fils de l'Erèbe et de la Nuit, l'occupe depuis la fin de la guerre. *Féerie 1* a été le premier de ses livres à porter comme titre éventuel *la Bataille du Styx*. C'est dans ce roman précisément, publié juste après l'exil, qu'on voit apparaître pour la première fois la figure du nocher grec des enfers :

« Je mérite d'être traité effroyable... ce que j'ai saccagé! bouzillman!... du plus loin que me verra Caron : "Arrive!" qu'il me fera... et vlaouf!... ma gueule... sa rame!... vlaouf! encore!... le règlement de mes goujateries!... Oh, faut que je me hâte, nom de Styx [9]!... »

Dans la tétralogie, la perspective change un peu parce que Céline n'a plus besoin d'être jugé, il l'a été, il est passé au-delà du jugement, de l'autre côté ; il lui reste à y faire passer tous les autres morts.

Pour mesurer encore mieux le chemin parcouru, il faut se souvenir d'une scène assez proche dans *Voyage* [10] où les morts apparaissaient à Bardamu en nuée tourmentée au-dessus du trou noir des banlieues ouvert par-delà Montmartre. Quinze ans plus tard et la seconde guerre terminée, la nuée des disparus n'est plus dans le ciel, elle flotte dans un bateau-mouche à portée de main. Dans ses premiers livres, les notions de vie et de mort étaient encore bien séparées, ce qui lui permettait d'arranger des personnages traditionnels comme Robinson ou les Henrouille, et un peu plus tard, même, de prétendre défendre la vie contre la mort dans les pamphlets. Quand il écrit *D'un château l'autre,* il s'est passé bien des choses qui ont définitivement réglé le problème : la Libération, l'exil, les onze mois de prison, le baraquement de Klarskovgaard, le procès par contumace, l'indignité nationale, la confiscation de ses biens et les campagnes de presse contre son retour en France. Il est vieux, il a été pillé, ses livres sont déjà enterrés dans les caves de Gallimard, l'histoire qui continue achève d'embrouiller ses souvenirs les plus proches (dans ses romans sur la fuite en Allemagne, il n'arrête pas de se poser la question : aujourd'hui, telle ville ou tel village sont-ils en deçà ou au-delà du Rideau de fer ? Leur nom a-t-il été changé, etc.). Il est posthume à tous les points de vue et la place qu'il revient occuper à Meudon est en quelque sorte une place vide d'où il peut voir l'humanité balayée par un silence hors-histoire et hors-monde où les parlants entrent puis sortent, bal des *étants* vampirisés, comédie trans-humaine rythmée par les coups de rame du croque-mort suprême. Alors, il place sa tétralogie sous le signe de Caron et en même temps il donne la réponse à la question qui consistait à chercher un moyen de faire transhumer l'espèce vers sa mutation inévitable. De toute évidence, Céline pense à Dante et au troisième chant de *la Divine*

Comédie, où à travers la rumeur des «langues de toutes races et paroles horribles, / mots de douleur et accents de colère», Caron donne cet avertissement : « n'espérez point de jamais voir le ciel : / à l'autre bord je viens pour vous mener, / dans la nuit éternelle, et le feu, et la glace». «Et de sa rame il bat chacune qui s'attarde [11]. »

Mais comment récrire Dante? Peut-être que ce que nous prenons pour une disparition de la théologie ne provient que d'un changement dans la perspective eschatologique, ou plutôt d'une disparition de toute perspective eschatologique, à savoir que l'eschatologie, c'est-à-dire les fins dernières, la science de ces fins, la possibilité de les calculer, serait entièrement là à présent, déjà là, arrivée à la crête de ces massacres et de ces entassements de cadavres qui forment comme le ventre et le centre du siècle. La «comédie» de Dante ne pourrait plus être récrite comme projection dans le futur d'un règlement de comptes général. Elle devrait être montrée comme ayant lieu aujourd'hui, ici, aux différents étages des sociétés comme dans les différentes manifestations de chaque parcelle de sujet. Le problème étant que nous sommes tous désormais des morts-vivants ou des vivants-morts séparés par des cimetières. C'est cette rumeur de ruche d'enfer qu'emporte la barque de Céline et son écriture de nautonier, de nocher de l'époque atomique et télématique. C'est d'ailleurs ce qu'il dit lui-même quand il accuse ses célèbres prédécesseurs, spécialistes de la question, de n'avoir pas été à la hauteur du déploiement de la fourmilière effective : « Pétrarque, Dantus! Homère! Prout Prout! bout bout! l'iniquité du fond des âges! Ils imaginaient des Enfers, nous il est là! et pas plein de démons un petit peu! en hordes, foules, myriades! tétant plein le soufre! que les rats en crèvent!... pauvres petites bêtes!... voilà ce qui se passe dans l'égout [12]... » Un simple déplacement, presque invisible — l'arrivée en éboulement du quantitatif — en changeant toutes les données a fait advenir au présent l'eschatologie. Il ne s'agit plus que d'un problème de transport, de déménagement.

S'il y a encore un semblant d'unité dans cet exode du pêle-mêle, il est assuré par les flots de souvenirs fantômes. Mais eux-mêmes en transitant sont devenus comme des pièces dépareillées, inutilisables, des débris d'oubli : « mon histoire, si peu aimable !... à la chronique de ces espaces de boues et chaumes... aux petits faits, gestes et épouvantes de tous ces gens si disparus... comment ?... où ? de ces villages [13] ?...». Et aussi : « dans cette Sargasse des souvenirs je trouve de tout... beaucoup de corps entre deux eaux qui s'effilochent... des corps de personnages célèbres... et des corps de truands... minables... au mouvement des algues... tous... en remous... tourbillons [14]...». Il s'agit donc de déployer le plus de scepticisme possible sur la dialectique élémentaire de l'espèce, sur son balancement entre vie et mort. A la lettre, la tétralogie est un long *permis d'inhumer* autographe qui n'a pas de prix : « Ils trouveront moyen de s'acheter des petites autos "atomiques" avec mes "permis d'inhumer" ! et joyeuses vacances [15] !» D'où une insistance, plus que jamais, sur son rôle de médecin à travers tous ces livres. Il y a les seringues, les médicaments, les consultations, il aide même une femme à accoucher dans un train bombardé. Il n'existe plus aucun remède possible, c'est pour cela qu'il peut redevenir une parodie de médecin. Pour mieux montrer par contraste la catégorie de l'incurable dans laquelle tout est engagé. Avec, à la fin, à Meudon, ses malades qui se moquent de lui : *D'un château l'autre* se termine sur deux cancéreuses qui l'appellent « Dr Haricot ».

Pourquoi y a-t-il tant d'onomatopées dans ces quatre derniers livres, et particulièrement dans *Féerie 2 (Normance)* ? Souvenons-nous du bruit que faisait le martèlement de la rame de Caron sur les crânes des morts : « et vlaouf !... ma gueule... sa rame !... vlaouf [16] !». Ça, c'est un son que personne ne peut prétendre avoir entendu, sauf Céline. Mais le vacarme des alertes aériennes, en revanche, tout le monde le connaît ou l'imagine facilement et c'est presque la même chose : «*Brroum !* un ébranlement juste de l'immeuble... (...) *Vromb !* on est raplatis ! replaqués [17] ! » Il y en a comme cela des centaines de pages qui viennent toutes du claquement imaginaire de la rame de Caron. L'espèce s'embarque pour la tétralogie au rythme de ces coups de gong, de cette musique pour descente aux enfers. Il y a là une première amplification de la mise en scène du Styx qui éclaire le sens profond des derniers livres comme décision de passer avec toutes les populations du globe dans l'au-delà, dans l'autre ère. Mais ce n'est pas le seul exemple.

Après l'ouverture — *Féerie 2 (Normance)* en forme de précipitation de météorites, chaos et fracas annonçant l'angoisse de l'espèce, son angoisse paléo-biologique à aller s'éparpiller un peu plus loin — les trois autres livres racontent un zigzag de neuf mois à travers l'Allemagne. Parti de France en juin 1944 avec sa femme et le chat Bébert, Céline débarque à Baden-Baden en juillet. *Nord* couvre la période comprise entre juillet et octobre, c'est-à-dire : le séjour à Baden-Baden, un voyage à Berlin et l'installation à Neu Ruppin, un village du Brandebourg. *D'un château l'autre* enchaîne sur les cinq mois à Sigmaringen, de novembre 1944 à mars 1945. Quant à *Rigodon* qui prend chronologiquement en tenaille *D'un château l'autre*, il raconte d'abord le voyage vers Sigmaringen au début de novembre 1944, traversée nord-sud de l'Allemagne par Berlin, Leipzig, Ulm, etc., puis la remontée finale en mars 1945 de Sigmaringen au Danemark, traversée sud-nord de trois semaines par Ulm, Kassel, Göttingen, Hanovre, Hambourg, Flensbourg, et enfin Copenhague.

Le moyen de transport, le train, a une importance énorme. Il joue ici un double rôle. Il est à la fois l'équivalent sur sol ferme de la barque de Caron, et la généralisation du « métro émotif » de l'écriture, l'application romancée de sa conversion au gouffre de négativité du métro. Il est l'image même de la fusion d'un sens et d'une forme. Céline y modèle son rythme : « *tchutt ! tchutt ! tchutt !* on avance quand même... je vous fais la locomotive [18]... ». Ces trains n'arrêtent pas de montrer que l'espèce va et vient, pour rien, dans des aller-retour piétinants jalonnés de gares léthargiques : « la vie sur la terre a dû commencer dans une gare, une stagnation [19]... ». Trains de soldats, trains de blessés, trains de morts. Une fois de plus Céline rejoint Pascal qui se doutait que l'humanité est embarquée. Mais comment le lui dire ? « Il n'est pas étonnant que des personnes qui suivent un traitement psychanalytique expriment dans le rêve les pensées et les espoirs qu'il provoque. L'image choisie pour représenter la cure est ordinairement un trajet [20] », écrit Freud. Quand la psychanalyse s'opère à l'échelle de l'espèce sous la pression de la pulsion de mort manifestée en direct dans le ciel et sur la terre, il en sort autre chose qu'une psychanalyse, quelque chose qui approche la révélation eschatologique. Les trains des derniers livres qui n'arrêtent pas de remonter vers le nord, vers le pôle nord, sont l'expression du rêve de l'humanité qui refuse en rêve de se savoir embarquée pour le grand voyage. Il y a à cet égard une séquence fantastique dans *D'un château l'autre*, avec une sorte de convoi-fantôme, un train de luxe wilhelminien immobilisé cinq jours en pleine forêt de sapins dans le blizzard et la neige, dont les passagers finissent par mettre à sac les housses, les tapis, les cordelières, la mousseline. Ils s'entortillent dans les guirlandes, s'emmitouflent dans les falbalas, en plein rêve de carnaval au milieu du désastre général.

Trains de jugement dernier emmenant les vivants, brûlant les étapes pour en arriver à la démonstration des fins dernières, c'est-à-dire le fatras indénouable des morts noués aux squelettes des vivants et des vivants tués sous le concentré des morts. Trains « bourrés de tout, blessés, voyageurs et cadavres, impossible de les détacher, trop agglutinés, emmêlés... de la plate-forme les cinq artiflots se défendent... à coups de piquets de mine... *flach !*... et *brang !*... sur toutes les mains qui se présentent... *ouach !*... si ça hurle [21] !... ». C'est exactement la suite de la séquence du bateau-mouche funèbre de *D'un château l'autre*. Il faut de toutes les façons montrer comment les gens sont en train de passer sans le savoir dans quelque chose qui n'a plus rien à voir avec la vie.

Maintenant, le tableau de ces trajets, de ces convois d'écriture, ne seraient pas complets sans les bombardements. J'ai déjà dit que les bruits d'onomatopées transcrivant les coups de rame contre les têtes des morts étaient une introduction au fracas des bombes giflant les humains, les éparpillant en tout petits morceaux de cadavres. Non seulement le voyage est en zigzag dans un continent sens dessus dessous, mais encore du ciel pleut un supplément de mort, comme la rythmique même de l'eschatologie qui consisterait non pas à démontrer tout de suite la fin de tout, mais plus cruellement à montrer toutes choses comme jamais assez mortes, jamais assez pilonnées et fractionnées. Il y a dans *Rigodon* un impressionnant train coincé sous un tunnel par les assauts de l'aviation anglaise. La successivité vie-mort s'abolit sous les percussions du bombardement, les voyageurs perdent leur poids de chair, volent, rebondissent comme un tourbillon de damnés dans le coin d'un tableau représentant la chute des corps : «un coup d'air lui coupe la parole... air noir plus suie qu'air... et que nous sommes envoyés planer par-dessus les familles... et en même temps un autre souffle... de l'autre bout du tunnel... je me rendais pas compte ! ils sont à le défoncer le tunnel... crever la montagne et la voûte !... par chapelets de bombes... tout éventrer jusqu'à nous, jusqu'à notre train ! (...) le dur se trouve poussé à chaque bombe... et d'en haut !... et repoussé d'en bas ! renvoyé !... *vrring !*... le train "Luna Park"!... pas pour rire !... l'accordéon ferroviaire [22] !». C'est aussi le roman lui-même qui est ce tunnel bourré d'humanité flamboyant dans le phosphore : «tunnel ! charnier, j'ai dit, pour mères et loupiots et vieillards qui venaient de ces pays disparus, péribaltes, subpoméranes, laponides et d'encore plus haut [23]... ».

Aujourd'hui que notre vérité est devenue ce que Michel Serres a appelé la «thanatocratie», la tétralogie de Céline prend son sens de préface d'opéra pour un XXIᵉ siècle sans possibilité de paix et peut-être sans guerre non plus. «Le gouvernement mondial est en place. *La Thanatocratie.* Le gouvernement de la mort. Les bombes orbitales entourent la planète, comme le boulevard des maréchaux encerclait Paris. La fin de l'histoire, le triomphe de la Raison [24]. »

Le stockage des armes de fission, la dissémination des armements atomiques, la pression irréversible des arsenaux de mégatonnes, ont poussé, tout de suite après la Seconde Guerre mondiale, les sociétés dans le mauvais rêve pâteux de l'attente de la troisième qui n'a même plus besoin d'arriver pour être là. Dès *Féerie 2 (Normance)*, Céline, évoquant des bombardements presque inoffensifs à côté de ceux qui paraissent nous attendre, a mis au point une écriture de réactions en chaînes se développant de façon exponentielle en provoquant des effets thermiques ou sismiques, des effets de choc ou de souffle d'une efficacité inégalable pour faire entendre le Mal sous sa forme contemporaine de pluie de feu universelle, de panspermie. D'où l'orchestre des onomatopées. On a écrit que *Féerie 2 (Normance)* était son seul ballet réussi. Ce qui veut dire que le seul ballet qui ne pouvait plus se rater dès cette époque était le ballet des bombes, la recréation du monde dans la danse technique et pyrotechnique. Que la guerre soit une grande artiste, Céline n'en doute pas. Elle n'arrête pas de lui arracher des cris d'admiration, tant elle met de science hystérique à innover à partir de la trame des éléments connus, à faire accomplir à la terre sa vraie métamorphose.

« — La Terre est retournée !

J'annonce... je leur annonce ! au moins cent fois que je vous le clame à vous [25] !... »

Il faut apprécier là les effets du passage dans la nouvelle ère, la déformation de tout, « les immeubles allongés, étirés, loukoums [26] !... », le travail de renversement des phénomènes par le procédé de la « fantascopie » : « y a toute une cité dans les airs ! en l'air ! à l'envers !... en plus des boulevards extérieurs... et des bouts de banlieue et des gazomètres... et des cheminées d'usines en torches... en chandelles [27] !». Pour Céline c'est de toute évidence une *date :* « J'ai vu des orages tropicaux ! J'ai vu des

217

bombarderies d'autres guerres qu'étaient vraiment retourneuses du sol et des paysages, mais des déploiements de fureurs volcaniques féeriques pareils demandent que l'Esprit participe !... abjure le Bien ! appelle au Mal [28] !» Pour le compte, il s'agit d'un pas en avant dans l'évolution, d'un progrès, un progrès dans le Mal. La position morale de Céline est ici très évidente. Dans cette nuit de déluge où l'électricité est coupée, c'est la guerre, en suprême technicienne, qui se charge d'éclairer le monde par ses balles dessinant des «sillons verts, bleus, oranges... serpentins... serpentins jolis !... et bigoudis crépitants [29]...» «le Luxembourg est plus qu'une rose ! une roseraie ardente [30] !...». Les avions empruntent littéralement les rues, les occupent : «un avion remonte juste hurlant du gouffre Marcadet... ils rentrent chez eux direction nord !... entre le Sacré-Cœur et le Beffroi [31]...». Et toujours le rappel qu'il ne s'agit pas d'un événement quelconque mais d'une manifestation définitive du nouvel *art :* «les grands ouvrages d'art : au ciel !... les résilles florales, pétales, chapelets crépitants, pardon ! et semis d'étoiles !... à petits astres coquins clignants [32] !». Cet art-là n'aura plus de fin et c'est la raison pour laquelle Céline invente l'écriture du mouvement perpétuel comme objection à l'art du Mal : «Je me répète ? oui mais les cieux se répètent aussi [33] !»

Et en même temps c'est un roman, on y trouve le bric-à-brac habituel de personnages, bibelots et décors, effets de locataires coulant les uns sur les autres dans l'avalanche des escaliers, cris, panique, Normance, Bébert, Lili, Jules le peintre cul-de-jatte joueur de bugle pour apocalypse, le paysage chromo des festivités touristiques, Butte Montmartre, Sacré-Cœur, Moulin de la Galette, etc. Et ses œuvres à la fin, ses propres manuscrits qui passent par la fenêtre, nuages de feuillets couverts de son écriture, prenant leur vol. Entre le champignon d'Hiroshima et les silos nucléaires commençant tout juste à se garnir, Céline réussit la mise en scène du bruit des bombes comme moyen de savoir d'où vient le rythme de toute guerre, cette hémorragie de la mort dans l'apparence de la vie. Le plus significatif, c'est que le bombardement décrit dans ce livre n'a jamais eu lieu. Il faut apprécier l'humour de Céline quand il prétend le contraire : « faut observer les phénomènes d'une attention plus que sérieuse, surtout quand ils sont "cataclystes" qu'on se permette pas de vous contester, dix !... douze siècles plus tard [34] !... ». Entre la deuxième et la troisième guerre mondiale, pourquoi met-il toute son écriture dans « des conditions de Déluge [35] » qui n'ont qu'un rapport très lointain avec ce qui a pu se passer dans l'histoire proche ? Pour faire sentir qu'on est désormais dans le non-représentable, dans un cauchemar effectif mais sans référent, et que l'écriture a maintenant à sonder quelque chose qui semble ne pas exister, qui n'est là que par la menace qu'il fait planer. *Féerie 2 (Normance)* prend de vitesse ce que personne n'est encore capable de percevoir et en invente la critique lyrique. Nulle part Céline n'est davantage dans la tradition de la grande morale qu'à partir de cet instant où il s'agit littéralement d'inventer le Mal, ou tout du moins sa figure la plus achevée, d'être en avance sur les effets pour désigner une causalité. La fin du siècle aura vécu en somme dans cette allusion anticipée. Quelle erreur d'avoir cru qu'il s'agissait d'une chronique de la Seconde Guerre mondiale !

Toute la houle d'anecdoctes de la tétralogie est poussée en avant par la nécessité de penser la grande scène du règlement de comptes futur : le panier de crabes de la crapule collaboratrice s'échangeant ses puces et ses aigreurs dans un château Hohenzollern ; la police nazie continuant à contrôler ses réseaux de persécution au milieu des immeubles écroulés, à ciel ouvert, portes débouchant sur le vide ; les visiteurs à Meudon, les Chinois à Cognac. La seule nécessité de penser l'apocalypse est déjà l'apocalypse, et cette pensée peut durer interminablement. La souveraineté est dans le ciel, avec ses loopings, ses fumigènes et ses balles traçantes, les onomatopées des bombes règlent le ballet, le reste n'est que faits divers : « déluges sur déluges !... autre chose que le Châtelet, je vous assure !... flammes, bombes nous, réelles ! je vous jure ! Göttingen, Cassel, Osnabrück! volcans éteints, ranimés, rephosphorés, rerémouladés!... *bing!* et *brroum!*... les faubourgs dans les cathédrales!... locomotives dans les clochers!... perchées! Satanbamboula! faut avoir vu [36]!...». Sade avait dressé en pyramides humaines les emboutissements et désemboutissements sexuels pour faire sentir l'exigence de poussée absurde et multiplicatrice du désir. Cent cinquante ans plus tard, Céline réussit un exploit du même genre en écrivant des milliers de pages sur les inépuisables ressources d'anéantissement que connaît aujourd'hui l'humanité : « de ces bouillabaisses de bonshommes, incendies, tancks, bombes! de ces myriatonnes de décombres [37]!...», «poutres rousties... viandes grillées [38]...», «par paquets de dix, quinze, hommes, femmes, entre bobines de barbelés, poutrelles d'acier, et encore des projecteurs [39]...», «et tout ce qui passait d'Est et du Nord, escadres sur escadres, allait pas verser des petits fours sur le paysage!... rien que la façon que tout tremblotait, les murs les étables, le plancher, on aurait pu pronostiquer nous aussi! les secrets!... que les dragées des "forteresses" retourneraient toutes les betteraves et les sillons, les nazis avec! hobereaux et vieilles filles et le Landrat et ses bracelets, et les travailleurs anti-volontaires, et les *bibel,* que tout ça irait parler aux nuages [40]!...», «dardants poignards faisceaux crus blancs [41]!...».

Céline parvient enfin à réaliser ce qu'il avait manqué dans les pamphlets : le projet de pacifisme qui court dans ses premiers livres et se dérègle en délire sacrificiel à partir de *Bagatelles,* c'est-à-dire dès qu'il s'agit de légiférer. A la guerre qui a pour but d'éteindre la langue, la tétralogie, dans sa langue qui dit la guerre, oppose un non catégorique.

«— Tu sais Ferdinand les *braoum...* je les ai comptés!... tu sais combien il y en a eu?

— Non!... dis-le-moi!

— Deux mille deux cent quatre-vingt-sept!... tu peux pas dire moins!

— Non! Certainement!

— Eh bien!... je me goure! trois mille quatre cent quatre-vingt-douze!...

— C'est un chiffre [42]! »

Le dépassement de la nausé de la guerre et le début de sa critique commencent par ce calcul.

Le plus dérisoirement drôle, c'est que le trajet en zigzag de la tétralogie est dirigé. L'errance est aimantée. Céline n'est pas parti pour rien digresser géographiquement dans le labyrinthe agonique de l' « Allemagne en folie nihiliste [43] ». Comme tout le monde, il croit que le voyage a un sens, qu'une intention oriente sa vie. Quelle intention ? La plus banale qui soit : *l'or,* l'or qui est au *nord* de l'Europe, son argent, ses droits d'auteur convertis en lingots et confiés à une amie danoise de Copenhague. C'est pour cela qu'il est parti, pour aller chercher tout là-haut, dans la direction du pôle, sa fortune, le produit converti de son travail d'écrivain. Comme si cette irrémédiablement sombre histoire de bombes, de trains et de morts devait tout de même pour lui avoir une fin cohérente, positive. Bien longtemps après qu'a été bouclé le cycle des mythologies — or des tombeaux pharaoniques, mines du roi Salomon, eldorados, conquistadores, pillages, gisements, filons, ruées, étalons, Incas — l'or de Céline a été enfermé dans une boîte à biscuits enterrée sans gloire dans un jardin danois. Et d'ailleurs, la biographie nous donne la morale de la fable : cet or, il ne le reverra jamais, il a été dépensé, il a disparu. Je pense aussi à l'or alchimique d'immortalité obtenu par purification et torture des métaux : il est beaucoup trop tard pour l'immortalité, la boîte à biscuits n'est pas l'athanor. L'or est ce *reste* que préférèrent un temps les Hébreux à la pierre gravée du Décalogue rapportée par Moïse du Sinaï. L'or est ce *Veau,* cette *ordure.* L'œuvre de Céline est ainsi prise entre la minable prière « vengeresse et sociale [44] » qui ouvre *Voyage* et qui s'intitule justement « les Ailes en or », et la boîte à biscuits volée, la lettre d'or volée à la découverte de laquelle vont se perdre les derniers livres. On [45] a dit que *Mort à Crédit* était habité par cette obsession jusqu'au cœur des signifiants : Gwen-

221

d*or*, Gor*loge*, N*ora*, Kro*gold.* Les pamphlets hurlent que les Juifs « ont tout l'or[46] ». A la fin, la hantise de la valeur-refuge aimante le réfugié : « j'en avais parlé à personne mais j'y pensais je peux dire depuis Paris... même mon idée depuis toujours, preuve que tous les droits de mes belles œuvres, à peu près six millions de francs, étaient là-haut... pas au petit bonheur : en coffre et en banque... je peux le dire à présent *Landsman Bank*... *Peter Bang Wej*... ça risque plus rien[47]... ». Voilà comment s'explique que l'écrit ne peut commencer qu'au terme de l'échec de la ruée vers l'or. Personne ne l'a, cet or que Céline croyait naguère voir briller dans les mains des Juifs. Personne ne l'aura jamais. La boîte à biscuits pleine de lingots était encore un tabernacle à idoles, même dégradé. Céline sort définitivement de la prière aux divinités de métal, et il se met à écrire ses derniers livres.

Il y a un autre délire déçu dans les romans allemands, c'est sa petite folie magnétique, son appel du *pôle :* « Vous confrère c'est le Nord ! votre idée fixe[48]. »

Dans le non-sens de la guerre, la recherche illusoire d'un sens se fait à la boussole : « est-ce que nous roulons vraiment nord ?... toujours ma boussole, je l'ai autour du cou, je veux pas qu'on me trompe !... oui, on va nord[49] !... » « Une chose, on roule !... et *pom ! pom !* et on roule nord !... (...) on s'arrêtera pas ! nord !... nord !... aucune raison qu'on s'arrête... nulle part[50] !... »

Céline remonte donc en zigzag la route des invasions à travers l'Allemagne et l'or du Rhin vers un or dérobé, caché dans la région des lacs glacés et du cercle polaire, dans la civilisation des sagas, de l'*Edda,* dans cette Hyperborée d'où les premières légendes grecques faisaient venir Apollon. Qu'on se souvienne de ce que j'ai dit à propos de son antisémitisme et de son antichristianisme : il s'agit une fois de plus de tracer une route culturelle et géographique échappant à l'axe judéo-chrétien, une ligne directe scandinave-grecque. Mais cette fois-ci c'est l'échec cuisant. Là-haut l'attend la prison, le démenti définitif de ses rêves.

Résumons : le nord, l'or, la mort. La tétralogie déploie cet immense pléonasme comme une démonstration logique : parler pour ne rien dire, ce serait croire que l'or n'est pas la mort ou qu'on peut retrouver le nord qu'on a perdu. Les bombes qui pleuvent sur cette illusion sont la ponctuation d'une langue qui sait que la langue des hommes fonctionne par pléonasmes. Mieux qu'il n'aurait pu le faire par aucune autocritique, Céline annule en profondeur ses pamphlets dans ses derniers romans.

Sertie dans la tragédie générale et lui correspondant point par point, il y a à travers la tétralogie une autre tragédie, privée, personnelle, celle du sujet de l'énoncé. Le sujet de l'énonciation, on l'a vu, il court sous les bombes, il se retrouve en prison à Copenhague, c'est Céline dans le cauchemar à vif, pendant qu'il n'écrit pas. Le sujet de l'énoncé, c'est Céline qui recommence à écrire vissé à Meudon dans une « paix » provisoire où la guerre continue, relatant moins le souvenir d'une horreur disparue qu'une horreur qui est là pour toujours tandis que lui est de moins en moins là. D'où le côté veilleur de nuit dans son sarcophage, soldat-ectoplasme dans sa guérite dérangé par les coups de téléphone. Il y a ici un autre roman qui peut se lire comme démonstration de la manière dont on vous traite en temps de « paix ». Comment on vous escroque, bombarde, tue sur pied, débite. Sollers l'a noté, « Céline écrit ses trois derniers livres, énormes, en se payant le luxe d'insulter à longueur de pages son éditeur qu'il appelle Achille Brottin. Là, il y a un rapport de forces extraordinaire avec Gallimard [51] ».

Il faudrait commencer par se demander pourquoi, avant guerre, Céline n'a pas ressenti la nécessité de traiter Denoël, son premier éditeur, avec la même agressivité. Bien sûr, de temps en temps il l'engueule, il dit que ses comptes de droits d'auteur sont des « faux notoires et tarabiscotés [52] », il exige des pourcentages draconiens : « Sinon pas plus de *Mort à crédit* que de beurre au cul [53] », etc. Mais c'est après guerre que le ton se durcit, les éditeurs sont appelés « acrobates d'arnaque [54] », Gallimard « pense coffre », c'est un requin aux « dents de radiateur!... et la formidable carapace luisante, huileuse [55]!...», il est grossier, vulgaire dans ses exigences : «— Mettez-moi le «Voyage» en vingt mots!... avec photos [56]!...», c'est «l'achevé sordide épicier, implacable bas de plafond con... il peut penser que son pèze! plus de pèze! encore plus! le vrai total milliardaire [57]!». La *NRF* est surnommée «Revue Ponctuelle d'Emmerderie» ou «Revue Crottière [58]», Loukoum (Jean Paulhan) a la «diction cloaque [59]», Brottin fait des «pactes d'Apocalypse! pour qu'on m'achète pas!... il me garde dans sa cave, il m'enterre [60]...» La Pléiade enfin est «le plus compact des charniers [61]».

Avant guerre, Denoël n'était stigmatisé que pour son insuffisance intellectuelle :

«Voilà Denoël qui s'apporte hors de lui!...

— Mais dites j'y comprends rien du tout! ah! mais c'est terrible! pas possible! je n'y vois que des bagarres dans votre livre! C'est même pas un livre! nous allons tout droit au désastre! Ni queue ni tête!

Je lui apporterais le *Roi Lear* qu'il y verrait que des massacres. Qu'est-ce qu'il voit lui dans l'existence [62] ?»

Comme tout le monde, Denoël ne sait pas lire, il prend le symbolique pour la réalité. Les massacres écrits, c'est-à-dire tout autre chose que des massacres, l'empêchent de voir la présence des massacres pas du tout imaginaires du monde que dévoile l'écriture. On est encore dans une critique de type littéraire. Il faut la guerre pour que la perspective change, que toute la structure éditoriale apparaisse à Céline comme une entreprise de pompes funèbres dirigée par un gang de racketteurs. L'héritière de Denoël est carrément traitée de voleuse : «Elle m'empêche de bouffer, elle me kidnappe mon travail, un travail sacré [63].» Il y a un enterrement éditorial contre lequel désormais Céline écrit :

«Quand j'aurai le premier «Féerie» prêt, ce sera :
10 000 «Voyage»
10 000 «Mort à Crédit»

10 000 « Casse-pipe »

25 000 « Féerie »

Soit 55 000 fois 18 % de droits d'auteur, cash, là, boum, sur la table, avant de tâter le manuscrit [64]. »

L'image de ses livres dans les caves devient obsédante : « Gallimard en a des tonnes, de mes livres, il ne sait pas où ils sont. Il essaie bien d'en balancer à la Seine, y en a trop, alors il les envoie dans les caves en province, il ne se rappelle jamais où [65]. » Céline sait parfaitement que l'argent n'est qu'un moyen très approximatif de conversion de la valeur d'une parole d'écrivain. Comprenant donc qu'il ne sera jamais payé le prix qu'il faut pour le travail qu'il fournit, il propose qu'on le paye pour ne plus travailler, pour ne plus écrire une ligne : « Si votre journal m'offrait une rente à vie de 100 000 francs par mois, je renonce à tout, oui, j'interdis qu'on m'imprime, avec plaisir, avec joie [66] ! » Et aussi : « j'ai inventé un style, ça vaut bien cent mille par mois... et je pourrais me passer de Gallimard, prendre ma retraite [67]... »

Brottin, c'est presque crottin, le fumier de la « poubellication », comme dit Lacan. Il ne me paraît pas indifférent que ce soit dans des livres racontant des transmigrations de mourants que Céline radicalise ainsi le conflit. L'édition est le transport en commun de l'écrivain mort, le camionnage du ci-devant vivant transformé en fret d'écriture. L'édition *roule* l'écrivain et l'écrivain ne peut pas vivre de ce qu'il écrit, c'est un fait nouveau, un fait du XXᵉ siècle sur lequel Céline est beaucoup moins pudique que la plupart de ses confrères. On pourrait lire les derniers romans comme tentative de révéler ce drame en le transposant par exemple dans la fable des trains véhiculant leurs cadavres et leurs agonisants sur les chemins du pôle. Fable elle-même commentée sans fin par la fable éditoriale. Il faut citer dans sa totalité la lettre que Céline écrit à Gallimard le 2 octobre 1956, protestation verticale contre le moyen de transport :

« Ce qui n'est pas du rêve, vous le dites fort bien, c'est que mon compte chez vous est toujours horriblement débiteur.

Ce qui n'est pas du rêve non plus, c'est que vous ne faites aucune publicité pour mes livres, ni rédactionnelle, ni visuelle, ni dans votre calamiteuse NNRF, et qu'ainsi il serait bien surprenant que l'on sache que j'ai publié chez vous...

La grande surprise !...

Ils sortent du rêve ! tous les gens que j'interroge, des centaines, lorsque je leur révèle que j'ai publié, et des gros livres, chez vous, depuis mon retour du Danemark.

Vous les maquereautez mes rêves, n'en dites pas de mal ! Sans mes rêves vous ne seriez rien ! ni vous ni votre smala d'abrutis minus !

Vous, ne rêvez pas !

C'est pas votre métier ! Vous n'y comprenez rien ! Votre métier c'est de faire valoir les rêves ! désastreux épicier [68]. »

La tétralogie est un conflit dans les transports. Pour finir, Céline embarque l'éditeur aussi dans la barque-fantôme de son écrit, il véhicule le véhiculeur, il en triomphe à sa manière en l'entraînant au pays de ses ombres. En somme il édite l'éditeur :

« Le roi de l'Édition ça s'appelle !

Caron le sortira de réflexion ! et à l'aviron, belle Madame !... vrrang !... brang [69] ! »

De même que les trains de mourants traversant l'Allemagne viennent finir leur voyage dans le transport éditorial, dans les messageries diaboliques de l'éditeur elles-mêmes réembarquées dans le convoi des romans, de même les bombes sur Paris, Berlin, Ulm ou Hambourg, disparaissent dans l'impensable dernier conflit, l'atomique : « Vous verrez demain la terre tourner cendres et platras, cosmos de protons [70]... » Dissolution d'une représentation dans l'autre. Le déferlement des hordes barbares, le retour de la sauvagerie, du « Cirque », des « mises à mort dégoulinantes », « tombereaux de têtes coupées », « héros ! verges en bouche ! », « brouettes d'yeux », « vivisection des blessés », la réapparition d'une bestialité datant de « trois cents ans avant Jésus [71] », tout cela s'emboîte comme écho de la guerre à venir dans l'écho de la guerre passée. Faire rentrer l'humanité malade dans la répétition de sa maladie. Malaxage des fins avec les commencements. Il y a eu ceci, il y aura cela et c'est la même chose. Pour apprécier toute la différence avec la littérature apocalyptique des siècles passés, il faut se rappeler ces prophéties de Bloy, à la fin du XIXe siècle, qui obsédèrent Céline :

« Toute grandeur est exilée au fond de l'Histoire et si Dieu veut agir manifestement, il faudra bien qu'Il agisse de *Lui-même*, victorieusement comme il y a deux mille ans, lorsqu'Il ressuscita d'entre les morts.

J'attends les Cosaques et le Saint-Esprit[72]. »

Cinquante ans plus tard, Céline corrige et parodie : « moi qu'en connaît bien plus que lui [Bloy] que vous direz que je clame, exige " la plus forte bombe et les Chinois ! "[73] ». Bloy demandait la fin de la civilisation puis le jugement dernier. Céline annonce seulement la fin de la civilisation puis la fin de la civilisation, sans fin.

Toute une vie d'écriture pour apprendre qu'il n'y aura pas d'issue paraclétiste ? Pourquoi pas ? Le jugement a lieu en permanence dans l'apparence du non-jugement, de la neutralité. Il s'appelle corruption des choses, entropie. L'or qui brille au nord dans une boîte à chaussures se volatilise, se change en prison, tourments, assignation à résidence sur les rives glacées de la Baltique. La mémoire brasse, sans jamais trouver la paix, une rumeur de mort. Il n'y aura pas de jugement dernier parce qu'il n'y aura pas de dernier mot. Il y aura, en revanche, une dernière couleur, un écrabouillage des valeurs chromatiques, les « jaunes » et les « noirs » faisant avec les « blancs » une marmelade brunâtre, organique. La couleur a jadis émergé de la boue excrémentielle comme s'il s'agissait de transposer le cloaque de notre naissance effective. Elle retourne à la nuit glauque, aux humeurs. L'apocalypse est cette mélasse, cette extinction des feux sur fond de feu atomique, ce plongeon au champ d'épandage. Le tableau coule, les tons se mélangent. J'ai parlé des relents de racisme qui traînaient dans cette ultime vision. Mais Céline y dit encore autre chose : que le jugement dernier n'aura pas lieu parce qu'aucune parole souveraine de vérité ne peut plus triompher de la frénésie des hommes. L'apocalypse est l'abandon progressif de la parole au profit du dégoulinage non verbal, de la compote des peaux, du balbutiement forniquant des amibes. La victoire du chœur sur le choryphée.

Au bord du désastre, une ultime vibration lance encore son signal. Céline sait qu'il appartient à une espèce en voie de disparition : « ils achèteront plus tard mes livres, beaucoup plus tard, quand je serai mort, pour étudier ce que furent les premiers séismes de la fin, et de la vacherie du tronc des hommes, et les explosions des fonds d'âme... Ils savaient pas, ils sauront !... un Déluge mal observé c'est toute une Ère entière pour rien !... toute une humanité souffrante qu'a juste servi les asticots [74] !... ».

L'écoute acharnée du cataclysme, malgré les effets déplorables qu'il a parfois tenté d'en tirer, lui a donné le sixième sens du *savoir immédiat :* « dans les circonstances pires tragiques vous avez le savoir immédiat !... passé, présent, futur ensemble !... la chiasse ! le sixième sens existe très bien, mais faut des conditions sismiques [75] ».

Il n'a cessé de chercher à passer « de l'autre côté de la vie [76] ». Écrire lui paraissait un moyen approprié à ce sauve-qui-peut personnel : « Pour moi, on était autorisé à mourir, on entrait quand on avait une bonne histoire à raconter. Alors on la donnait, et puis on passait. *Mort à crédit,* c'est symboliquement ça. La récompense de la vie étant la mort... vu que... c'est pas le bon Dieu qui gouverne, c'est le diable [77]... » Il n'a accumulé l'écriture — péripéties, dialogues, personnages — que pour tenter d'entendre dans ses interstices l'écho grandissant de sa propre disparition : « ce qu'on ne voit pas qui compte dans la vie, ce qui se voit s'entend n'est que mascarade, coups de gueule, théâtre [78] !... ».

S'il n'y a pas eu deux Céline c'est que celui des pamphlets se trouvait à l'intérieur de l'autre comme une maladie du corps à l'intérieur d'une âme, comme un étant à l'intérieur de l'être.

COMMENT SURVIVRE A LA MODERNITÉ ?

Lentement, livre après livre, Céline s'est guéri lui-même par ses livres de sa propre maladie qui consistait à vouloir guérir autrement qu'en disparaissant dans des livres. C'est une tragédie intégralement littéraire.

Et finalement il a réussi. Il est devenu le *passeur* du siècle, notre écrivain-psychopompe. Dans *Voyage* c'était Robinson qui l'entraînait vers les abîmes, « plus loin encore, et plus loin [79] ». A la fin, devenu le *lointain* lui-même, le *loin* incarné, il est parvenu à s'évanouir restant là dorénavant au milieu de la fureur historique comme l'angle mort de l'espèce :

« Je serai envoyé foutre, bourré d'autre outrages, chassé du ``cimetière``...

(...)

Déjà mon père et ma mère ont pas tenu au `` Père-Lachaise ``, on leur a effacé leurs noms [80]... »

Octobre 1979 - février 1980.

NOTES

1. Cité in *Romans II*, Pléiade, p. 965.
2. *BM*, p. 374.
3. *CA*, p. 66-67.
4. *Ibid.*, p. 67.
5. *Ibid.*, p. 74.
6. *Ibid.*, p. 76.
7. *Ibid.*, p. 84.
8. *Ibid.*
9. *F1*, p. 130.
10. *V*, p. 359 *sq.*
11. Dante, *La Divine Comédie*, Garnier, 1966, p. 22-23.
12. *F1*, p. 152-153.
13. *N*, p. 619.
14. *R*, p. 838-839.

15. *F2*, p. 141.
16. *F1*, p. 130.
17. *F2*, p. 46.
18. *CA*, p. 284.
19. *Ibid.*, p. 159.
20. S. Freud, *L'Interprétation des rêves*, PUF, 1967, p. 350-351.
21. *R*, p. 736.
22. *Ibid.*, p. 765.
23. *Ibid.*, p. 767.
24. M. Serres, *Hermès III. La traduction*, Minuit, 1974, p. 80.
25. *F2*, p. 152.
26. *Ibid.*, p. 114.
27. *Ibid.*, p. 58.
28. *Ibid.*, p. 27.
29. *Ibid.*
30. *Ibid.*, p. 111.
31. *Ibid.*, p. 22.
32. *Ibid.*, p. 150.
33. *Ibid.*, p. 23.
34. *Ibid.*, p. 354.
35. *Ibid.*, p. 19.
36. *CA*, p. 30-31.
37. *Ibid.*, p. 5.
38. *R*, p. 817.
39. *Ibid.*, p. 830.
40. *N*, p. 498.
41. *F2*, p. 24.
42. *N*, p. 633.
43. *R*, p. 759.
44. *V*, p. 12.
45. N. Hewitt, *Mort à crédit et la crise de la petite bourgeoisie*, in *L.-.F. Céline, Actes du colloque international d'Oxford, op. cit.*, p. 110 *sq.*
46. *BM*, p. 66.
47. *R*, p. 886.
48. *N*, p. 694.
49. *R*, p. 886.
50. *Ibid.*
51. Ph. Sollers, *Jazz*, in *Tel Quel* 80, 1979, p. 24.
52. In *Magazine littéraire* 116, 1976, p. 20.
53. *Ibid.*, p. 21.
54. *CA*, p. 291.
55. *EY*, p. 17.
56. *F1*, p. 315.
57. *CA*, p. 11.
58. *Ibid.*, p. 51.
59. *Ibid.*, p. 14.

60. *Ibid.*, p. 25.
61. *R*, p. 913.
62. *GB1*, p. 8.
63. P. Monnier, *Ferdinand furieux, op. cit.*, p. 31.
64. *Ibid.*, p. 88-89.
65. *CC2*, p. 44.
66. *Ibid.*, p. 24.
67. *Ibid.*, p. 42.
68. Cité in *Romans II*, Pléiade, p. 1008-1009.
69. *CA*, p. 17.
70. *Ibid.*, p. 253.
71. *N*, p. 304.
72. L. Bloy, *Au seuil de l'Apocalypse*, in *Œuvres de Léon Bloy*, Mercure de France,
t. 14, 1963, p. 181.
73. *N*, p. 560.
74. *F2*, p. 25.
75. *Ibid.*, p. 107.
76. *V*, p. 7.
77. *HER*, p. 147.
78. *R*, p. 832.
79. *V*, p. 374.
80. *Ibid.*, p. 926.

Chronologie

Sur la vie de Céline, l'ouvrage de François Gibault, Céline *(Mercure de France, 1977) est définitif. Malheureusement, seul le premier tome,* le Temps des espérances, *couvrant la période 1894-1932, est à l'heure actuelle publié. Pour le reste, on trouvera dans l'*Album Céline *de la Pléiade (Gallimard, 1977) établi par Jean-Pierre Dauphin et Jacques Boudillet des renseignements indispensables.*

Je me suis limité ici à rappeler quelques grandes dates de l'existence de Céline en les mettant en relation avec certaines étapes capitales de l'histoire contemporaine et certains épisodes de la pensée et de l'art, soit les manifestations de ce qu'il appelait la « vacherie universelle »...

1894 : Naissance de Louis-Ferdinand Destouches le 27 mai à Courbevoie. Père employé d'assurances. Milieu petit bourgeois. Conscience de déclassement. Du côté paternel, fantasme d'origines aristocratiques (le chevalier des Touches). Religion familiale du travail ; peur du lendemain.

> Le 15 octobre, Dreyfus est inculpé de haute trahison. Mallarmé : *la Musique dans les Lettres.* Jarry : *les Minutes de Sable Mémorial.* Rodin : *les Bourgeois de Calais.*

1895-1907 : En nourrice dans l'Yonne puis à Puteaux.
En 1899, installation des Destouches et de leur fils unique passage de Choiseul (le passage des Bérésinas de *Mort à crédit*). Vente de dentelles. Lingerie de luxe. Dîners de nouilles. Litanies antisémites du père. Louis-Ferdinand visite avec sa grand-mère, Céline Guillou, l'Exposition universelle de 1900.

> Zola : *J'accuse.* Découverte du radium par les Curie.
> Freud : *la Science des rêves.* Husserl : *Logique.* Ministère Combes : séparation des Églises et de l'État. Découvertes d'Einstein sur la relativité restreinte.

Après des études médiocres, obtient en 1907 le certificat d'études primaires puis part faire un séjour de onze mois en Allemagne.

> Picasso : *les Demoiselles d'Avignon.*

233

CHRONOLOGIE

1908-1913 : Marinetti lance le Manifeste du Mouvement Futuriste.

Séjour en Angleterre puis retour en France en 1910 et début de l'apprentissage commercial (bonneterie et bijouterie). Devance l'appel en 1912 et s'engage pour trois ans.

Kafka : *la Métamorphose*. Protectorat français sur le Maroc.

Rédige en 1913 les notes qu'on intitulera plus tard *Carnets du cuirassier Destouches*.

Proust commence à publier *A la recherche du temps perdu*.

1914-1918 : Début du premier conflit mondial.

Au cours d'une mission pour laquelle il s'était porté volontaire, le maréchal des logis Destouches est blessé au bras. Décoré de la Croix de guerre, il est envoyé en convalescence à Londres. Activités dans le contre-espionnage encore mal éclaircies. Premier mariage quasi clandestin avec une entraîneuse de bar, Simone Nebout, qu'il quitte aussitôt.

Naissance du mouvement Dada.

Engagé comme surveillant de plantation, part pour le Cameroun. Rapatrié en 1917. Travaille avec Raoul Marquis (le futur Courtial des Péreires).

Prise du pouvoir en Russie par les bolcheviks.

Fait en Bretagne une tournée de conférences sur la tuberculose pour la Fondation Rockfeller. A Rennes, quitte la Fondation pour se fiancer avec Édith Follet, fille du directeur de l'École de médecine de Rennes.

Armistice de Rethondes.

1919-1929 : Reprend à Rennes ses études interrompues en 1907. Baccalauréats puis examens de médecine jusqu'en 1923.

Joyce : *Ulysse*. Breton : *Manifeste du surréalisme*. Apparition du jazz en Europe. Début de la montée du stalinisme et des fascismes. Publication de *Mein Kampf*.

Mariage avec Édith Follet et naissance de l'unique enfant de Céline, une fille prénommée Colette. En 1924, soutient sa thèse sur Semmelweis puis entre au service d'hygiène de la SDN à Genève, sous les ordres du professeur Rajchman.

Marinetti, soucieux de libérer l'Italie du joug de la Papauté, publie une apologie de Mussolini : *Futurisme et Fascisme*.

Abandonne Édith et voyage aux USA, à Cuba, au Canada, en Grande-Bretagne et en Afrique. Divorce en 1926. Début de la liaison avec Élisabeth Craig. Rédaction de *l'Église*, qui provoque son renvoi de la SDN.

Freud : *l'Avenir d'une illusion*. Heidegger : *l'Être et le Temps*. Adhésion au PCF d'Aragon, Breton, Éluard et Péret. Artaud : *la Grande Nuit ou le Bluff surréaliste*.

CHRONOLOGIE

Entre au dispensaire municipal de Clichy et emménage rue Lepic. Commence à écrire *Voyage*.

> Claudel : *le Soulier de satin*. Faulkner : *le Bruit et la Fureur*. Krach de Wall Street et début de la grande crise économique mondiale.

1930-1940 : Nombreuses aventures féminines. En 1932, mort de son père ; *Voyage* est accepté par Denoël. Céline choisit son pseudonyme. *Voyage* rate le Goncourt, obtient le Renaudot.

> Hitler prend le pouvoir en Allemagne. Début de la « Longue marche » en Chine. Malraux : *la Condition humaine*. Purges en URSS. Jdanov y impose le « réalisme socialiste ». « Nuit des Longs Couteaux » en Allemagne. Aragon : *Hourra l'Oural !*

Traduction russe de *Voyage* par Elsa Triolet. Amitié avec Élie Faure, Bernanos, Barbusse, etc. Séjour à New York qui consomme la rupture définitive avec Élisabeth Craig.

> Lois antisémites de Nuremberg. Rupture de Breton avec le PCF.

Publication en 1936 de *Mort à crédit*. Scandale.

> Front populaire en France. Soulèvement de Franco en Espagne. Dos Passos : *USA*. Gide : *Retour de l'URSS*. Breton : *la Vérité sur le procès de Moscou*. Malraux : *l'Espoir*. Internement d'Artaud.

Voyage en Union soviétique. Rencontre de la danseuse Lucette Almanzor. Publication de *Mea Culpa*. En 1937, interrompt la rédaction de *Casse-pipe* pour écrire *Bagatelles* qui paraît à la fin de l'année. En 1938, publication de *l'École des cadavres*. Dès lors, pendant des années, ses relations et ses amitiés se situeront dans les milieux antisémites et fascistes.

> Sartre : *la Nausée*. Bernanos : *les Grands Cimetières sous la lune*. Rencontre Breton-Trotski au Mexique. Accords de Munich. Pacte germano-soviétique. Hitler envahit la Pologne. Déclaration de guerre de la France et de l'Angleterre à l'Allemagne. Début du second conflit mondial. Mort de Freud. Joyce : *Finnegans Wake*.

Céline s'engage comme médecin sur un bateau qui est coulé, revient en France et participe à l'exode.

> Entrée des Allemands à Paris. Appel du général de Gaulle. Pétain reçoit le pouvoir constituant.

1941-1951 : Guerre germano-russe. Entrée en guerre des États-Unis. Émigration de Breton, Ernst, Masson, etc., aux USA.

Céline publie *les Beaux Draps* et diverses lettres ouvertes dans les journaux collaborateurs, entretient des relations amicales avec Doriot, Rebatet, Ralph Soupault, se rend à Berlin, écrit *Guignol's Band 1*, épouse Lucette Almanzor.

CHRONOLOGIE

Capitulation des Allemands à Stalingrad. Arrestation de Mussolini. Bataille : *l'Expérience intérieure*. Sartre : *l'Être et le Néant*.
En 1944, fuyant les troupes de la Libération, Céline part avec Lucette pour le Danemark, via l'Allemagne. Voyage en zigzag de six mois qui se termine par l'arrestation à Copenhague. Après onze mois d'incarcération, il est libéré et s'installe à Klarskovgaard, au bord de la Baltique. Amaigri, malade, il a prématurément vieilli. L'image du Céline loqueteux de la fin est d'ores et déjà fixée. En France, Albert Paraz et Jean Paulhan organisent sa défense.

Explosion de la première bombe atomique à Hiroshima. Début de la guerre d'Indochine. Proclamation de la République populaire de Chine. Début de la guerre de Corée. Éluard refuse de s'associer à la protestation de Breton contre le procès de Zaviskalandra à Prague : « J'ai trop à faire avec les innocents qui clament leur innocence pour m'occuper des coupables qui clament leur culpabilité. »

Céline est condamné par contumace à un an d'emprisonnement et amnistié l'année suivante, en 1951. En septembre, rentre en France avec Lucette et s'installe définitivement à Meudon, 25 ter route des Gardes.

1952-1960 : Réimpression par Gallimard de toute son œuvre, hormis les pamphlets. *Féerie 1*, *Féerie 2 (Normance)*, *Entretiens avec le professeur Y*, paraissent sans éveiller le moindre intérêt.

Robbe-Grillet : *les Gommes*. Fin de la guerre d'Indochine et des protectorats français sur le Maroc et la Tunisie. Début de la guerre d'Algérie. Les troupes soviétiques écrasent la révolte de Budapest.

Publication de *D'un château l'autre*. Interview retentissante dans *l'Express*. Renaissance de l'intérêt du public et de la presse.

Coup d'État du 13 mai 1958. De Gaulle, président de la République. Prise du pouvoir par Castro à La Havane. Indépendance du Congo. Kennedy, président des États-Unis. Rupture entre l'Union soviétique et la Chine. « Manifeste des 121 ». Claude Simon : *la Route des Flandres*.

Publication de *Nord*.

1961 : Coup d'État militaire à Alger. Début de la conférence d'Évian et du terrorisme OAS.
Le 30 juin, Céline annonce à sa femme qu'il a terminé *Rigodon*. Il meurt le 1er juillet d'une rupture d'anévrisme.

1964 et 1969 : Publications posthumes de *Guignol's Band 2* (sous le titre : *le Pont de Londres*) et de *Rigodon*.

Bibliographie

1. ŒUVRES DE CÉLINE

Céline est le seul, parmi les écrivains du XXe siècle devenus des «classiques», dont il ne peut exister d'Œuvres complètes.

Les éditions Balland ont publié en cinq volumes des *Œuvres de Louis-Ferdinand Céline* (1966-1969) qui comprennent tous les écrits disponibles chez Gallimard, ainsi que *Mea Culpa*.

Dans la «Bibliothèque de la Pléiade», figurent deux volumes de *Romans* de Céline. Le premier (1962) contient *Voyage au bout de la nuit* et *Mort à crédit*, ainsi qu'un avant-propos par Henri Mondor, une chronologie par Jean A. Ducourneau et une bibliographie par Marc Hanrez. Le second volume (1974) contient les trois derniers romans, *D'un château l'autre*, *Nord* et *Rigodon*. Le très important appareil critique et les notices ont été assurés par Henri Godard. Il s'agit d'un travail aussi remarquable qu'indispensable.

C'est également à Henri Godard, et à Jean-Pierre Dauphin, qu'on doit les six *Cahiers Céline* parus à ce jour (Gallimard, 1976-1981). Inédits, textes introuvables, correspondance : innombrables éclaircissements sur son aventure littéraire, sur sa carrière médicale, son séjour en Afrique et ses rapports avec les femmes.

Les *Cahiers de l'Herne* n°s 3 et 5 (1963-1965), regroupés en un seul volume en 1972, contiennent aussi de nombreux textes peu connus et d'autres éléments de la «correspondance» de Céline.

A l'exception de *Progrès* (Mercure de France, 1978), toutes ses œuvres non «politiques» sont disponibles chez Gallimard, en collection Blanche ou en collection Folio.

Quant aux pamphlets que les libraires bibliophiles vendent à prix d'or, c'est en bibliothèque qu'il faut aller les consulter, si l'on tient vraiment à savoir «ce qu'il y a dedans».

BIBLIOGRAPHIE

2. OUVRAGES CONSACRÉS A CÉLINE

Il n'est pas question de donner ici un catalogue complet des études céliniennes, qui ne cessent d'ailleurs de se multiplier. Je n'ai retenu que celles qui m'ont été indispensables pour ce présent travail. Soit parce qu'elles contenaient des documents utiles (lettres, témoignages, etc.); soit parce qu'elles constituaient des symptômes des diverses opérations de justification intéressée du problème célinien; soit enfin, beaucoup plus rarement hélas, parce qu'elles amorçaient une lecture nouvelle (je veux dire une lecture sans fascination, sans préjugés et aussi sans complaisance).

Gibault, François : *Céline, le Temps des espérances,* Mercure de France, 1977.

Hanrez, Marc : *Céline,* Gallimard, 1969.

Hindus, Milton : *L.-F. Céline tel que je l'ai vu,* L'Herne, 1969.

Kristeva, Julia : *Polylogue,* Éd. du Seuil, coll. « Tel Quel », 1977 (le chapitre *D'une identité l'autre* est en grande partie consacré à Céline); *Actualité de Céline,* in *Tel Quel* nos 71/78, 1977 ; *Pouvoirs de l'horreur, Essai sur l'abjection,* Éd. du Seuil, coll. « Tel Quel », 1980.

Mahé, Henri : *La Bringuebale avec Céline,* La Table ronde, 1969.

Monnier, Pierre : *Ferdinand furieux,* L'Age d'homme, 1979.

Muray, Philippe : *L'Opium des lettres,* Christian Bourgois, coll. « TXT », 1979 (chapitre *Après Céline*).

Poulet, Robert : *Mon ami Bardamu,* Plon, 1971.

Roux, Dominique de : *La Mort de L.-F. Céline,* Christian Bourgois, 1966.

Sibony, Daniel : *La Haine du désir,* Christian Bourgois, 1978 (le chapitre *Remarques sur l'Affect « ratial »* est consacré en partie à Céline).

Szafran, Willy : *Louis-Ferdinand Céline, Essai psychanalytique,* Éditions de l'Université de Bruxelles, 1976.

Vandromme, Pol : *Céline,* Éditions universitaires, 1963.

Vitoux, Frédéric : *Céline,* Pierre Belfond, 1978.

Des bibliographies exhaustives (et toujours dépassées par l'inflation du discours sur Céline) se trouvent dans les *Cahiers de l'Herne,* et surtout dans les importants travaux de Jean-Pierre Dauphin : *Les Critiques de notre temps et Céline,* Garnier, 1976, et *Essai de bibliographie des études en langue française consacrées à L.-F. Céline* (un premier volume couvrant la période 1914-1944 a été publié chez Minard en 1977).

Une bibliothèque Céline existe à l'Université de Paris VII, Centre Jussieu (tour 24, couloir 24-34, 1er étage, pièce 04). Iconographie, dossiers de presse, reproductions de manuscrits, etc., y ont été rassemblés.

Table

IMP. MAME A TOURS
D.L. 3ᵉ TR. 1981. Nᵒ 5921

COLLECTION « TEL QUEL »

Roland Barthes, *Essais critiques*
Critique et Vérité
S/Z
Sade, Fourier, Loyola
Le Plaisir du texte
Fragments d'un discours amoureux
Jean-Louis Baudry, *Les Images*
Personnes
La « Création »
Pierre Boulez, *Relevés d'apprenti*
Par volonté et par hasard
(Entretien avec Célestin Deliège)
Pierre Daix, *Nouvelle Critique et Art moderne*
Jacques Derrida, *L'Écriture et la Différence*
La Dissémination
Jean Pierre Faye, *Analogues*
Le Récit hunique
Viviane Forrester, *Vestiges*
Gérard Genette, *Figures I*
Figures II
Allen Ginsberg, *Om...*
Entretiens et témoignages, 1963-1978
Jacques Henric, *Archées*
Chasses
Carrousels
Julia Kristeva, *Recherches pour une sémanalyse*
La Révolution du langage poétique
Polylogue
La Traversée des signes (ouvrage collectif)
Folle Vérité (ouvrage collectif)
Pouvoirs de l'horreur, essai sur l'abjection
Maria-Antonietta Macciocchi, *Pour Gramsci*
Après Marx, Avril
Marcelin Pleynet, *Paysages en deux*
suivi de *Les Lignes de la prose*
Comme
Stanze
L'Enseignement de la peinture
Art et Littérature
Rime